Durchstarten mit Raspberry Pi

Durchstarten mit Raspberry Pi

Erik Bartmann

Kommentare und Fragen können Sie gerne an uns richten:

O'Reilly Verlag
Balthasarstr. 81
50670 Köln
E-Mail: kommentar@oreilly.de

1. Auflage 2012

Bibliografische Information der Deutschen Nationalbibliothek
Die Deutsche Nationalbibliothek verzeichnet diese Publikation in der Deutschen Nationalbibliografie; detaillierte bibliografische Daten sind im Internet über *http://dnb.d-nb.de* abrufbar.

Lektorat: Volker Bombien, Köln
Fachliche Unterstützung: Markus Ulsaß, Hamburg
Korrektorat: Dr. Dorothée Leidig, Freiburg
Satz: III-Satz, Husby; www.drei-satz.de
Umschlaggestaltung: Michael Oreal, Köln
Produktion: Karin Driesen, Köln
Belichtung, Druck und buchbinderische Verarbeitung:
Druckerei Kösel, Krugzell, www.koeselbuch.de

ISBN 978-3-86899-410-0

Dieses Buch ist auf 100 % chlorfrei gebleichtem Papier gedruckt.

Inhalt

Einleitung

Wenn man so durch das Internet surft, dann findet man hier und dort schon recht interessante Artikel, und bei der Masse an Informationen ist es nicht leicht, die Spreu vom Weizen zu trennen. Viele auf den ersten Blick richtig gute Postings entpuppten sich später als Luftnummern, denen keine Zukunft beschieden war. Es genügt eben nicht, nur eine gute Idee zu haben. Man muss sie auch richtig zu Ende denken und dann zum richtigen Zeitpunkt an der richtigen Stelle platzieren, damit die *richtigen Leute* darauf aufmerksam werden. Welcher Zeitpunkt ist aber der richtige und welcher Ort der passende und wann treffe ich auf die richtigen Leute? Diese Fragen sind sicherlich nicht einfach zu beantworten und ein allgemeingültiges Rezept dafür gibt es sicher auch nicht. Auch wenn es Unmengen an Marktforschungsanalysen gibt, ein kleines Quäntchen Glück gehört einfach dazu. Neulich bin ich von einem guten Freund fast nebenbei auf eine Sache aufmerksam gemacht worden, die mich unmittelbar in ihren Bann gezogen hat. Er hatte bei *Facebook* einen Kommentar eingestellt, der auf eine *YouTube*-Seite verwies. Dieser *Drei Minuten-Clip* hatte es aber in sich. Er zeigte eine kleine, mit einer Handvoll Bauteilen bestückte Platine, deren Größe der einer Checkkarte glich. Zuerst dachte ich, es läge an der Kameraeinstellung, doch das Teil war wirklich *klein*. Es wurde hier ein Minicomputer mit enormem Potential präsentiert. Dieses Artefakt menschlicher Kreativität entpuppte sich dann als vollwertiger Computer, an dem alles für den Betrieb notwendige, was wir auch bei unserem heimischen PC verwenden, angeschlossen werden konnte, also ein *Monitor*, eine *Tastatur*, eine *Maus*, ein *Netzwerkkabel*, eine *Stromversorgung* sowie eine *SD-Karte*, und noch einiges andere mehr. Da fragt sich der eine oder andere sicherlich, wie das denn alles auf einer Platine von der Größe einer

Checkkarte Platz findet. Und bisher habe ich lediglich ein paar nach außen führende Anschlüsse genannt. Da ist noch weitaus mehr drauf bzw. drin. Aber jetzt ist es wohl erst einmal an der Zeit, dass ich den Namen dieses unglaublichen Riesen im Zwergenformat nenne. Wie, der steht doch schon auf dem Cover des Buches drauf? *Ok, ok*. Voll erwischt! Trotzdem. Der Name lautet *Raspberry Pi* und klingt zunächst einmal genauso unscheinbar, wie das Board auf den ersten Blich aussieht. Das hört sich fast wie in einer Werbeveranstaltung an, doch ich möchte niemanden überreden, lediglich überzeugen oder auch verblüffen. In der Werbung läuft das meistens genau andersherum. Da ist man später immer schlauer als vorher und ärgert sich. Das wird hier mit sehr hoher Wahrscheinlichkeit nicht passieren. Bevor ich jetzt noch weiter schwärme, sollte ich wohl erst einmal das Objekt der Begierde – und ich war und bin immer noch sehr begierig – aus dem Sack lassen. Das Board wird in einem sehr unscheinbaren Karton geliefert.

Abbildung 1 ▶
Der Lieferkarton des Raspberry Pi-Boards

Nach dem Auspacken kommt das folgende Board zum Vorschein, das aber noch in einem Antistatik-Folienbeutel verpackt ist.

Den größten Raum auf diesem Board (siehe Abbildung 2 auf der folgenden Seite) nehmen wirklich die einzelnen Anschlüsse ein, denn sie sind nun einmal genormt. Das Entwicklen neuer Anschlüsse speziell für eine derart kleine Platine, die dann keinem allgemeinen Standard entsprächen, wäre sicherlich nicht der richtige Weg gewesen. Es sollten all *die* Komponenten Verwendung finden können, die heutzutage auch standardmäßig an allen Rechnern in unseren Haushalten angeschlossen sind. Die Kosten, um den Minicomputer zu betreiben, werden auf diese Weise sehr gering gehalten. Es ist sogar eine ganz normale *Video-Out*-Buchse vorhanden, die in unserer heutigen Zeit mehr und mehr von der Bildfläche verschwindet und durch

DVI und *HDMI* verdrängt wird. Das hat aber durchaus seine Bewandtnis. Dieser Computer soll auch in einem Umfeld betrieben werden können, in dem noch ganz *normale* Fernseher vorhanden sind. Dadurch wird auch solchen Personen die Möglichkeit eröffnet, sich mit der betreffenden Materie auseinander zu setzen, die es sich unter Umständen nicht leisten können, immer wieder den neuesten Elektronik-Schnickschnack zu kaufen. Eine sehr kluge Entscheidung, wie ich finde, die auf jeden Fall von der Weitsicht der Entwickler zeugt. Die hier auf dem Board verwendete Hardware entspricht fast der eines heutigen Smartphones. Das *Raspberry Pi*-Board ist quasi ein Smartphone ohne Tastatur bzw. Display. Das Board hat schon vor der Auslieferung, die sich aufgrund der enormen Nachfrage verzögerte, einen atemberaubenden *Hype* ausgelöst. Auch jetzt im *Juli 2012* müssen viele noch auf ihre Bestellung warten und manche sind schon ein wenig frustriert. Gerade in den Anfängen neuer Projekte kommt es hier und da zu Problemen und die Sache läuft nicht so richtig rund. Das ist auch – das möchte ich hier gar nicht verschweigen – beim *Raspberry Pi* der Fall. Die momentan verfügbare Software bereitet schon mal ein paar Probleme, doch das wird sich garantiert schnell ändern, denn die Community wächst unaufhörlich. Ich denke, das ist ein ganz normaler Prozess, der durchlaufen werden muss, und am Ende des Tages gibt es immer Lösungen. Sei also gespannt, was sich auf diesem Gebiet noch so tun wird, denn langweilig wird es garantiert nicht. Tauche ein in die wundersame Welt des *Raspberry Pi*.

◀ **Abbildung 2**
Das Raspberry Pi-Board

Aufbau des Buches

Vielleicht hast du bemerkt, dass ich den Stil des Buches ein wenig anders gewählt habe, als du dass möglicherweise von anderen Fachbüchern gewohnt bist. Ich habe mich für eine sehr lockere und leserbezogene Sprache entschieden. Wenn du vielleicht meine vorherigen Bücher über den *Arduino* bzw. die Programmiersprache *Processing* gelesen hast, dann weißt du, was auf dich zukommt und was dich erwartet. Das meine ich natürlich im positiven Sinn. Auch in diesem Buch wirst du von einem Kollegen begleitet, der an bestimmten Stellen des Buches ein paar Fragen stellt, die dir möglicherweise auch gerade durch den Kopf gegangen sind. Du wirst dich vielleicht – und das hoffe ich wirklich – ein wenig mit ihm identifizieren, denn eigentlich sind es Fragen, die sich sicherlich fast jeder hier und da stellt. Auf diese Weise wird es in meinen Augen etwas leichter, durch die manchmal doch recht komplexe Materie zu manövrieren. Wenn ich persönlich etwas *nicht* besonders schätze, dann sind das Bücher mit Lehrbuchcharakter. Vielleicht rührt diese Abneigung noch von meiner Schulzeit her, denn die Schulbücher zu meiner Zeit wurden anscheinend von Pädagogen geschrieben – habe ich wirklich die Bezeichnung *Pädagoge* verwendet? – die von der Lehrstoffvermittlung so viel Ahnung hatten wie die besagte *Kuh vom Eierlegen*. Es war einfach grauenhaft und das möchte ich hier nicht wiederholen. Ich versuche die einzelnen Buchkapitel nicht streng voneinander zu trennen, so dass die Dinge fließend ineinander übergehen. Das ist leider nicht immer machbar, doch die Hoffnung stirbt ja bekanntlich zuletzt.

Innerhalb des Textes findest du immer wieder einmal ein paar Piktogramme, die je nach Aussehen eine abweichende Bedeutung haben.

Das könnte wichtig für dich sein

Hier findest du nützliche Informationen, Tipps und Tricks zum gerade angesprochenen Thema, die dir sicherlich helfen werden. Darunter befinden sich auch ggf. Suchbegriffe für die Suchmaschine *Google*. Ich werde nur wenige feste Internetadressen anbieten, da diese sich im Laufe der Zeit ändern können oder einfach wegfallen.

Eine Bemerkung am Rande

Die Information hat nicht unmittelbar etwas mit dem Thema zu tun, das ich gerade anspreche, doch man kann ja mal über den Tellerrand schauen. Es ist allemal hilfreich, ein paar Zusatzinformationen zu erhalten.

Achtung

Wenn du an eine solche Stelle gelangst, solltest du den Hinweis aufmerksam lesen, denn es ist ggf. Vorsicht geboten. Dabei geht es nicht unbedingt um dein Leben, aber vielleicht um das Leben des *Raspberry Pi*-Boards.

An dieser Stelle möchte ich auch auf meine Internetseite *www.erik-bartmann.de* hinweisen, auf der du u.a. einiges zum Thema *Raspberry Pi* findest. Schau einfach mal vorbei, und es würde mich sehr freuen, wenn du bei dieser Gelegenheit auch ein wenig Feedback (*positiv* wie *negativ*) geben würdest. Die entsprechende E-Mail-Adresse lautet *raspi@erik-bartmann.de*, sie ist aber auf der Internetseite noch mal aufgeführt.

Voraussetzungen

Um mit dem *Raspberry Pi* arbeiten zu können, musst du lediglich ein paar persönliche Voraussetzungen mitbringen. Du solltest offen für Neues sowie experimentierfreudig sein und Freude am Frickeln haben. Du musst kein Elektronik-Freak sein und auch kein Computerexperte. Auf jeden Fall solltest du aber das folgende primäre Ziel haben: *Es soll Spaß machen*. Der Spaßfaktor ist das Wichtigste überhaupt und das gilt ja für alle Situationen im Leben. Ok, ein Zahnarztbesuch fällt nicht gerade in diese Kategorie. Aber eben fast alle... Wenn das Arbeiten mit diesem Board Spaß macht, und das ist definitiv der Fall, dann wäre es doch sicherlich auch etwas für Kinder und Jugendliche, denen hiermit ein geeigneter bzw. kostengünstiger Einstieg in die Informatik eröffnet werden könnte. Lasse dich nicht durch Fehlschläge beim Experimentieren entmutigen, denn du bist in bester Gesellschaft. Wenn es um die Software des *Raspberry Pi* geht, dann kannst du nichts falsch bzw. kaputt machen. Wenn du es beim Herumprobieren bzw. -konfigurieren soweit gebracht hast, dass nichts mehr geht, dann schreibe einfach ein frisches Betriebssystem-Image auf deine SD-Karte und das Spiel kann von neuem beginnen. Hinsichtlich der Hardware sieht die Sache schon etwas anders aus. Wir werden einige Experimente mit dem Board durchführen und da musst du schon sehr genau aufpassen, was du machst. Ich spreche die Besonderheiten an den jeweiligen Stellen aber noch einmal an.

Benötige Komponenten

Dann wollen wir also einmal kurz zusammenfassen, was du alles so an *Hardware* bzw. *Software* benötigst, damit das Frickeln auch in die Spaß-Kategorie fällt. Das *Raspberry Pi*-Board hast du ja gerade schon gesehen. Ohne *das* geht es beim besten Willen nicht.

Was kostet denn solch ein *Raspberry Pi*-Board überhaupt? Lohnt es sich dann nicht doch, einen richtigen Computer zu kaufen?

Hallo *RasPi*, schön, dass du dich auch mal zeigst! Wenn ich mich recht entsinne, dann bist du doch der Bruder von *Ardus*, der aus dem *Arduino-Buch* – richtig!? Deine Frisur ist aber ganz anders! Seid ihr wirklich Geschwister? Ok, zurück zu deiner Frage, die genau an der richtigen Stelle gestellt wurde. Ich hätte schon viel früher mit dem Preis rausrücken sollen. Das hat aber nichts damit zu tun, dass der Minicomputer so teuer wäre. Ganz im Gegenteil. Das Ding ist richtig günstig! Du bekommst das Board (*Modell B*) für um die *35€*. Das ist doch wirklich preiswert, nicht wahr!? Kommen wir also zum Rest, also dem Drumherum. Ich komme nun zu zwei Listen, von denen die erste *das* enthält, was du unbedingt benötigst (*Must-Have*), und die zweite das umfasst, was das Leben mit dem Board erleichtert, jedoch nicht unbedingt erforderlich ist (*Nice-To-Have*).

Must-Have:

- USB-Tastatur (*PS2 auf USB*-Adapter geht auch)
- SD-Karte
- Linux-Betriebssystem (*als Image*)
- TFT-Display mit *HDMI*- bzw. *DVI*-Anschluss oder Monitor mit *Composite*- oder *Scart*-Eingang
- *HDMI*-Kabel für TFT-Display oder *Video*-Kabel für Monitor
- USB-Netzteil (*5 V* mit *1000mA*)

Nice-To-Have:

- USB-Maus (für grafische Benutzeroberfläche aber ein Muss)
- Netzwerkanschluss + Netzwerkkabel
- USB-HUB (aktiv oder passiv)
- Gehäuse (*Case*)

Ich werde dir an passender Stelle natürlich die einzelnen Komponenten genauer vorstellen und auch ein paar Anschlussbeispiele präsentieren. Es gibt hier und da einiges zu beachten, doch ich denke, dass wir das schon hinbekommen werden.

Das, was auch in diesem Buch nicht fehlen darf

Primär möchte ich meiner Familie dafür danken, dass Sie mich bei diesem Buchprojekt erneut unterstützt. Zuerst hatte ich so meine Bedenken, denn es bedeutete wieder viel Arbeit in meinem abgeschlossenen Kämmerlein, doch meine *Frau* hat mich ermutigt, diesen Schritt zu wagen. Des Weiteren bin ich meinem Lektor, Herrn *Volker Bombien,* für seine stete Unterstützung und seinen unermüdlichen Beistand zu Dank verpflichtet. Seine Weitsicht in technischen Dingen geht über das hinaus, was ich von so manchen Kollegen aus der IT-Branche kenne. Auch Herr *Markus Ulsaß*, der mir auch schon bei meinem letzten Buchprojekt als Fachberater zur Seite gestanden hat, unterstützte mich dabei, einige Probleme aus dem Weg zu räumen.

Viel Spaß und viel Erfolg mit deinem *Raspberry Pi* wünscht dir *RasPi* und

Erik Bartmann

Das Raspberry Pi-Board

1

Wir wollen in diesem Kapitel einen geeigneten Einstieg für das *Raspberry Pi-Board* finden, so dass du einen Überblick über die Hardware bekommst. Die Themen werden folgende sein:

- Unterschiede bei den vorhandenen Boards (*Modell A* und *B*)
- Welche Chips sind auf dem Board verbaut?
- Die einzelnen Anschlüsse im Detail
- Welche unterschiedliche Anschlussmöglichkeiten bestehen?
- Was ist bei *SD-Karten* zu beachten?
- Die Spezifikationen
- Bisher nicht unterstützte Anschlüsse

Dann wollen wir mal

In der Einleitung habe ich mich ja sehr zurückhaltend über die Details des *Raspberry Pi*-Boards geäußert. Das wird jetzt anders. Die meisten von euch fiebern sicherlich nach Informationen, die Aufschluss über die Funktionsweise des Minicomputers geben. Der Fachbegriff für einen solchen Rechner lautet *Single-Board-Computer* – kurz *SBC*. Wir wollen also einen genaueren Blick auf die Oberseite des Boards werfen und die schon erwähnten Anschlüsse lokalisieren. Ich sollte euch darauf hinweisen, dass das Board in zwei unterschiedlichen Varianten angeboten wird:

- Modell A
- Modell B

Der Unterschied besteht darin, dass *Modell A* keinen Netzwerkanschluss besitzt und nur einen einzigen *USB*-Anschluss aufweist. Ansonsten sind die Boards absolut baugleich. Wenn ich in diesem Buch vom *Raspberry Pi* spreche, dann verwende ich immer das *Modell B* mit *Netzwerk-* und *2 USB-Anschlüssen*. Wegen des geringen preislichen Unterschieds zwischen *Modell A* und *Modell B* bzw. der grundsätzlich geringen Anschaffungskosten sollte die Wahl in meinen Augen immer zugunsten von *Modell B* ausfallen.

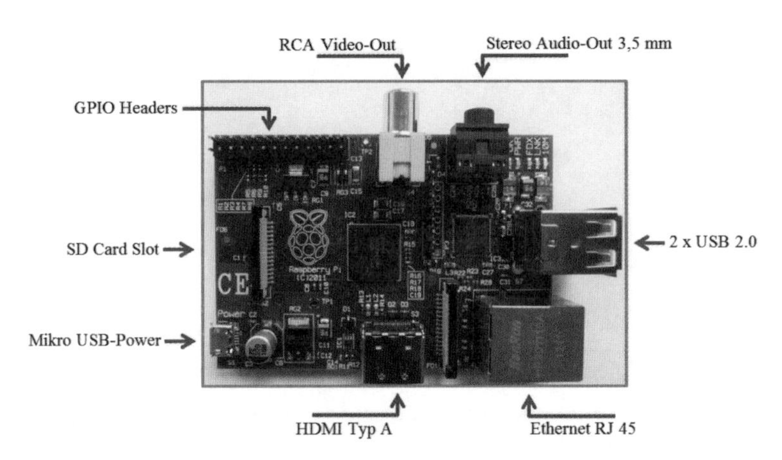

Abbildung 1-1 ▶ Die Anschlüsse des Raspberry Pi-Boards

Es existieren zwar noch weitere Anschlüsse, auf die ich aber im Moment noch nicht eingehen möchte. Ich komme später noch darauf zurück. Die hier genannten Anschlüsse stellen also die Verbindung zur *Außenwelt* dar, derer wir uns bedienen können, um mit dem Board zu kommunizieren.

Wenn du von der Kommunikation des *Raspberry Pi*-Boards mit der Außenwelt sprichst, dann muss es ja eigentlich auch eine Innenwelt geben. Wie schaut die denn aus?

Ok, *RasPi*, diese Aussage ist natürlich korrekt. Wenn du so darauf brennst, werde ich jetzt ein paar einführende Worte über die *Innenwelt* des Boards verlieren. Dazu sollten wir wieder einen Blick auf das Board werfen, damit du siehst, wo sich die richtig wichtigen Bauteile befinden. Natürlich ist alles wichtig, doch wie im richtigen Leben sind manche Dinge eben *wichtiger als andere*.

Das Zugpferd des *Raspberry Pi*-Boards ist der Prozessor *Broadcom BCM2835*. Du findest ihn relativ mittig auf dem Board. Er entwickelt im laufenden Betrieb nur mäßig Wärme, so dass die spätere Unterbringung in einem Gehäuse eigentlich kein Problem darstellen sollte. Wenn du einen Finger auf ihn legst, wirst du es spüren. Der zweite Baustein ist der *LAN*-Controller, der für den Netzwerkbetrieb verantwortlich ist. Er befindet sich rechts neben dem Prozessor und ist in seinen Ausmaßen etwas kleiner.

◀ **Abbildung 1-2**
Die Chips des Raspberry Pi-Boards

Die Anschlüsse im Detail

Damit beim Versuch, das *Raspberry Pi*-Board in Betrieb zu nehmen, nichts schiefgeht, möchte ich ein wenig auf die oben genannten Anschlüsse eingehen. Es gibt in meinen Augen nichts Schlimmeres bzw. Nervenaufreibenderes, als schon zu Beginn mit vermeidbaren Problemen konfrontiert zu werden, nur um überhaupt die erforderlichen Rahmenbedingungen zu erfüllen, damit das Board funktioniert. Fangen wir doch einmal mit dem Grundlegendsten an: der *Spannungsversorgung*.

Die Spannungsversorgung

Damit das Board überhaupt in Betrieb genommen werden kann, ist eine passende Spannungsversorgung erforderlich. Die einfachste Art der Realisierung, ohne sich mit Unmengen an proprietären Steckern bzw. Buchsen herumschlagen zu müssen, bietet heutzutage der *USB-Anschluss*.

Hey, mein *PC* hat doch jede Menge USB-Anschlüsse. Da ist sicherlich noch einer frei, den ich für die Versorgung des Boards nutzen kann.

Diese Idee, lieber *RasPi*, hatte auch ich zu Beginn. Doch ich möchte dir dazu etwas Wichtiges sagen. Zum einen möchtest du sicherlich den *Raspberry Pi* unabhängig vom PC betreiben, oder willst du etwa immer deinen PC mit dir herumschleppen, nur um das Board mit Spannung zu versorgen? Das wäre also geklärt! Zum anderen ist ein USB-Anschluss an einem PC nur in der Lage, maximal *500mA* Strom liefern. Das reicht für das *Raspberry Pi*-Board nicht aus. Es kann gut gehen, doch warum solltest du dich am Limit bewegen, wenn es eine viel elegantere Lösung gibt, die zudem überhaupt nicht teurer ist. Das *Modell B* Board benötigt zum Betrieb so um die *700mA*, wohingegen das *Modell A* sich mit *500mA* begnügt. Es gibt kostengünstige *USB-Netzgeräte*, die zum Laden von *MP3-Playern* oder auch *Smartphones* genutzt werden. Am besten nutzt du ein solches Netzgerät mit *1000mA* und *5V* Versorgungsspannung. Dann kann nichts schiefgehen. Andernfalls hast du ggf. mit unterschiedlichen Symptomen, wie Tastatureingaben, die nicht erkannt werden, einem ruckelnden und hakenden Mauszeiger oder instabilen Netzwerkverbindungen zu kämpfen.

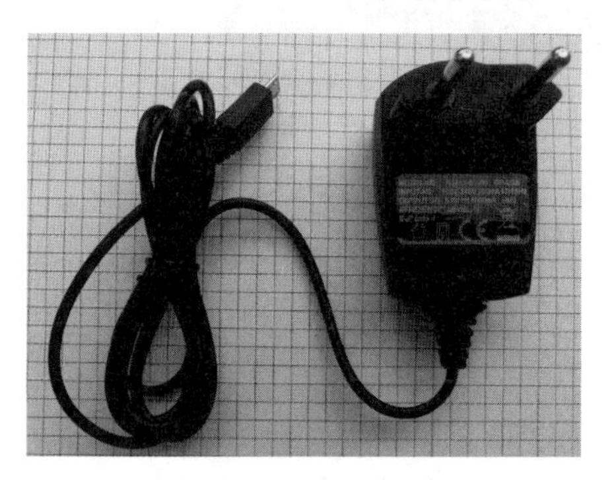

Abbildung 1-3 ▶
Ein USB-Netzteil

Du musst jedoch auf den korrekten Anschluss achten. Es werden zwei unterschiedliche Stecker im Miniformat angeboten.

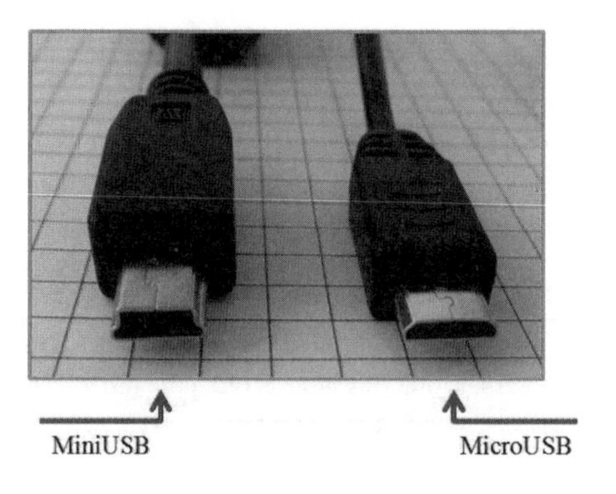

Abbildung 1-4 ▶
Die unterschiedlichen USB-Stecker im Miniformat

Unser *Raspberry Pi*-Board kann nur den *MicroUSB*-Stecker aufnehmen, den du auf der rechten Seite siehst. Dieser findet auch bei den meisten Smartphones Verwendung. Eine weitere Alternative besteht im Einsatz von *4 x AA Batterien*.

Das Videosignal

Damit du auch siehst, was dein Board so treibt, benötigst du eine Möglichkeit, einen *Fernseher* oder einen *Monitor* bzw. ein *TFT-Display* anzuschließen. Auf dem Board stehen dafür zwei Buchsen zur Verfügung:

- RCA Video-Out
- HDMI

Wenn du einen *Fernseher* der älteren Generation anschließen möchtest, kannst du die *Video-Out*-Buchse verwenden. Über einen *Composite-To-Scart-Adapter* kann ebenfalls der ggf. vorhandene *Scart-Anschluss* am Fernseher verwendet werden. Für den Ton wird dann die sich direkt daneben befindende *3,5mm* Klinken-Buchse verwendet. Bei aktuellen *TFT-Displays* ist sicherlich ein *HDMI*-Anschluss vorhanden, so dass du dann die *HDMI-Buchse Typ A* (*full-size*) nutzen kannst. Über diese wird dann auch gleich der Ton übertragen. Bei dem Kabel sollte es sich um *HDMI*-Versionen *1.3* oder *1.4* handeln, wobei die letztere empfohlen wird. Diese Version unterstützt ein Video-Format von *2160p*.

◀ Abbildung 1-5
HDMI-Stecker eines Hochgeschwindigkeitskabels von 2 m Länge der Version 1.4

Diese Variante ist natürlich die modernste, und wie der Name *HDMI* schon sagt, handelt es sich dabei um ein *High Definition Multimedia Interface*, das natürlich auch Formate in der Qualität von *BluRay* übertragen kann. Ja, du hast richtig gehört! Das *Raspberry Pi*-Board kann solche hochauflösenden Formate verarbeiten und darstellen. Ebenso können Grafiken in *2D* und *3D* dargestellt werden und das sogar bei Spielen. Eine Auflösung *Full HD* mit *1920 x 1080* ist also demnach kein Problem, was dazu führt, dass einem Anschluss an ein modernes *HD-TV*-Gerät nichts im Wege steht.

Das könnte wichtig für dich sein

Es besteht keine direkte Möglichkeit, einen älteren Monitor mit einem *VGA*-Anschluss (*Sub-D-Buchse*) zu betreiben.

Dann schauen wir uns die einzelnen Anschlussmöglichkeiten einmal genauer an.

Anschluss über HDMI (Raspberry Pi) auf HDMI (TFT)

Abbildung 1-6 ▶
Der Anschluss über den HDMI-Ausgang des Boards und den HDMI-Eingang am TFT

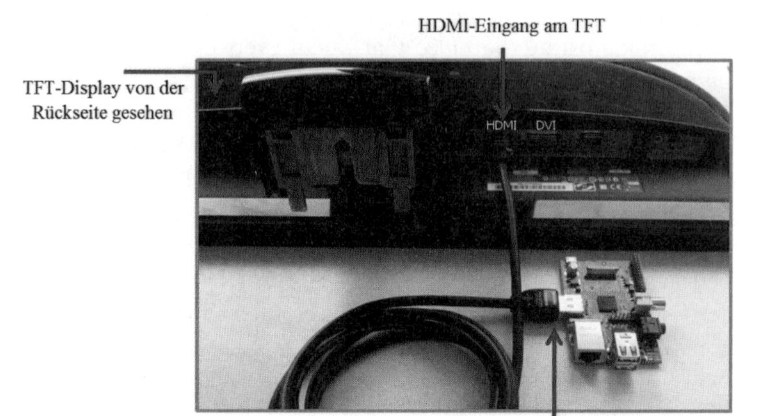

Anschluss über HDMI (Raspberry Pi) auf HDMI/DVI-Adapter (TFT)

Falls du über keinen *HDMI*-Anschluss an deinem *TFT*-Display verfügen solltest, ist noch nicht alles verloren, denn alle *TFT*-Displays verfügen über einen *DVI*-Eingang. Zwar weist dein *Raspberry Pi*-Board keinen *DVI*-Ausgang auf, doch wozu gibt es denn Adapter? Für schlappe *2,00 €* kannst du dir einen passenden Adapter besorgen, den du einfach an das *HDMI*-Kabel anschließt.

Abbildung 1-7 ▶
HDMI/DVI-Adapter

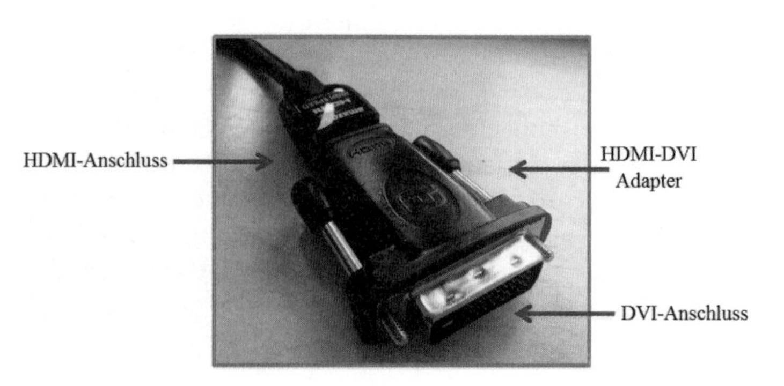

Jetzt kannst du problemlos das Board mit deinem TFT-Display über den *DVI*-Eingang betreiben.

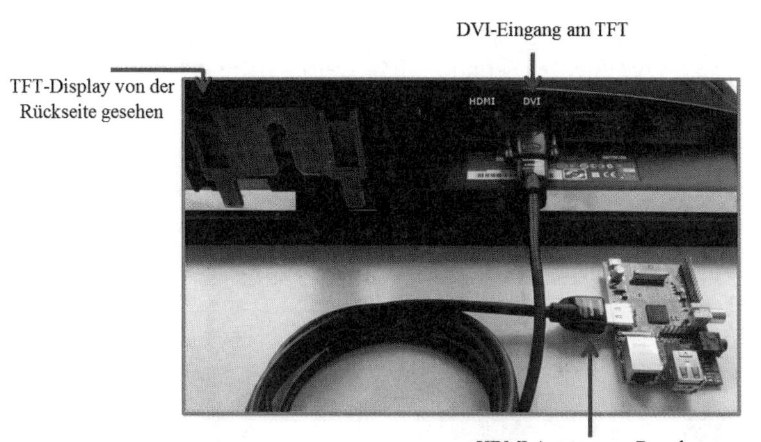

◀ **Abbildung 1-8**
Der Anschluss über den HDMI-Ausgang des Boards und den DVI-Eingang am TFT

Anschluss über RCA-Video Out auf SCART-Adapter

Das Board verfügt über einen Video-Ausgang, das älteren Datums ist, was aber durchaus seinen tieferen Sinn hat. Es handelt sich um die nicht zu übersehende gelbe Buchse mit der Bezeichnung *RCA-Video Out*. In der folgenden Abbildung siehst du den Anschluss, über den das Board mit einem handelsüblichen Fernseher verbunden wird.

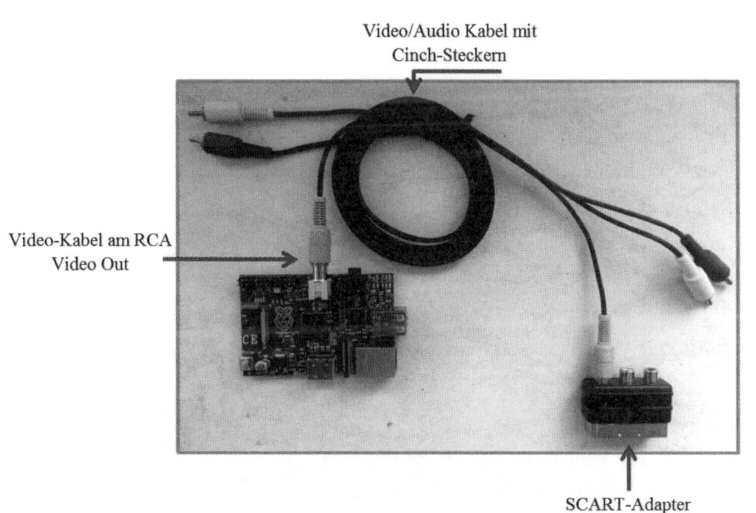

◀ **Abbildung 1-9**
Der Anschluss über den RCA-Ausgang des Boards und den SCART-Eingang am Fernseher

Das *Video*-Kabel, das ich hier verwende, hat zusätzlich noch 2 *Audio*-Anschlüsse, die aber im Moment noch nicht verwendet werden. Wenn du aber trotzdem den Ton übertragen möchtest, kannst du den *Audio*-Ausgang verwenden, der sich direkt neben der *RCA-Video-Out*-Buchse befindet. Ich werde näher darauf eingehen, wenn wir in Kürze zum Thema *Audio* kommen. Im Folgenden siehst du das Bild auf meinem Fernseher, das natürlich nicht mit der Qualität aufwarten kann, wie sie bei einem *TFT*-Display vorliegen würde. Man kann aber trotzdem damit arbeiten.

Abbildung 1-10 ▶
Das Raspberry Pi-Board wird über den Fernseher betrieben

Das Netzwerk

Wenn du dich für das *Modell B* entschieden hast, und es spricht ja wirklich kaum etwas dagegen, dann verfügst du über einen sogenannten *RJ-45-Anschluss*.

Abbildung 1-11 ▶
RJ-45-Anschluss des Raspberry Pi-Boards

Netzwerkanschluss (RJ 45-Buchse)

Dieser ermöglicht es dir, den *Raspberry Pi* mit dem Netzwerk zu verbinden. An deinem *Router* ist möglicherweise noch ein Port frei, so dass du mit einem *Patchkabel* eine Verbindung herstellen kannst.

Achtung

Ein *Patchkabel* hat in der Regel eine Farbe, die *nicht* Rot ist, also z.B. Beige, Grün, Blau oder Gelb. Verwende auf *keinen* Fall ein rotes Netzwerkkabel, wenn du das *Raspberry Pi*-Board an deinen Router anschließt, denn das ist mit sehr hoher Wahrscheinlichkeit ein sogenanntes *Crosskabel*, bei dem die Sende- bzw. Empfangsdrähte vertauscht sind. Da es heutzutage die unmöglichsten Farben gibt, ist es aber sicherlich immer besser, vorher zu überprüfen, was du da verwendest. Du ersparst dir damit viel Ärger und eine aufwendige, zeitraubende und nervige Fehlersuche.

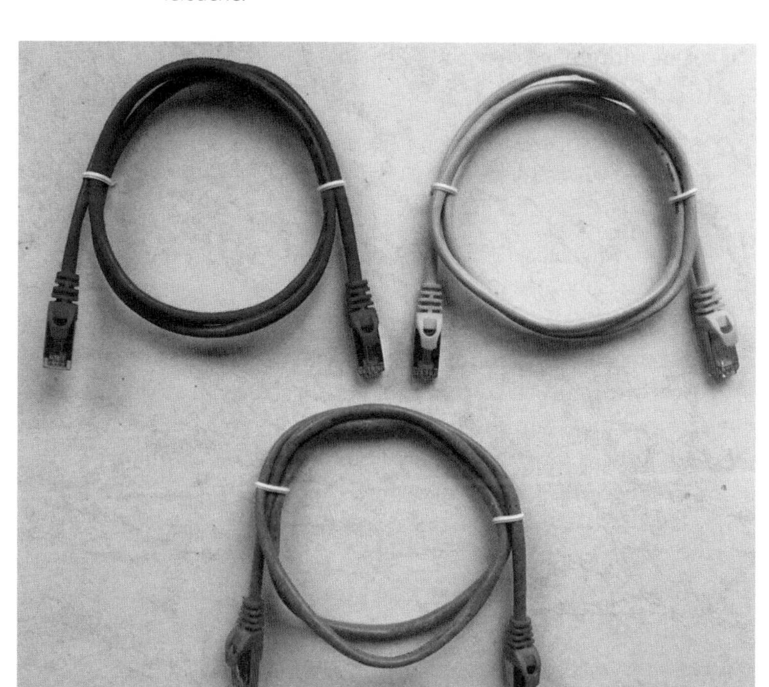

◀ **Abbildung 1-12**
Netzwerkkabel in unterschiedlichen Farben (hier mit der Länge 1 Meter)

Der Anschluss erfolgt einfach über einen – hoffentlich noch freien – Netzwerkanschluss am *Router*, der ja die Verbindung zum *Internet* ermöglicht.

Abbildung 1-13 ▶
Das Raspberry Pi-Board wird mit dem Netzwerk bzw. Internet verbunden

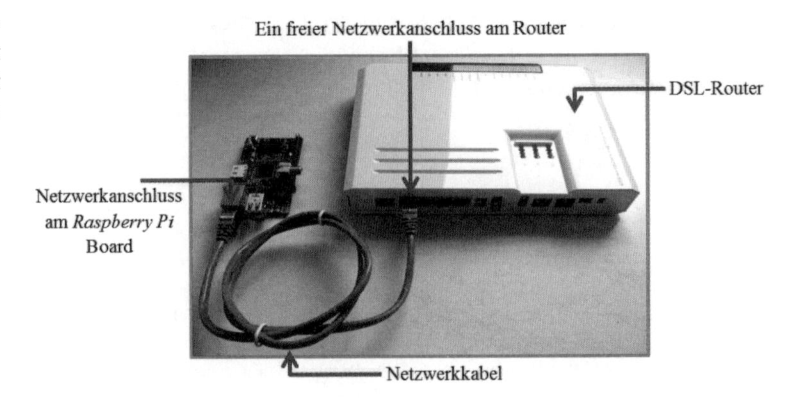

Über die gezeigten Anschlüsse kannst du mit deinem *Raspberry Pi*-Board eine Verbindung zum Internet aufnehmen.

Das könnte wichtig für dich sein

Wenn du deinen *Raspberry Pi* über das Netzwerkkabel mit deinem *Router verbindest*, wird über das eingestellte *DHCP-Protokoll* (*Dynamic Host Configuration Protocol*) dem Board eine freie *IP-Adresse* zugewiesen. Zudem werden Informationen über das *Gateway* – in der Regel der Router selbst – bzw. den *DNS-Server* übermittelt. Du musst dich also nicht um diese Einstellungen kümmern.

Auf der Speicherkarte, zu der wir gleich noch kommen werden, sind je nach *Linux*-Distribution unterschiedliche Programme vorinstalliert. Dort findest du einen *Internet-Browser*, der es dir gestattet, eine Verbindung zum *World Wide Web* aufzunehmen. Auf dem gleichen Weg kannst du dir neue Software herunterladen und – sofern es der Speicherplatz deiner *SD-Karte* zulässt – auch installieren.

USB-Tastatur und -Maus

Was wäre ein richtiger Computer ohne eine Eingabemöglichkeit? Es muss also eine *Tastatur* bzw. eine *Maus* her. Beide müssen jedoch den sich mittlerweile durchgesetzten *USB-Standard* erfüllen. Wenn du dich – ich kann's nicht of genug erwähnen – für das *Modell B* entschieden hast, stehen dir *2 USB-Ports* zur Verfügung, im Gegensatz zum *Modell A*, das nur einen einigen Port besitzt. Das wäre auch kein Beinbruch, denn über einen sogenannten *USB-HUB* kannst du diesen Anschluss entsprechend erweitern. Wenn du noch über eine Tastatur mit *PS2*-Anschluss verfügst, kannst du es mit einem *PS2/USB*-Adapter probieren.

◀ **Abbildung 1-14**
Maus und Tastatur an den beiden USB-Anschlüssen

Es spielt dabei keine Rolle, mit welchem USB-Anschluss die *Maus* bzw. die *Tastatur* verbunden wird. Du kannst sie also auch getrost andersherum anschließen. Ach ja, bevor ich es vergesse, hier der schon erwähnte *PS2/USB*-Adapter:

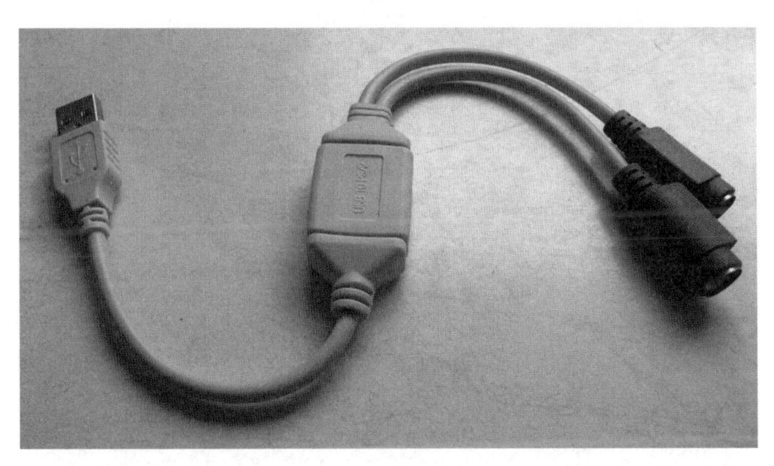

◀ **Abbildung 1-15**
Ein PS2/USB-Adapter zum Anschluss von PS2-Maus und -Tastatur

Die *PS2*-Buchsen haben unterschiedliche Farben mit folgender Bedeutung:

- *Grün*: Tastatur
- *Lila*: Maus

Auf diese Weise sparst du sogar einen USB-Anschluss und kannst ihn für andere Zwecke nutzen. Es gibt neben Tastatur und Maus die unterschiedlichsten USB-Geräte, die du an dein Board anschließen kannst:

- WiFi-Adapter
- Web-Cam
- Speicherstick usw.

Ich möchte dir aber auch noch eine weitere Anschlussmöglichkeit von *Maus* und *Tastatur* zeigen. Neben kabelgebundenen Mäusen bzw. Tastaturen werden funkgestützte, also kabellose Geräte, z.B. mit *Smartlink Technologie 2,4 GHz,* angeboten. Du verbindest einfach den beigefügten Adapter mit einem der USB-Anschlüsse des *Raspberry Pi*-Boards und schon hast du *Maus* und *Tastatur* an deinem System angeschlossen. *Linux* erkennt in der Regel diesen Adapter automatisch, so dass keine weitere Treiberinstallation erforderlich ist. Und schon wieder hast du einen USB-Anschluss gespart, den du für weitere externe Geräte nutzen kannst.

Abbildung 1-16 ▶
Maus und Tastatur sind per Funkmodul am Raspberry Pi angeschlossen

In der folgenden Abbildung siehst du dieses Funkmodul einmal aus der Nähe.

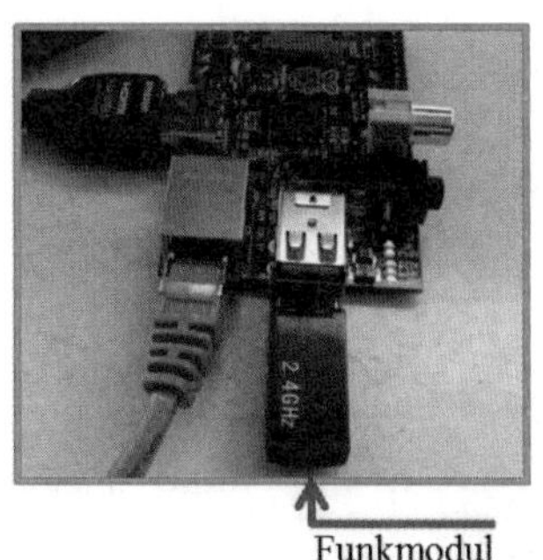

Abbildung 1-17
Das Funkmodul steckt in einem USB-Anschluss des Raspberry Pi

Achtung

Wenn dein Netzgerät zu schwach dimensioniert ist, kann es u.a. zeitweise zu Problemen mit der Tastatur kommen. Tastendrücke werden entweder nicht bzw. verzögert angenommen oder es hagelt gleich mehrere identische Zeichen in Folge. Ich rate deswegen auf jeden Fall zu einem Netzgerät von min. *1000mA*, wenn nicht sogar noch mehr. Lasse dir von keinem etwas anderes erzählen, denn früher oder später erwischt es dich!

Audio

HDMI-Audio-Ausgang am TFT-Display

Wenn du den *HDMI*-Anschluss verwendest, wird das Audio-Signal über diesen geleitet. Es gibt sicherlich *TFT-Displays*, die schon über eingebaute Lautsprecher verfügen, so dass du sofort einen Ton erhältst. Mein Gerät besitzt lediglich zwei Audio-Ausgänge, an denen ich Lautsprecherboxen und/oder einen Kopfhörer anschließen kann.

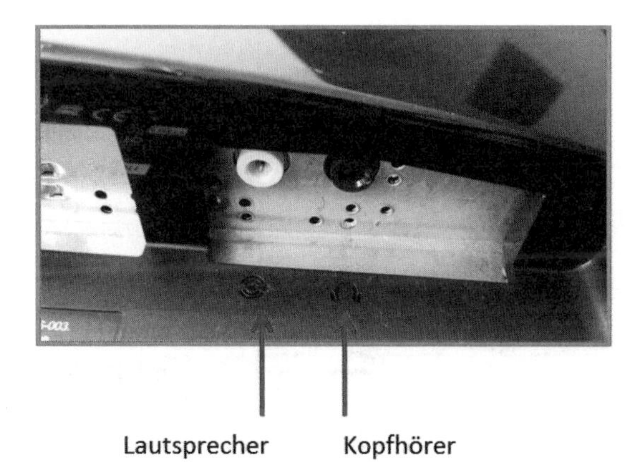

Abbildung 1-18
Die Audio-Ausgänge an meinem TFT-Display

Stereo-Buchse

Wenn du nicht den *HDMI*-Anschluss, der auch gleichzeitig für das Audio-Signal verantwortlich ist, sondern die *RCA-Video*-Buchse nutzt, musst du für das Audio-Signal die *3,5 mm*-Stereo-Buchse verwenden.

Abbildung 1-19 ▶ Audio-Kabel mit 3,5 mm-Klinkenstecker

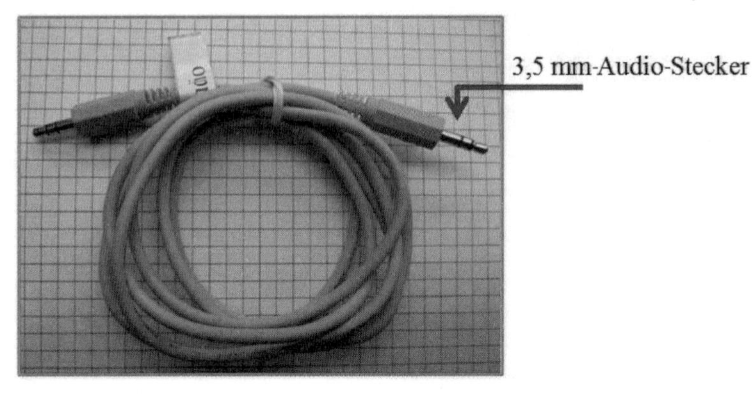

Ich hatte dir eben die Video-Anschlussmöglichkeit über einen *SCART*-Adapter gezeigt, jedoch das Audiosignal außen vor gelassen. Das möchte ich an dieser Stelle nachholen. Was nützt dir ein Videosignal ohne die Audio-Komponente, wenn du z.B. ein Spiel spielst oder einen Film anschauen möchtest. Darum bietet das *Raspberry Pi*-Board auch einen Stereo-Audio-Ausgang über eine *3,5 mm*-Buchse. Um über diese z.B. eine Verbindung zu einem *SCART*-Adapter herstellen zu können, musst du einen passenden Audio-Adapter verwenden. Es gibt ihn in unterschiedlichen Ausführungen.

Abbildung 1-20 ▶ Audio-Adapter von 3,5 mm-Klinke auf 2 x Cinch

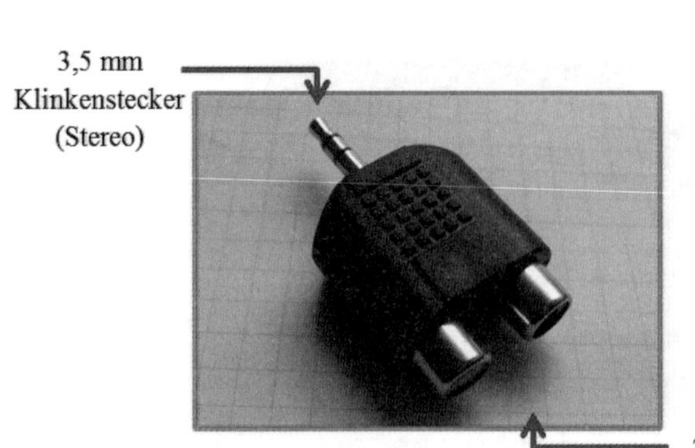

Aud diese Weise gelingt es dir, eine passende Verbindung herzustellen.

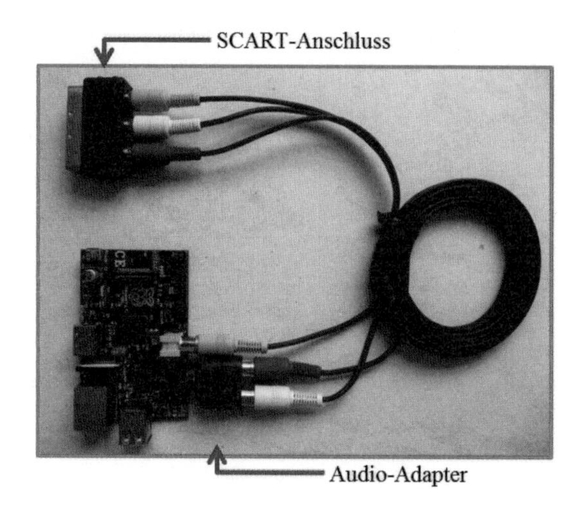

◀ **Abbildung 1-21**
Audio-Adapter mit Verbindung zum SCART-Anschluss

Der gelbe Stecker wird in der Regel für das Videosignal verwendet, wohingegen der weiße bzw. rote Stecker für das Audiosignal genutzt wird.

Achtung

Es werden unterschiedliche *SCART*-Stecker angeboten, deren Ausstattung hinsichtlich der zur Verfügung stehenden Pins abweichen kann. Es gibt Stecker, deren Signalflussrichtung vorgegeben ist, oder auch solche, bei denen diese über einen kleinen Schiebeschalter verändert werden kann. Im nachfolgenden Bild zeige ich dir einen Stecker, der über einen solchen Schalter verfügt.

◀ **Abbildung 1-22**
SCART-Stecker mit Schiebeschalter für Ein- bzw. Ausgang

Achte dann auf die richtige Schalterstellung. Wenn du nichts auf deinem Fernseher siehst, liegt der Verdacht nahe, dass sich der

Schalter in der falschen Position befindet. Schalte einfach einmal um. Du kannst auf diese Weise nichts kaputt machen.

Der externe Speicher

Da dein *Raspberry Pi*-Board über keine Festplatte verfügt, auf dem sich das Betriebssystem befinden könnte, muss es eine andere Möglichkeit geben, dieses zu speichern. Was liegt näher, als eine handelsübliche Speicherkarte zu verwenden, die auch in zahlreichen anderen elektronischen Geräten zu finden ist. Fotoapparate oder Camcorder nutzen zur Speicherung Ihrer Daten *SD-Karten*. Es handelt sich dabei um ein Speichermedium, das ähnlich wie ein *EEPROM*-Baustein arbeitet und in die Kategorie der *Flash*-Speicher, nichtflüchtige Speicher, die die Daten auch nach Entfernung der Betriebsspannung beibehalten, fällt.

Abbildung 1-23 ▶
SD-Karte (Hier von SanDisk mit 8 GB Speichervolumen)

Du hast gerade erwähnt, dass das *Betriebssystem* auf einer solchen *SD-Karte* gespeichert wird. Kann denn z.B. das *Windows-Betriebssystem* auf einer *SD-Karte* gespeichert werden.

Nein, denn dein *Raspberry Pi* ist »nur« in der Lage, das freie Betriebssystem *Linux* zu fahren. Wenn ich »nur« sage, so ist das keine Abwertung dieses Betriebssystems. Ganz im Gegenteil! Es handelt sich dabei um ein professionelles Betriebssystem, das weltweit sehr verbreitet ist. Es wurden für den Einsatz mit dem *Raspberry Pi* spezielle Anpassungen vorgenommen, so dass es auch auf diesem Einplatinencomputer lauffähig ist. Dies ist ein weiterer Schritt, *Linux* auf neuer Hardware zu etablieren. Im Moment laufen auf dem Board z. B. *Fedora*, *Debian* bzw. *ArchLinux*, doch ich bin mir sicher, dass in kürzester Zeit noch weitere Distributionen hinzukommen werden.

Ich möchte aber noch einmal zu den *Speicherkarten* zurückkommen. Leider können nicht alle auf dem Markt zur Verfügung stehenden *SD-Karten* verwendet werden. In den Anfängen gibt es noch Probleme mit sogenannten *Class 10-Karten*, die jedoch mit neueren Linux-Versionen behoben werden.

Ich habe eine solche *SD-Karte* für meinen Camcorder. Kann ich die vielleicht auch verwenden?

Das ist eine gute Frage, *RasPi*! dein *Raspberry Pi* kann mit den unterschiedlichsten *SD-Karten* arbeiten, doch leider nicht mit allen. Hier erst einmal die grundlegenden Karten, die für uns im Moment relevant sind:

- SD-Karten (*8MB* bis *2GB*)
- SDHC-Karten (*4GB* bis *32GB*)

Zudem haben wir es mit abweichenden Bauformen zu tun:

- SD
- microSD

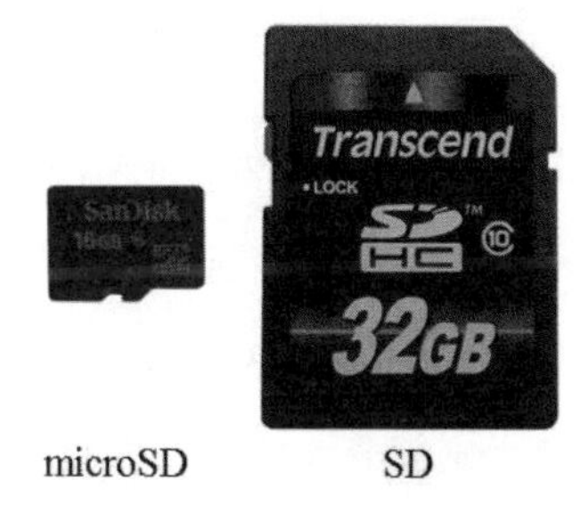

◀ Abbildung 1-24
Unterschiedliche Bauformen von SD-Karten

So eine kleine Karte passt aber wohl nicht in den *SD-Karten*-Slot meines *Raspberry Pi*-Boards. Wie soll das funktionieren?

Das stellt kein wirkliches Problem dar, denn es gibt für diesen Fall passende Adapter, die in der Lage sind, eine *microSD-Karte* aufzunehmen. Die meisten *microSD*-Karten werden schon mit einem passenden Adapter ausgeliefert. Schau her:

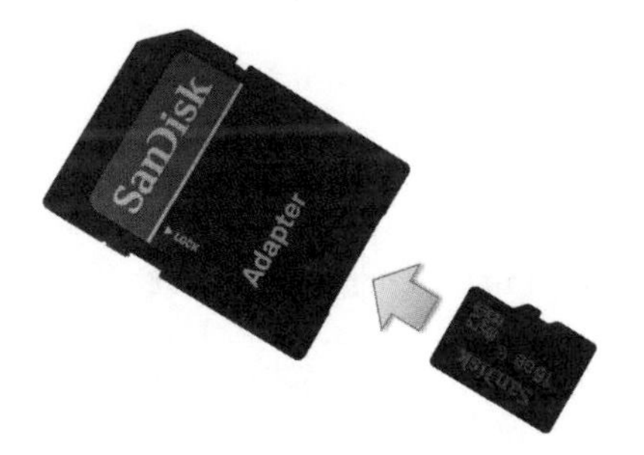

◀ Abbildung 1-25
Ein Adapter für microSD-Karten

Da aber, wie ich schon kurz erwähnte, nicht alle *SD-Karten* in deinem *Raspberry Pi* funktionieren, musst du vorsichtig sein und dich diesbezüglich auf dem Laufenden halten. Es gibt im Internet Listen mit getesteten Karten. Auf meiner Internetseite bzw. im Anhang werde ich ein paar Links veröffentlichen. Das macht sicherlich mehr Sinn, denn auf diese Weise wirst du immer mit den aktuellsten Informationen versorgt. Abschließend zu diesem Thema will ich dir noch die unterschiedlichen Geschwindigkeitsklassen nennen, wobei die Zahl hinter der Klasse immer die Geschwindigkeit in *MB/s* angibt.

- Class 2
- Class 4 *(Bereitet in der Regel keine Probleme, ist aber langsam.)*
- Class 6 *(Möglicherweise problematisch!)*
- Class 10 *(Möglicherweise problematisch!)*

Achtung

Beim Einsatz einer *SD-Karte* in deinem *Raspberry Pi* muss diese über eine Kapazität von mindestens *2GB verfügen*. Mehr ist natürlich besser, denn dann kannst du auch mehr Programme abspeichern. Vorsicht bei *Class 6- bzw. 10*-Karten. Sie sind nicht immer kompatibel mit deinem Board. Informiere dich im Internet über die Verwendbarkeit dieser *SD-Karten*. Auf dem Board befinden sich mehrere Status-LEDs. Wenn lediglich die rote *PWR-LED* (*Power*) leuchtet und nicht zusätzlich die grüne *OK-LED*, dann hast du ein Problem mit der verwendeten *SD-Karte*.

Ok, das habe ich soweit verstanden. Die Frage, die sich mir jetzt stellt, ist folgende: Wie bekomme ich aber das Linus-Betriebssystem auf meine *SD-Karte* drauf? Dazu kann ich ja nicht meinen *Raspberry Pi* nutzen. Oder habe ich da etwas missverstanden?

Das ist eine gute Frage, *RasPi,* und sie kommt genau zum richtigen Zeitpunkt. Es gibt da zwei unterschiedliche Möglichkeiten, die ich hier ansprechen möchte.

1. Möglichkeit

Du kannst dir eine fertig beschriebene *SD-Karte* im Internet bestellen, auf der schon ein vorinstalliertes *Linux*-Betriebssystem vorhanden ist. Dann ist es sehr einfach: du musst lediglich diese *SD-Karte* in den Kartenslot deines *Raspberry Pi*-Boards stecken und fertig. Ich werde im Anhang des Buches eine Liste der möglichen Anbieter anfügen. Aber das ist natürlich eine recht statische Angelegenheit, und deswegen lohnt sich ein Blick ins Internet bzw. auf meine Internetseite allemal.

2. Möglichkeit

Du kannst dir das *Linux-Betriebssystem* auch von einer Internetseite herunterladen und dann lokal auf deinem Rechner speichern. Dies kann jede Art von Rechner sein, die sich heute so im Einsatz befinden, also ein *Windows-PC*, ein *Linux-Rechner* oder auch ein *Mac* von *Apple*. Darauf werde ich aber noch im Detail zu sprechen kommen. Mache dir deswegen also keine Sorgen. Ich persönlich verwende für meine Beispiele einen *Windows-PC*. Ok, so weit so gut. Wenn du das *Linux-Betriebssystem* in Form eines *Images* heruntergeladen hast, musst du es über ein spezielles Programm (z.B. *USB Image Tool*) auf die *SD-Karte* übertragen. Für dieses Vorhaben benötigst du ein *SD-Kartenlesegerät* oder ein sogenanntes *All-In-One-Lesegerät*, das die unterschiedlichsten Speicherkartenformate lesen kann. Die folgende Abbildung zeigt ein solches *All-In-One-Lesegerät*.

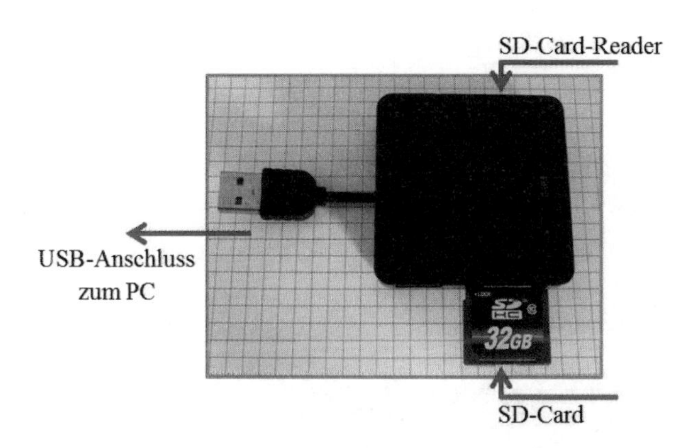

◀ **Abbildung 1-26**
All-In-One-Lesegerät mit eingesteckter SD-Karte

Du musst das Lesegerät lediglich über den *USB-Anschluss* mit deinem Rechner verbinden und schon hast du Zugriff auf die eingesteckte *SD-Karte*. Nun kannst du aber die heruntergeladene Linux-Datei nicht einfach auf die *SD-Karte* kopieren, da es sich – wie ich schon erwähnte – um eine *Image-Datei* handelt.

Was ist denn ein *Image*?

Oh ja, *RasPi*, das hatte ich dir noch nicht erklärt. Bei einem *Image* handelt es sich um ein *Speicherabbild* ähnlich einer *ISO-Datei* für eine *CD-ROM*. Dieses Abbild beinhaltet alle notwendigen Dateien und ist quasi ein Backup des Dateisystems. Wie das mit dem *Image* im Detail funktioniert, wirst du in einem separaten Kapitel erfahren. Die Anbieter der unterschiedlichen *Linux-Distributionen* für deinen *Raspberry* Pi findest du ebenfalls wieder im Anhang bzw. im Internet.

Wenn du dein *Raspberry Pi*-Board jetzt mit einer vorbereiteten *SD-Karte* bestücken möchtest, musst du das Board umdrehen, denn auf der Rückseite befindet sich der *SD-Karten-Slot*.

Abbildung 1-27 ▶ Der (noch leere) SD-Karten-Slot

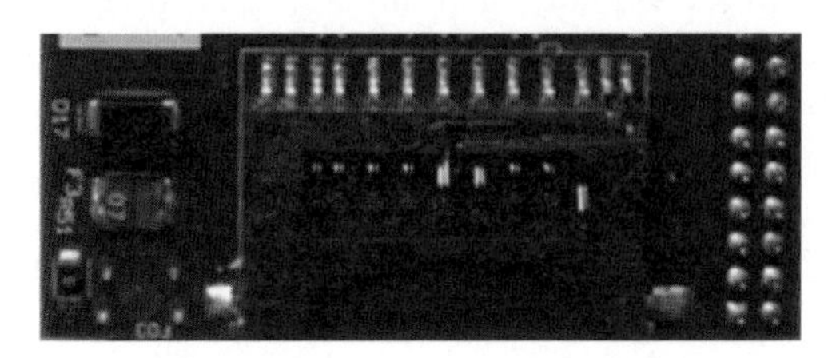

Hier schiebst du deine *SD-Karte* hinein und zwar *so*, dass die Beschriftung der Karte sichtbar ist und die Kontakte nach unten bzw. vorne weisen. In der nächsten Abbildung siehst du das Board mit der eingefügten *SD-Karte*.

Abbildung 1-28 ▶ Eingesteckte SD-Karte

Du kannst die Karte *theoretisch* nicht verkehrt herum einstecken, denn sowohl der Kartenslot als auch die Karte selbst haben eine abgewinkelte Ecke, so dass beide nur in einer Position zusammenpassen. Also keine Gewalt anwenden, denn das flutscht auch ohne größere Kraftanstrengung.

Die Chips

Auf dem Board befinden sich zwei Chips, die die ganze Arbeit verrichten. Sehen wir uns dazu ein paar Detailinformationen an.

Der Prozessor

Fangen wir mit dem *Prozessor* an, der vom Typ *Broadcom BCM2835* ist. Es handelt sich dabei um keine *normale* Recheneinheit (*CPU*), wie wir das z.B. aus unseren PCs kennen, sondern um eine Integration von *CPU*, *GPU* und *RAM*. Diese drei Komponenten befinden sich allesamt auf einem einzigen, hochintegrierten Chip, der auch *SoC* (*System-On-A-Chip*) genannt wird. Ein solcher Baustein findet u.a. auch Verwendung in *Smartphones* oder *MP3-Playern* und ist aufgrund seiner geringen Ausmaße hervorragend für derartige kleine Geräte geeignet. Hier eine kurze Liste mit ein paar Zusatzinformationen:

- CPU: *ARM11* mit *700 MHz*
- GPU: Broadcom VideoCore IV, OpenGL ES *2.0*, OpenVG *1080p30*
- RAM: *256 MB SDRAM*

An Betriebssystemen kommen all die in Frage, die die *ARM11-Architektur* unterstützen, wozu auch einige *Linux*-Derivate gehören. Die *GPU*, die für die Grafikausgabe zuständig ist, kann *Blu-Ray-Qualität* verarbeiten und nutzt den *H.264-Standard* für hocheffiziente Videokompression mit einer Übertragungsgeschwindigkeit von *40MBits/s*. Es werden die *OpenGL ES 2.0*- und *OpenVG*-Bibliotheken unterstützt. Der Prozessor hat einen Speicher von *256 MByte*, der fest und *nicht* erweiterbar ist und von *CPU* und *GPU* gleichermaßen genutzt wird.

> Wenn ich mir den zur Verfügung stehenden Speicher anschaue, dann sind *256 Mbyte* ganz schön wenig. Also mein PC ist mit *6 GByte* ausgestattet und die benötige ich auch manchmal. Wie soll das funktionieren?

Das stimmt natürlich, *RasPi*. Das mutet auf den ersten Blick recht wenig an, doch wir haben es nicht mit einem speichervernichtenden Betriebssystem wie *Windows* zu tun, sondern mit *Linux*. Das Betriebssystem *Linux* geht sparsam mit den Speicherressourcen um und im Zusammenspiel mit dem *ARM*-Prozessor klappt die Speicherverwaltung relativ gut. Aber ich gebe dir recht, dass der knappe Hauptspeicher nicht dazu beiträgt, ein flottes Arbeiten mit dem Desktop zu gewährleisten. Wenn du dann auch noch eine relativ langsame *SD-Karte hast*, kommt ein weiterer Flaschenhals hinzu. Aber ich denke, dass du abwägen solltest, was du mit deinem *Raspberry Pi*-Board erreichen möchtest. Ich sehe den *Raspberry Pi* als eine geniale Möglichkeit, erste Programmier-Experimente mit unterschiedlichen Programmiersprachen durchzuführen, auf die wir noch zu sprechen kommen werden. Auch Bastler bzw. Frickler, die gerne mit elektronischen Schaltungen experimentieren, kommen hier auf ihre Kosten. Die *GPIO-Schnittstelle* (*General Purpose Input Output*) bietet einiges an Funktionalität, die wir ebenfalls unter die Lupe nehmen werden. Ich würde mich also an deiner Stelle nicht von *den* Leuten beeinflussen lassen, die meinen, dass es sich um eine wirklich lahme Gurke handelt. Du kannst das Board leistungstechnisch nicht mit einem PC vergleichen.

Der Netzwerk-Controller

Der *Netzwerk-Controller*, auch *Ethernet-Controller* genannt, ist vom Typ *LAN9512* der Firma *SMSC* und nur beim *Modell B* vorhanden. Über die *RJ-45*-Buchse kann dein *Raspberry Pi* in ein Netzwerk integriert werden. Ich hatte ja im Abschnitt über die *Anschlüsse* schon ein paar Worte über das Thema Netzwerk verloren.

Die Erweiterbarkeit

Die *Raspberry Pi*-Board verfügt über eine Schnittstelle, über die du Erweiterungen anschließen kannst. Sicherlich sind dir die vielen Pins auf einer Seite des Boards schon aufgefallen. Diese Schnittstelle nennt sich *GPIO* (*General Purpose Input Output*). Es handelt sich um nach außen führende Anschlüsse (*26 Pins*), an die sich eigene Schaltungen anzuschließen lassen, über die das Board dann mit neuen Funktionen versehen werden kann.

Diesbezüglich hat sich ein Entwickler Gedanken gemacht und ein spezielles Extension-Board entwickelt, das über die *GPIO*-Steckverbindung mittels eines *26*-poligen Flachbahnkabels mit dem *Raspberry Pi* verbunden werden kann. Sein Name ist *Gert van Loo* und der Name des Boards lautet *Gertboard*. Dazu später mehr.

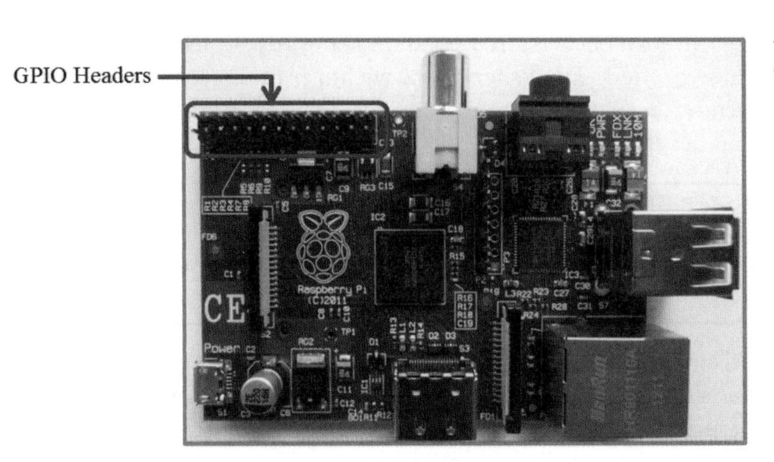

◀ **Abbildung 1-29**
GPIO-Anschlüsse auf dem Board

Wir verbinden alles miteinander

Aufgrund der unterschiedlichen Anschlussmöglichkeiten, die der *Raspberry Pi* bietet und von denen du ja schon ein paar gesehen hast, möchte ich dir im Folgenden eine typische Verkabelung zeigen. Doch zuvor möchte ich noch auf einen wichtigen Punkt eingehen, der für dich ganz sicher interessant, wenn nicht sogar überlebenswichtig ist.

Ein Gehäuse

Standardmäßig wird der *Raspberry Pi* ohne ein Gehäuse ausgeliefert. Das stellt auf den ersten Blick erst einmal kein großes Problem dar, denn auf diese Weise offenbart sich ja die wunderbare Kompaktheit des Boards und es wird außerdem der Kaufpreis gesenkt. Du solltest nur ein paar wesentliche Dinge beherzigen, denn aus Unachtsamkeit oder auch Unwissenheit kann es zu Situationen kommen, die eine Gefahr für das Board darstellen. Wenn du dein *Raspberry Pi*-Board einmal umdrehst, so dass du die Unterseite siehst, dann kannst du wunderbar die einzelnen Lötpunkte erkennen, die die einzelnen Bauteile auf der Platine fixieren und untereinander verbinden. Es liegt in der Natur der Sache, dass diese Lötpunkte elektrisch leitende Stellen sind. Wenn du jetzt eine metallene Unterlage oder irgendetwas anders, was den Strom leitet, auf deinem Tisch liegen hast, z.B. Kabelreste, deren blanke Enden irgendwie frei herausragen, wird es kritisch. All das kann dazu führen, dass du nicht lange etwas von deinem *Raspberry Pi*-Board hast, denn ein Kurzschluss auf deinem Board kann es im schlimmsten

Fall irreparabel zerstören. Und du kennst doch sicherlich *Murphys Gesetz*, oder!? Ein weiterer sehr wichtiger und nicht zu unterschätzender Aspekt hat etwas mit deinen Schuhen bzw. einem ggf. vorhandenen Teppich zu tun.

Ich hatte ja schon die ganze Zeit so ein merkwürdiges Gefühl in der Magengegend. Es handelt sich hier anscheinend doch um eine Verkaufsveranstaltung. Du willst mir jetzt schon Schuhe und einen Teppich andrehen!

Also *RasPi*, jetzt ist's aber genug. Worauf ich eigentlich hinaus möchte, ist die Tatsache, dass manche Schuhsohlen in Kombination mit bestimmten Teppichen einen unerwünschten Effekt hervorrufen können. Es kommt zu einer elektrostatischen Entladung, auch *ESD* genannt. Durch das Laufen über einen Teppich kann sich durch die Reibung dein gesamter Körper statisch aufladen. Das bedeutet für dich selbst bzw. deine Person keine Gefahr. Doch für elektronische Bauteile, wie z.B. einen Mikrocontroller, kann eine derartige Entladung, bei der hohe Ströme fließen, durchaus das Ende bedeuten. Bevor du dich also näher mit deinem *Raspberry Pi*-Board beschäftigst, solltest du dich adäquat *erden*, so dass die ggf. vorhandene statische Energie abgeleitet wird. Das kann z.B. über einen Griff an ein blankes Heizungsrohr geschehen. Bevor du also das Board aus dem Beutel nimmst, in dem es geliefert wird, beherzige unbedingt diesen Rat.

Abbildung 1-30 ▶
Raspberry Pi in einem Antistatik-Folienbeutel

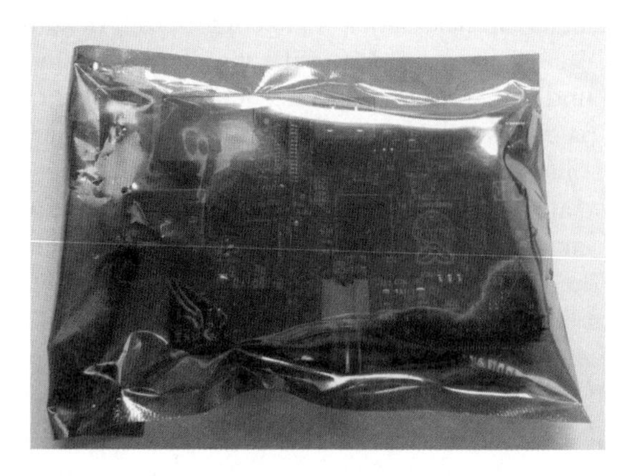

Wenn du dein Board auch in Zukunft ein wenig von äußeren schädlichen Einflüssen schützen möchtest, ist es sicherlich besser und auch irgendwie cool, das Board mit einem passenden Gehäuse zu versehen. Auf diese Weise ist es mehr oder weniger geschützt und etwaige Kurzschlüsse durch Unachtsamkeit oder Entladungsblitze gehören der Vergangenheit an. Ich werde den möglichen Gehäusen ein eigenes Kapitel widmen und auch im Anhang einige Anbieter nennen. Du kannst dir aber auch selbst eines bauen. Ich zeige dir wie.

> Also über eine Sache habe ich mir besonders den Kopf zerbrochen. Wo um Himmels Willen befindet sich der *Ein/Aus*-Schalter?

Haaa, den gibt es nicht! Wenn du deinen *Raspberry Pi* einschalten möchtest, versorge ihn einfach über die USB-Power-Buchse mit Spannung. Das Ausschalten geschieht dann über die Trennung dieser Verbindung. Für einen angehenden Linux-Spezialisten, der du ja in Kürze sein wirst, sollte aber das korrekte Runterfahren die Standard-Prozedur sein. Jedes *Linux*-Betriebssystem bietet einen sogenannten *Shutdown* an. Darauf werde ich noch zu sprechen kommen. Das war's schon. Ok, dann wollen wir einen Blick auf die komplette Beschaltung des Boards werfen.

Eine typische Verkabelung

Da ich das *Modell B-Board* verwende, werde ich nahezu alle vorhandenen Anschlussmöglichkeiten nutzen.

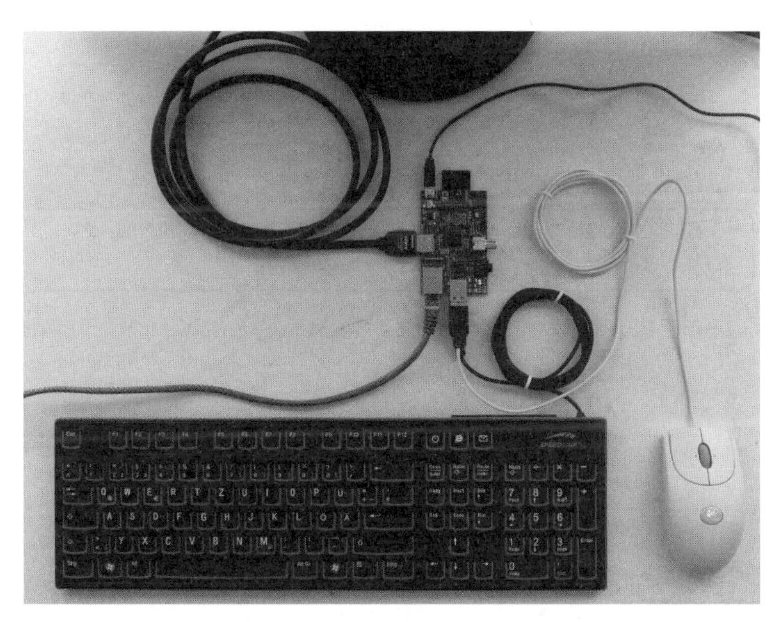

◀ **Abbildung 1-31**
Ein typisches Anschlussbeispiel

Achtung

Du solltest bei der Inbetriebnahme deines *Raspberry Pi*-Boards eine bestimmte Reihenfolge einhalten, dann sollte es auch keine Probleme mit dem Start des Betriebssystems geben. Eines musst du aber immer beherzigen: Schließe die Spannungsversorgung *erst* an, wenn die notwendigen Komponenten wie *Tastatur*, *Maus* bzw. *SD-Karte* mit dem Board verbunden sind! Den Netzwerkanschluss kannst du ggf. auch später hinzufügen, doch es ist immer besser, alle Verbindungen im Vorfeld herzustellen. Halte dich am besten an die die folgende Checkliste:

- *SD-Karte* mit Betriebssystem einstecken
- *Tastatur* und *Maus* verbinden
- *HDMI* oder *Video-Out* mit dem Anzeigegerät verbinden
- Netzwerkverbindung herstellen (falls notwendig)
- Audio-Ausgang anschließen (falls notwendig und nicht schon über *HDMI* erfolgt)
- Spannungsversorgung anschließen
- *Spaß haben* ☺

Folgende Anschlüsse habe ich für mein Anschlussbeispiel verwendet:

- USB-Maus
- USB-Tastatur
- Netzwerkanschluss
- HDMI-Ausgang
- USB Power-Anschluss
- SD-Karte

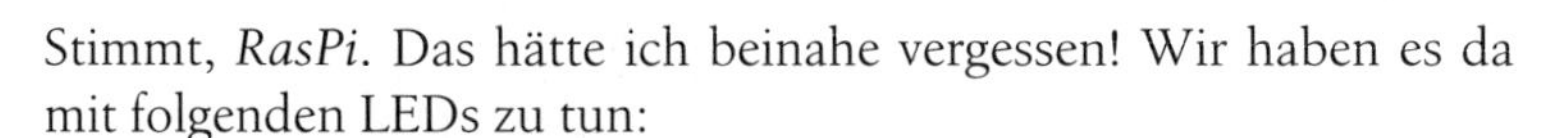

Auf dem Board habe ich in einer Ecke ein paar Leuchtdioden gesehen. Kannst du mir bitte deren Bedeutung erläutern?

Stimmt, *RasPi*. Das hätte ich beinahe vergessen! Wir haben es da mit folgenden LEDs zu tun:

- OK
- PWR
- FDX
- LNK
- 10M

Ich zeige dir einmal die normale Leuchtkombination, wenn du dein Board ohne Netzwerkanschluss betreibst.

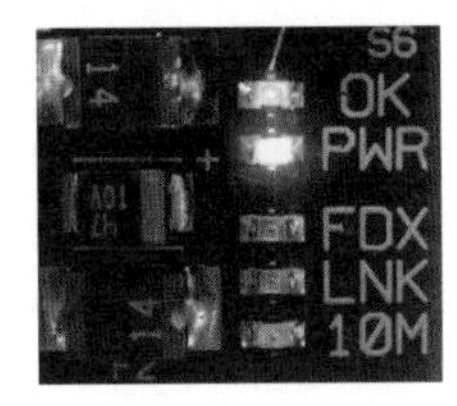

Es leuchten lediglich *OK* und *PWR*. *PWR* steht für *Power* und leuchtet immer dann, wenn du das Board mit der externen Spannungsversorgung verbunden hast. Das ist hier der Fall. *OK* blinkt im Rhythmus des Speicherkartenzugriffs. Wenn du über das Netzwerkkabel erfolgreich eine Verbindung zu deinem Router hergestellt hast, bietet sich folgendes Bild:

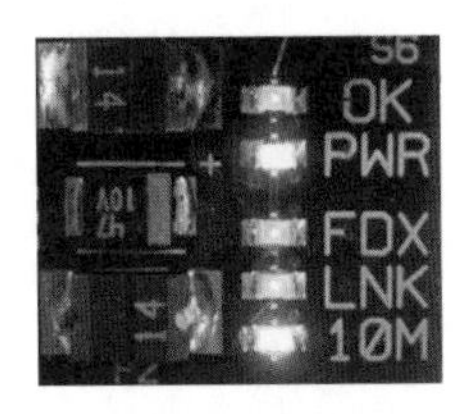

Er leuchten alle LEDs, also zusätzlich zu den o.g. noch *FDX*, was für *Full Duplex* steht, *LNK* (die Abkürzung für Link), was eine erfolgreiche Netzwerkverbindung anzeigt, und *10M* für eine *100Mbps-* Übertragungsrate. Frag mich nicht, warum da *10M* steht. Vielleicht war für die 2. Null kein Platz mehr!?

Das könnte wichtig für dich sein

Wenn du später Probleme mit dem Netzwerkzugriff hast, überprüfe zuerst, ob die *LNK-LED* bei eingestecktem Netzwerkkabel leuchtet. Diese LED zeigt dir an, ob ein *Link* – also eine Verbindung – zum Router besteht. Ist das nicht der Fall, dann hast du es auf jeden Fall mit einem Anschlussproblem zu tun und brauchst erst gar nicht auf der Softwareseite mit der Fehlersuche zu beginnen.

Was tun, wenn die USB-Ports knapp werden?

Dein *Raspberry Pi*-Board (*Modell B*) verfügt ja über zwei USB-Ports, die für den Anschluss von Tastatur und Maus vollkommen ausreichend sind. Es kann jedoch vorkommen, dass du weitere Anschlüsse benötigst, z.B. wenn du einen *USB-Stick* oder einen *Wifi-Adapter* – um nur ein paar Beispiele zu nennen – anschließen möchtest. Dann kannst du dich eines USB-Hubs bedienen, der einen vorhandenen USB-Anschluss erweitert. Es gibt da unterschiedliche Varianten:

- *Passiver HUB* (ohne Netzteil)
- *Aktiver HUB* (mit Netzteil)

Hier ein Beispiel für einen *passiven HUB*:

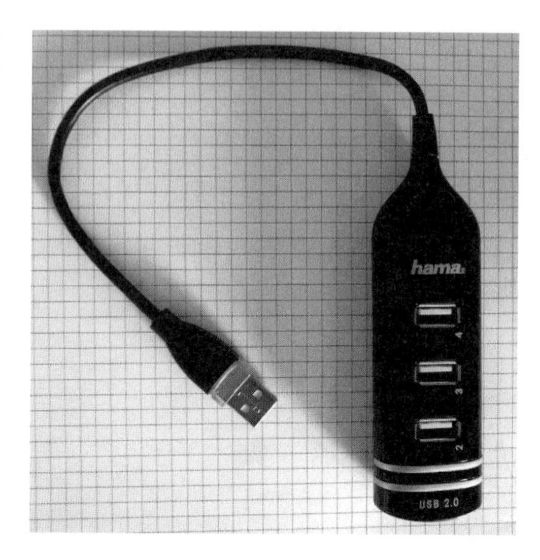

Abbildung 1-32 ▶ Passiver HUB

Der Anschluss eines oder zweier USB-Sticks ist hierüber durchaus möglich. Wenn es aber z.B. um den Betrieb von externen Festplatten, deren Stromversorgung lediglich über den USB-Anschluss erfolgt, oder eines Wifi-Adapters geht, sind Probleme vorprogrammiert und es treten Störungen auf. Dann solltest du lieber einen *aktiven HUB* verwenden, der über eine eigene Stromversorgung verfügt.

Abbildung 1-33 ▶ Aktiver HUB mit eigener Stromversorgung über ein Netzteil

Entscheide dich notfalls immer für einen aktiven HUB, der zwar etwas mehr kostet als ein passiver, jedoch über genügend Ressourcen verfügt, damit auch stromhungrige Endgeräte mit ausreichend Energie versorgt werden, um einen sicheren Betrieb zu gewährleisten.

Das könnte wichtig für dich sein

Es kann passieren, so auch mir, dass sogar bei der Verwendung eines aktiven USB-HUBs sich z.B. die Tastatur sehr merkwürdig verhält. Zuerst reagiert sie ganz normal und nimmt die Tastendrücke korrekt an. Dann passiert plötzlich nichts mehr oder die Tastendrücke werden verzögert oder unvollständig angenommen. Schließlich erscheinen auf einmal ganz viele gleiche Zeichen, ganz so, als wenn man den Finger ständig auf einer Taste liegen hätte. Es gehört also auch ein wenig Glück dazu, die richtige Hardware zusammenzustellen. Aber das Frickeln gehört irgendwie dazu und es macht eben auch Spaß. Ganz so, wie in den Anfängen der Heimcomputer zu Zeiten von *Commodore C64*, *Apple II*, *ZX81*, um nur einige zu nennen. Die Leser neueren Baujahres kennen diese Computer – wenn überhaupt – vielleicht nur aus zufälligen Besuchen auf *Retro*-Internetseiten oder vielleicht auch von Ihren Eltern, die das eine oder andere Schmuckstück noch im Keller oder auf dem Dachboden horten.

Spezifikationen im Überblick

In der folgenden Tabelle findest du die Spezifikationen deines *Raspberry Pi*-Boards aufgelistet.

◀ Tabelle 1-1
Die Spezifikationen des Raspberry Pi-Boards

	Model A	Model B
Prozessor	Broadcom BCM2835	
CPU	ARM11 / 700 MHz	
GPU	Broadcom VideoCore IV	
RAM	256 MB (wird auch von der GPU genutzt)	
USB 2.0	1	2
Video-Ausgänge	RCA Composite (Pal & NTSC), HDMI (Version 1.3 & 1.4)	
Audio-Ausgänge	HDMI & 3.5mm Klinken-Buchse	
Boot-Medium	SD-Karte / MMC über SD-Karten-Slot	
Netzwerk	Nicht vorhanden	10/100 Ethernet über RJ-45
Schnittstellen	8 x GPIO, UART, I²C, SPI, +3.3V, +5V, Masse	
Leistungsaufnahme	500 mA (2.5 W)	700 mA (3.5 W)
Spannungsversorgung	5V über MicroUSB-Anschluss	
Maße	85.60 mm x 53.98 mm	

Modell A bzw. *B* haben in manchen Punkten schon abweichende Spezifikationen, die jedoch auf einen elementaren Punkt gebracht werden können. *Modell A* besitzt keinen Netzwerkanschluss. Der einzelne USB-Anschluss kann über einen angeschlossenen *USB-HUB* erweitert werden und stellt keine allzu große Einschränkung dar.

Ungenutzte Anschlüsse

Auf dem Board sind noch zwei weitere Anschlüsse vorhanden, die für zukünftige Anwendungen gedacht sind.

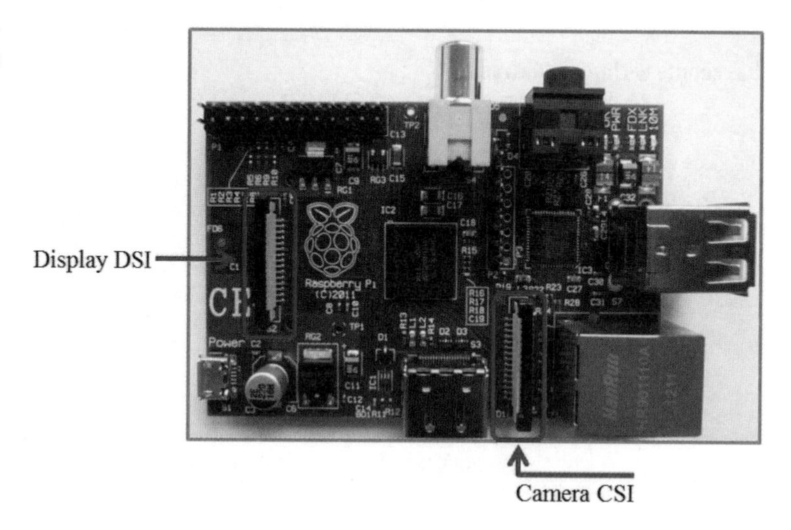

Abbildung 1-34 ▶
Ungenutzte Anschlüsse

Da ist zum einen der auf der linken Seite der *Display DSI*-Anschluss, an dem ein *LC-Display* angeschlossen werden kann. Die Software dafür ist noch in Planung. Des Weiteren befindet sich weiter rechts der *Camera CSI*-Anschluss. Mit diesem wird ein Kamera-Interface bereitgestellt. Zum Zeitpunkt der Manuskripterstellung wurde gerade an einem Kamera-Modul gearbeitet und der Mitentwickler *Gert van Loo* bestätigte mir, dass die Fortschritte noch nicht so weit gediehen waren, dass es eine käufliche Version gibt. Das kann zum Zeitpunkt der Buchveröffentlichung aber schon wieder ganz anders aussehen. Ein Blick ins Internet lohnt sich da allemal.

2 Linux auf dem Raspberry Pi installieren

Dieses Kapitel befasst sich mit der Installation eines Linux-Betriebssystems auf einer *SD-Karte*, von der später gebootet wird. Die Themen werden folgende sein:

- Welche unterschiedlichen Linux-Distributionen werden angeboten?
- Beschaffung und Dekomprimierung einer gepackten Image-Datei
- Die Installation des Linux-Betriebssystems über Windows mit dem *USB-Image-Tool*
- Die Installation des Linux-Betriebssystems über Windows mit dem *Win32DiskImages* Tool
- Das komplette Löschen einer SD-Karte mittels *SDFormatter* unter Windows
- Die Installation des Linux-Betriebssystems über ein grafisches Frontend eines Ubuntu-Hostsystems
- Berechnung des *Hashwertes* einer Datei über das `sha1sum`-Kommando
- Die Installation des Linux-Betriebssystems über die Linux-Kommandozeile eines Ubuntu-Hostsystems mittels `dd`-Kommando
- Anzeigen von Linux-Partitionen über das `df`-Kommando

Jetzt haben wir so lange über theoretische Dinge gesprochen, dass es nun wohl Zeit wird, ein Betriebssystem auf unserer *SD-Karte* zu etablieren, denn ohne das wäre dein *Raspberry Pi* nichts weiter als ein schönes Stück Hardware, mit dem sich nichts anfangen ließe. Die Wahl des Betriebssystems für den *Raspberry Pi* ist zugunsten des freien *Linux* ausgefallen, was natürlich die einzig richtige Entscheidung war, denn für *Windows* würden u.a. nicht unerhebliche Lizenzkosten anfallen. Außerdem ist *Linux* für jedermann *quelloffen* und es kann nach Belieben verändert oder erweitert werden. Die meisten unter euch arbeiten wahrscheinlich momentan mit *Windows* und deshalb beginne ich einfach einmal mit der Beschreibung des *SD-Karten-Setups* unter diesem Betriebssystem. Du benötigst eine *SD-Karte* mit mindestens *2 GByte* Speichervolumen. Sehen wir uns also die einzelnen notwendigen Schritte einmal genauer an.

SD-Karten-Setup unter Windows

Unter *Windows* stehen einige nette Tools zur Verfügung, mit denen sich ein *SD-Karten-Setup* recht einfach bewerkstelligen lässt. Mit ihnen kann ein vorbereitetes Image auf ein externes Medium übertragen werden, um dort ein oder mehrere Dateisysteme anzulegen. Ich möchte dir zwei Varianten zeigen. Der *»normale«* Anwender, wenn ich ihn einmal so nennen darf, arbeitet unter *Windows* in der Regel mit Applikationen, die eine grafische Benutzeroberfläche haben. Das ist meistens einfacher und der Frustfaktor wird ein wenig reduziert, was gerade für Einsteiger ein wichtiges Argument ist. Arbeitet man schon etwas länger mit seinem Rechner, dann wächst die Lust nach mehr und man geht tiefer in die Details, so dass früher oder später auch das Arbeiten mit der Kommandozeile keine Hürde mehr bedeutet und richtig Spaß bereitet. Gerade, wenn du mit *Linux* arbeitest, wirst du nicht umhin kommen, dich mit der *Shell* auseinanderzusetzen. Die *Shell* ist ein sogenannter *Kommandozeileninterpreter*, der die eingegebenen Befehle anhand einer vorgegebenen Syntax interpretiert und dann ausführt. Sie stellt quasi eine direkte Schnittstelle zwischen dir und dem Betriebssystem dar. Es existieren unterschiedliche Shell-Interpreter, die je nach den Erfordernissen ausgetauscht und genutzt werden können. Die wohl bekannteste ist die *Bash* (*Bourne again Shell*), wobei aber jeder Anwender sicherlich seine Lieblings-Shell hat. Hier eine kurze und nicht vollständige Liste der möglichen Shells:

- sh: *Bourne Shell* (Urshell)
- bash: *Bourne Again Shell* (erweiterte Urshell mit vielen nützlichen Erweiterungen)

- csh: *C Shell* (an der C-Syntax orientierte Shell)
- ksh: *Korn Shell* (mit Erweiterungen der C Shell)

Muss ich denn jetzt beim Herunterladen des Linux-Images für meinen *Raspberry Pi* auf etwaige Besonderheiten achten? Wird da zwischen Windows bzw. Linux unterschieden?

Nein, *RasPi*. Für das *SD-Karten-Setup* macht das keinen Unterschied. Es gibt keine abweichenden Image-Dateien, denn es kommt auf das Zielsystem an, und das ist weiterhin *Linux*. Wie wir die *SD-Karte* vorbereiten, also unter welchem Betriebssystem, das ist eigentlich egal.

Achtung

Wenn du die nachfolgend genannten Tools benutzt, vergewissere dich auf jeden Fall mindestens *3 Mal*, ob du auch das richtige *Ziel* (*Device*) ausgewählt hast, auf dem das Betriebssystem installiert werden soll. Eine kleine Unachtsamkeit kann sehr viel Schaden anrichten, wenn z.B. Daten von einer Festplatte überschrieben werden. Nur nicht hektisch werden! Das ist das Problem mit Programmen, die eine grafische Benutzeroberfläche haben. Man hat schnell irgendwo hingeklickt, wo man es eigentlich nicht vorhatte. Da zeigt sich der Vorteil von Kommandozeilen. Du musst *das* eintippen, was ausgeführt werden soll, und beim Tippen fällt dir dann ggf. auf, dass etwas nicht stimmt, weil du die Eingaben bewusster machst und mehr darüber nachdenken musst.

Download von Debian

Der erste logische Schritt ist natürlich das Herunterladen des sogenannten *Images*. Zum Zeitpunkt der Erstellung dieses Buches gibt es zwei unterschiedliche Debian-Versionen. Da ist zum einen die stabile *Debian-Squeeze*, die ich für die meisten Beispiele nutze. Zum anderen ist vor kurzem *Raspbian* (*Debian-Wheezy*) erschienen, die sich jedoch noch in der *Beta-Phase* befindet. Es sind jedoch zu diesem Zeitpunkt standardmäßig noch nicht so viele Programme enthalten, wie unter *Debian-Squeeze*. Das kann natürlich alles nachinstalliert werden. *Debian-Wheezy* hat ein paar Vorteile, auf die ich noch eingehen werde. Möchtest du *Debian-Wheezy* installieren, kannst du das auf die gleiche Weise machen, wie ich es hier für *Debian-Squeeze* beschreibe. Im Laufe der Zeit ändern sich die Internetadressen, wo du die Images herunterladen kannst, und vielleicht ist das eine oder andere Image auch nicht mehr verfügbar. Da ist dann ein bisschen Recherche angesagt. Hier ein Link für den Download verschiedener Images:

http://raspberrycenter.de/handbuch/links-downloads

Abbildung 2-1 ▶
Der Downloadbereich für Debian Squeeze

Torrent	debian6-19-04-2012.zip.torrent
Direct download	debian6-19-04-2012.zip
SHA-1	1852df83a11ee7083ca0e5f3fb41f93ecc59b1c8
Default login	Username: pi Password: raspberry **Note changed password!**

Wir sehen hier, dass zwei unterschiedliche Möglichkeiten des Downloads angeboten werden:

- Torrent
- Direkt

Entscheidest du dich für einen *Torrent*, so benötigst du eine zusätzliche *Client-Software*, um an die Daten heranzukommen. Ich habe den *Direkt-Download* gewählt, wobei die Datei in *dem Verzeichnis* gespeichert wird, das ich bei meinem Internet-Browser definiert habe.

Abbildung 2-2 ▶
Speicher der Debian-Squeeze- Datei

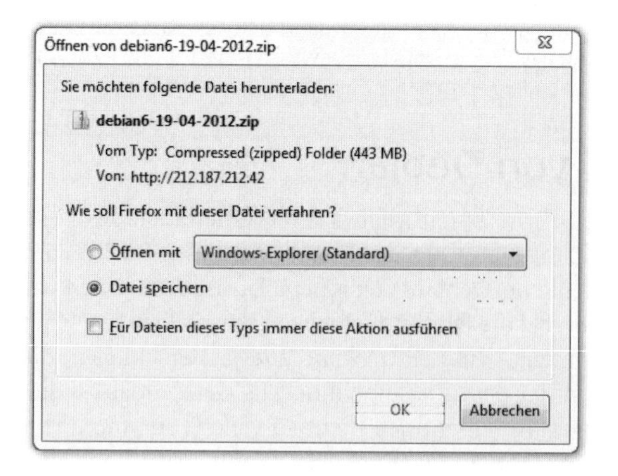

Natürlich musst du jetzt noch diese Datei entpacken, denn sie wurde im *Zip*-Format komprimiert. Nutze dazu einen Entpacker deiner Wahl. Ich habe sehr gute Erfahrungen mit *7-Zip* gemacht.

USB Image Tool

Das erste Tool, dem wir uns hier widmen wollen, nennt sich *USB Image Tool*, ist von *Alexander Beug* und erleichtert die Handhabung ungemein.

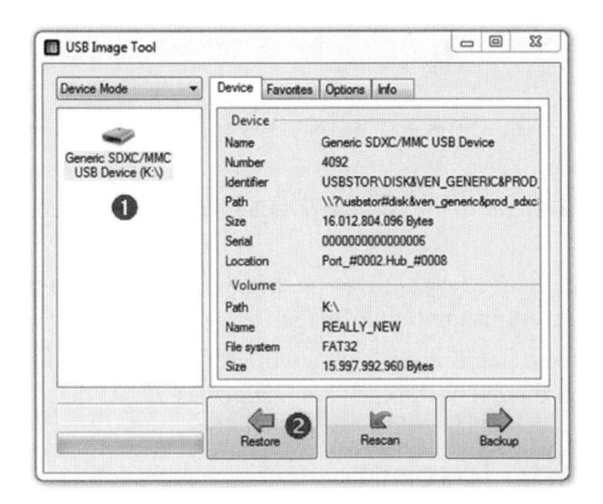

◀ Abbildung 2-3
Das USB Image Tool

Hier die einzelnen notwendigen Schritte, um die *SD-Karte* vorzubereiten (belasse die Voreinstellung bei *Device-Mode*):

1. Wähle auf der linken Seite die *SD-Karte* aus. (Hier genauestens hingucken!!!)
2. *Klicke auf den Button* RESTORE und wähle das heruntergeladene und entpackte Image aus.

Im Anschluss erfolgt sofort die Erstellung der Dateisysteme (*Restoring image*) auf der ausgewählten *SD-Karte*.

Nach erfolgreicher Erstellung kannst du die *SD-Karte* entfernen und in deinem *Raspberry Pi* verwenden.

Win32 Disk Imager

Dieses Tool ist gleichermaßen einfach zu bedienen. Der *Win32 Disk Imager* besitzt ebenfalls eine grafische Benutzeroberfläche, und bis zur fertigen *SD-Karte* sind es nur wenige Mausklicks.

Abbildung 2-4 ▶
Der Win32 Disk Imager

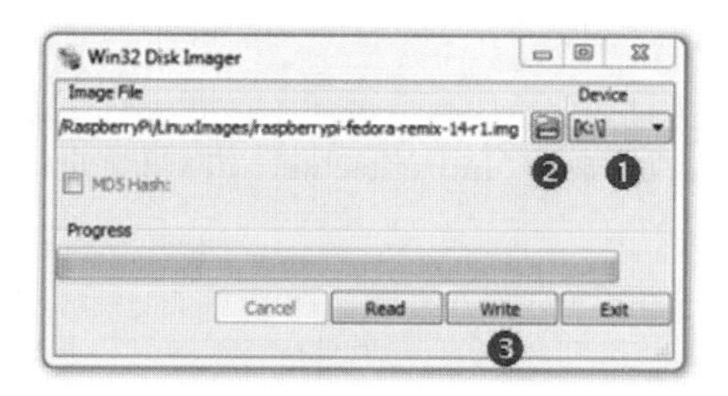

Um die *SD-Karte* vorzubereiten, musst du die nachfolgenden Schritte ausführen:

1. Wähle unter DEVICE deine *SD-Karte* aus. (Hier genauestens hingucken!!!)
2. Selektiere mit einem Klick auf das *Ordner*-Symbol das heruntergeladene und entpackte Linux-Image.
3. Per Mausklick auf den Button WRITE wird der Schreibvorgang gestartet, wenn du den nachfolgenden Dialog bestätigst.

Eine SD-Karte löschen

Wenn du auf deiner *SD-Karte* einmal ein anderens Betriebssystem als das aktuell installierte ausprobieren möchtest, ist es u.U. sinnvoll, die *SD-Karte* in den Auslieferungs-Urzustand zu versetzen. Unter *Windows* wird nach der Installation des *Linux* Betriebssystems lediglich eine einzige Partition (*Boot*-Partition mit *fat32*) angezeigt, die du zwar formatieren kannst, doch die andere Partition erreichst du auf diese Weise nicht. Es gibt ein nützliches Tool, das eine *SD-Karte* komplett formatiert und alle Daten löscht. Es nennt sich *SDFormatter* und ist frei verfügbar.

Abbildung 2-5 ▶
Der SDFormatter

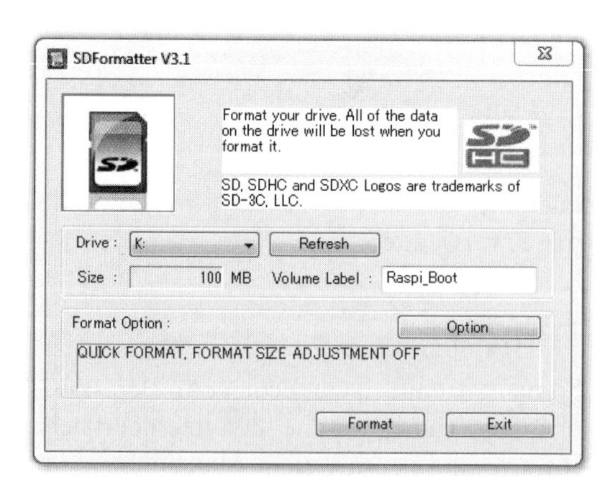

Wähle auch hier das richtige *Device* aus! Über den Button OPTION kannst du noch ein paar Parameter einstellen, die ich für meine Aktion wie folgt gewählt habe:

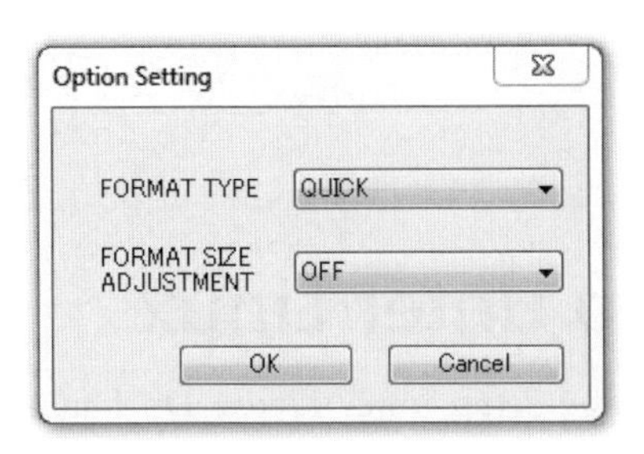

◀ **Abbildung 2-6**
Die SDFormatter-Optionen

Den FORMAT TYPE habe ich auf QUICK gesetzt, was eine sehr schnelle Formatierung bewirkt. Die vorher auf dem *Device* vorhandenen Daten werden dabei *nicht* gelöscht, sondern es wird nur der Katalogeintrag entfernt. Falls dir eine sauberere Löschung sinnvoller erscheint, musst du diese Auswahl ggf. anpassen und FULL auswählen. Über FORMAT SIZE ADJUSTMENT kann die Formatierung angepasst werden, falls es Probleme geben sollte. Standardmäßig ist hier OFF eingestellt und du solltest es zuerst mit dieser Einstellung probieren. Es ist sicherlich ratsam, sich das *User-Manual* des *SDFormatters* anzuschauen. Nach einem Mausklick auf den Button FORMAT im Hauptfenster des Tools, startet die Formatierung, wenn du die nachfolgenden Dialoge allesamt bestätigst. Wenn die Formatierung erfolgreich durchgeführt wurde, wird dir ein abschließender Dialog mit einigen *Volume-Informationen angezeigt*.

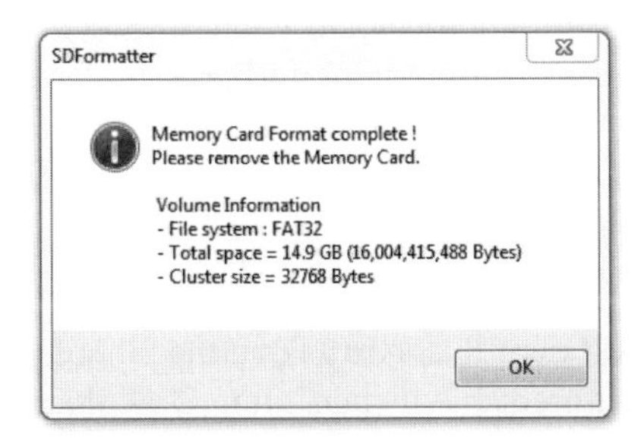

◀ **Abbildung 2-7**
Der abschließende Dialog des SDFormatters

Ich habe eine *16GB-Karte* formatiert, was du anhand des Wertes für *Total space* sehen kannst. Ein weiterer Blick auf die *Windows-Eigenschaften* der *SD-Karte* bestätigt diese Information.

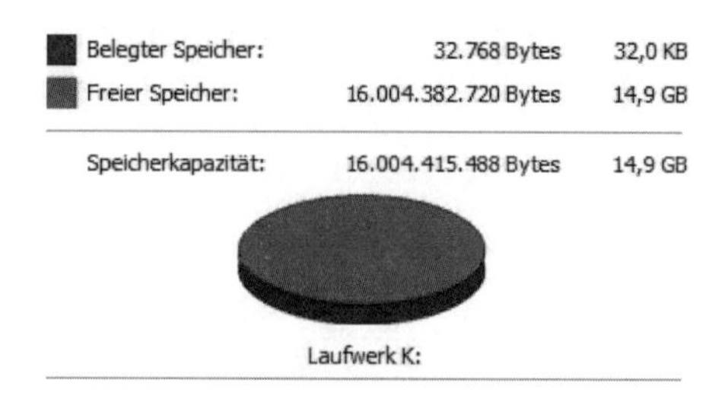

Abbildung 2-8 ▶
Windows-Eigenschaften der gerade formatierten SD-Karte

SD-Karten-Setup unter Linux

Kommen wir jetzt zum *SD-Karten-Setup* unter *Linux*. Du kannst dafür einen Rechner nehmen, auf dem nur ein *Linux*-Betriebssystem installiert ist oder – so wie in meinem Fall – *Linux* in einer *virtuellen Umgebung* betreiben. Ich nutze dafür *Oracle VM VirtualBox*. Diese *Virtualisierungs*-Software gestattet es dir, unterschiedliche Gastsysteme zu installieren und zu betreiben. Du kannst also z.B. unter *Windows 7* (*Wirtssystem*) ohne Weiteres *Linux*, *Windows XP*, *Windows 98* etc. (*Gastsysteme*) betreiben, ganz so, als wären sie dort als alleiniges Betriebssystem installiert. Das hat z.B. den entscheidenden Vorteil, Testsysteme betreiben zu können, um Software zu entwickeln bzw. zu testen, ohne dabei das eigentliche Haupt-Betriebssystem in irgendeiner Weise zu gefährden. Gerade beim Surfen im Internet auf unbekannten Seiten lauert so manche Gefahr (*Viren*, *Trojaner*, *Malware* etc.), die das Betriebssystem derart manipulieren können, dass ggf. eine Neuinstallation erforderlich ist. Wenn Virtualisierungs-Software genutzt wird und auf der virtuellen Maschine etwas schief läuft, dann kehrt man entweder zu einem vorher erstellen Sicherungspunkt zurück oder installiert das Betriebssystem einfach neu. Dabei kann ein Betriebssystem auch *geklont* werden. Erstelle also einfach eine frische Installation, klone diese und arbeite dann ausschließlich mit dem *Klon*. Wenn ganz gravierende Probleme auftreten, kannst du einfach einen neuen Klon erstellen. Auf diese Weise musst du das erforderliche Betriebssystem nicht immer wieder neu aufsetzen.

Um das *Linux*-Betriebssystem auf dem *Raspberry Pi* zu installieren, müssen wir uns für eine der unterschiedlichen zum Download angebotenen Distributionen entscheiden, wobei sich die Liste in nächster Zeit sicherlich noch erweitern wird:

- Debian Wheezy (Raspbian) bzw. Debian Squeeze
- Fedora Remix

- ArchLinux
- QtonPi
- Raspbmc

Wenn ich hier eine bestimmte Linux-Version vorstelle, dann wird es mit Sicherheit beim Erscheinen des Buches schon eine aktuellere Version geben. Lasse dich also diesbezüglich nicht verunsichern und verwende immer die neueste, denn dort sind mit Sicherheit aufgetretene Fehler behoben und ggf. neue Features hinzugefügt worden.

Installation von Debian Squeeze

Ok, dann möchte wollen wir uns einmal die Installation von *Debian* auf eine SD-Karte anschauen. Es ist in meinen Augen das aktuell stabilste System und gerade für Anfänger einfach zu installieren bzw. zu bedienen. Wenn du dich ggf. für *Debian Wheezy* entschieden hast, dann erfolgt die Installation auf die gleiche Weise, wie sie hier für *Debian Squeeze* beschrieben ist. Wenn es aber z.B. um die Erweiterung der *Root-Partition* geht oder um die Anpassung des *Tastatur-Layouts*, dann ist dies bei *Debian Wheezy* etwas einfacher zu handhaben. Das wirst du aber noch im nachfolgenden Kapitel sehen, wenn es um die *Partitionen* geht. Doch jetzt starten wir erst einmal mit der *Debian Squeeze*-Installation. Wie gehen wir in diesem Fall vor?

Download von Debian

Der erste logische Schritt ist natürlich, so wie unter *Windows*, das Herunterladen des sogenannten *Images*.

Torrent	debian6-19-04-2012.zip.torrent
Direct download	debian6-19-04-2012.zip
SHA-1	1852df83a11ee7083ca0e5f3fb41f93ecc59b1c8
Default login	Username: pi Password: raspberry **Note changed password!**

◀ **Abbildung 2-9**
Der Downloadbereich für Debian Squeeze

Ich habe auch hier den *Direkt-Download* gewählt, wobei die Datei in meinem *Home-Verzeichnis* gespeichert wird, wenn ich die Option SAVE FILE im betreffenden Dialog ausgewählt habe.

Abbildung 2-10 ▶
Was soll mit der Datei passieren?

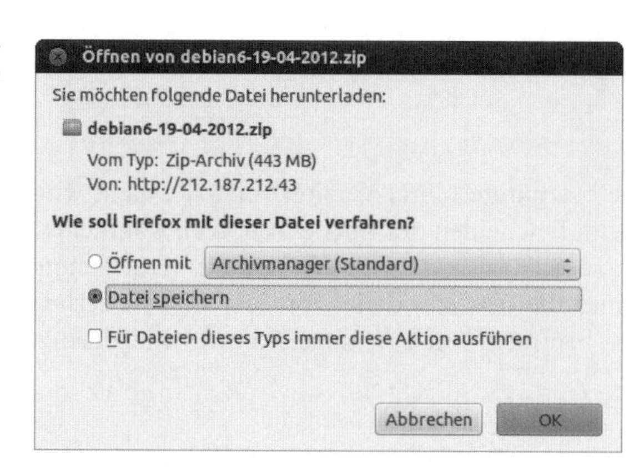

Überprüfen der Datei

Bevor du jetzt jedoch fortfährst, solltest du den Download auf *Korrektheit* überprüfen. Bei der Übertragung kann so einiges schiefgehen oder die Datei enthält u.U. Schadsoftware. Um die *Echtheit* bzw. die *Korrektheit* von Software zu gewährleisten, ist ein Verfahren entwickelt worden, bei dem ein sogenannter *Hashwert* von der Ursprungsdatei erstellt wird. Ein spezieller Algorithmus (*Secure Hash Algorithm*) schaut in die Datei hinein und berechnet aufgrund von vorhandenen Werten eine Zeichenfolge, die für diese Datei bezeichnend ist. Dabei handelt es sich quasi um einen *Fingerabdruck*. Für unsere Datei lautet dieser wie folgt:

SHA-1 1852df83a11ee7083ca0e5f3fb41f93ecc59b1c8

Würde sich auch nur ein einziges Bit der Ursprungsdatei ändern, dann hätten wir einen anderen *Hashwert* als Ergebnis. Wie gehst du also weiter vor? Um den *Hashwert* einer Datei zu ermitteln, kannst du den Befehl `sha1sum <Dateiname>` verwenden. Folgende Schritte sind notwendig:

- Öffne ein *Terminal-Fenster*, z.B. über die Tastenkombination <STRG>-<ALT>-<T>.
- Wechsle über `cd Downloads` in das Download-Verzeichnis.
- Stelle mittels `ls -l` den Dateinamen der gepackten Datei fest.
- Ermittle mit `sha1sum <Dateiname>` den Hashwert und vergleiche ihn dann.

Der folgende Screenshot zeigt noch einmal die einzelnen Schritte im *Terminal-Fenster:*

```
erik@erik-ubuntu: ~/Downloads
erik@erik-ubuntu:~$ cd Downloads/
erik@erik-ubuntu:~/Downloads$ ls -l
insgesamt 453700
-rw-rw-r-- 1 erik erik 464583238 Jun 13 15:43 debian6-19-04-2012.zip
erik@erik-ubuntu:~/Downloads$ sha1sum debian6-19-04-2012.zip
1852df83a11ee7083ca0e5f3fb41f93ecc59b1c8  debian6-19-04-2012.zip
erik@erik-ubuntu:~/Downloads$
```

Abbildung 2-11
Feststellen des Hashwertes mit sha1sum

Wie du siehst, stimmt dieser Wert im *Terminal-Fenster* mit dem Wert, der auf der Internetseite gezeigt wurde, überein. Der Download ist also korrekt.

Entpacken der Datei

Da es sich bei der heruntergeladenen Datei um eine mit der Endung *zip* handelt, kannst du daraus schließen, dass sie gepackt wurde. Um an die eigentliche *Image-Datei* zu gelangen, muss diese gepackte Datei entpackt werden. Dazu sind die folgenden Schritte erforderlich:

- Öffne ein *Terminal-Fenster,* z.B. über die Tastenkombination <STRG>-<ALT>-<T>.
- Wechsel über `cd Downloads` in das Download-Verzeichnis.
- Stelle mit `ls -l` den Dateinamen der gepackten Datei fest.
- Entpacke die Datei mittels unzip <Image-Dateiname>.
- Schaue dir mit `ls -l` an, was erstellt wurde.

Hier siehst du wieder die einzelnen Schritte im *Terminal-Fenster*:

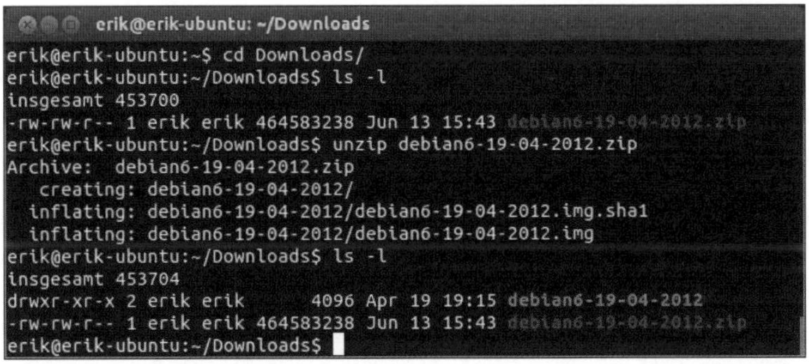

```
erik@erik-ubuntu: ~/Downloads
erik@erik-ubuntu:~$ cd Downloads/
erik@erik-ubuntu:~/Downloads$ ls -l
insgesamt 453700
-rw-rw-r-- 1 erik erik 464583238 Jun 13 15:43 debian6-19-04-2012.zip
erik@erik-ubuntu:~/Downloads$ unzip debian6-19-04-2012.zip
Archive:  debian6-19-04-2012.zip
   creating: debian6-19-04-2012/
  inflating: debian6-19-04-2012/debian6-19-04-2012.img.sha1
  inflating: debian6-19-04-2012/debian6-19-04-2012.img
erik@erik-ubuntu:~/Downloads$ ls -l
insgesamt 453704
drwxr-xr-x 2 erik erik      4096 Apr 19 19:15 debian6-19-04-2012
-rw-rw-r-- 1 erik erik 464583238 Jun 13 15:43 debian6-19-04-2012.zip
erik@erik-ubuntu:~/Downloads$
```

Abbildung 2-12
Entpacken der gepackten zip-Datei über unzip

Nach dem Ausführen des *unzip*-Befehls dauert das Entpacken ein paar Sekunden. Also nicht hecktisch werden, wenn der *Eingabe-Prompt,* also der *Cursor*, nicht sofort wieder erscheint. Mittels `ls -l` haben wir uns im Anschluss über das Ergebnis informiert.

Ja, da ist eine Datei mit dem Namen *debian6-19-04-2012* erstellt worden. Es handelt sich dabei sicherlich um die entpackte Datei, richtig?

Nicht ganz, *RasPi*! Es ist zwar etwas mit dem von dir genannten Namen erzeugt worden, doch es handelt sich *nicht* um eine Datei. Ich zeige dir die Zeile aus dem Terminal-Fenster noch einmal:

```
drwxr-xr-x 2 erik erik      4096 Apr 19 19:15 debian6-19-04-2012
```

Der erste Buchstabe in dieser Zeile ist ein *d*, was bedeutet, dass es sich hierbei *nicht* um eine Datei, sondern um ein *Verzeichnis* handelt. Die englische Bezeichnung für Verzeichnis lautet *Directory*, daher der Buchstabe *d*. Um zu sehen, was sich denn darin verbirgt, wechseln wir einfach mit `cd` in das Verzeichnis.

Abbildung 2-13 ▶
Was befindet sich im Verzeichnis debian6-19-04-2012?

```
erik@erik-ubuntu: ~/Downloads/debian6-19-04-2012
erik@erik-ubuntu:~/Downloads$ ls -l
insgesamt 453704
drwxr-xr-x 2 erik erik      4096 Apr 19 19:15 debian6-19-04-2012
-rw-rw-r-- 1 erik erik 464583238 Jun 13 15:43 debian6-19-04-2012.zip
erik@erik-ubuntu:~/Downloads$ cd debian6-19-04-2012/
erik@erik-ubuntu:~/Downloads/debian6-19-04-2012$ ls -l
insgesamt 1904308
-rw-r--r-- 1 erik erik 1950000000 Apr 19 18:25 debian6-19-04-2012.img
-rw-r--r-- 1 erik erik         65 Apr 19 19:15 debian6-19-04-2012.img.sha1
erik@erik-ubuntu:~/Downloads/debian6-19-04-2012$
```

Ok, darin befindet sich die gewünschte Image-Datei mit der Endung *.img*, die wir gleich zur Erstellung des Linux-Filesystems auf der *SD-Karte* benötigen. Zum anderen ist da auch noch eine Datei, die die Endung *.img.sha1* hat. Was mag es damit auf sich haben? Die Endung *sha1* lässt vermuten, dass wohl ein Zusammenhang mit dem *Hashwert* besteht. Ich schlage vor, dass wir mit dem `cat`-Befehl, der den Inhalt einer Textdatei anzeigt, einmal hineinschauen.

Abbildung 2-14 ▶
Anzeigen der Textdatei mit der Endung .img.sha1

```
erik@erik-ubuntu: ~/Downloads/debian6-19-04-2012
-rw-r--r-- 1 erik erik 1950000000 Apr 19 18:25 debian6-19-04-2012.img
-rw-r--r-- 1 erik erik         65 Apr 19 19:15 debian6-19-04-2012.img.sha1
erik@erik-ubuntu:~/Downloads/debian6-19-04-2012$ cat debian6-19-04-2012.img.sha1
e1a6f8695be719c83ac7f2595220c36ecf0a58cf  debian6-19-04-2012.img
erik@erik-ubuntu:~/Downloads/debian6-19-04-2012$ sha1sum debian6-19-04-2012.img
e1a6f8695be719c83ac7f2595220c36ecf0a58cf  debian6-19-04-2012.img
erik@erik-ubuntu:~/Downloads/debian6-19-04-2012$
```

Bevor ich den `cat`-Befehl ausgeführt habe, habe ich mir über den schon bekannten `sha1sum`-Befehl den Hashwert der Image-Datei berechnen lassen. Wie du siehst, stimmen beide exakt überein. Dieser Hashwert unterscheidet sich von dem der *zip*-Datei, denn der Inhalt ist ja nicht der gleiche.

Ok, jetzt kann ich dir sagen, wie es weitergeht. Diese entpackte Datei wird jetzt auf meine *SD-Karte* kopiert und dann kann ich sie in meinem *Raspberry Pi* verwenden und von ihr booten.

Tja, das wird wohl so nicht funktionieren, wie du das hier vorhast. Ich sagte dir ja schon, dass ein Image quasi ein Backup eines bestimmten Filesystems darstellt, und wenn du diese *Image-Datei* einfach auf die *SD-Karte* kopierst, dann sieht dein *Raspberry Pi* nur diese *Image-Datei* und kein Filesystem, von dem er ja eigentlich booten möchte.

Stimmt, das hatte ich vergessen. Aber wie kann ich aus der *Image-Datei* denn wieder ein Dateisystem herausholen?

Nun, da gibt es mehrere Ansätze und ich fange einfach einmal mit dem einfachsten an. Ich habe mir eine von *Raspberry Pi* unterstützte *SD-Karte* besorgt, die in diesem Fall *32 GB* Speicherkapazität besitzt.

◀ Abbildung 2-15
SD-Karte mit 32 GB Speicherkapazität

Wenn ich diese Karte in mein Kartenlesegerät stecke und dieses mit meinen *Windows-PC verbinde*, bekomme ich beim Aufruf der Eigenschaften des Wechseldatenträgers folgende Informationen angezeigt:

◀ Abbildung 2-16
SD-Karte mit 32 GB Speicherkapazität

Hey, da werden wirklich *32GB* Speicherkapazität angezeigt. Ok, unter *Windows* ist das schon einmal richtig erkannt worden. Jetzt wird es aber Zeit, die *SD-Karte* unter *Linux* zu prüfen. Nach dem Einstecken des Lesegerätes wird die *SD-Karte* bei der Verwendung von *Linux* in der virtuellen Umgebung von *VirtualBox* erst einmal nur von *Windows* erkannt. Sicherlich wird dabei das folgende *Dialog-Fenster* geöffnet:

Abbildung 2-17 ▶ Dialog Automatische Wiedergabe beim Einstecken der SD-Karte

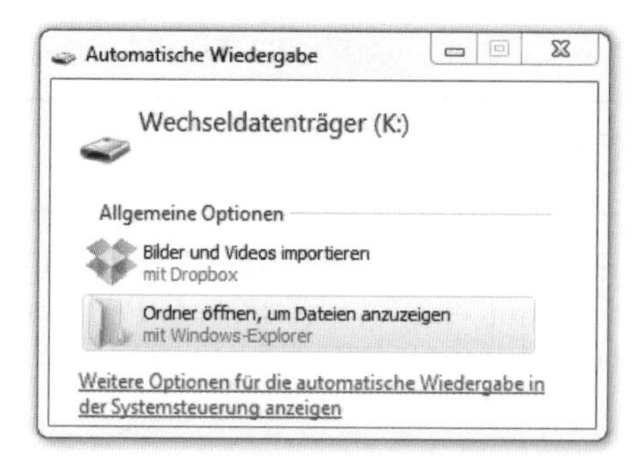

Schließe das Fenster über den rechts oben befindlichen *Schließen*-Button, denn wir möchten die Karte ja unter *Linux* betreiben. Wie aber lässt sich die *SD-Karte* in das *Linux*-Gastsystem einbinden? Ganz einfach! Wenn du dich nicht im Vollbildmodus von *VirtualBox* be*findest*, selektiere über das Menu GERÄTE|USB-GERÄTE den angezeigten Massenspeicher.

Abbildung 2-18 ▶ Auswahl der SD-Karte (hier Generic Mass Storage Device)

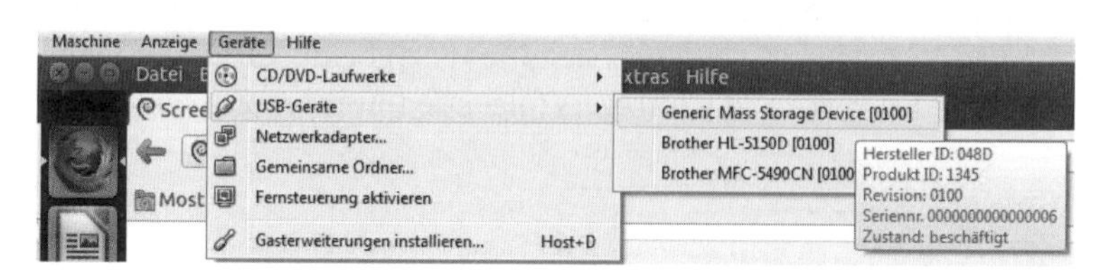

Im Anschluss öffnen wir ein *Terminal-Fenster*. Dort geben wir dann das folgende Kommando ein:

Abbildung 2-19 ▶ Eingabe des df-Kommandos

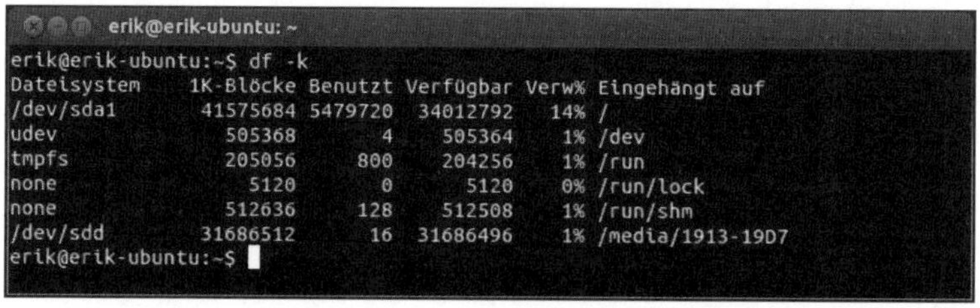

```
erik@erik-ubuntu: ~
erik@erik-ubuntu:~$ df -k
Dateisystem    1K-Blöcke Benutzt Verfügbar Verw% Eingehängt auf
/dev/sda1       41575684 5479720  34012792   14% /
udev              505368       4    505364    1% /dev
tmpfs             205056     800    204256    1% /run
none                5120       0      5120    0% /run/lock
none              512636     128    512508    1% /run/shm
/dev/sdd        31686512      16  31686496    1% /media/1913-19D7
erik@erik-ubuntu:~$
```

Das Kommando `df` ist die Abkürzung für *disk free* und zeigt dir den Speicherplatz auf der Festplatte bzw. einem anderen angeschlossenen Datenträger an. Der Schalter `-k` besagt, dass die Größenangaben in *Kilobytes* erfolgen sollen. Um die Größe zu ermitteln, musst du den angezeigten Wert einfach zwei Mal durch *1024* dividieren. Dann hast du die Größe in *GigaBytes*. Welches Dateisystem denn nun dem der *SD-Karte* entspricht, ermittelst du auf sehr einfache Weise. Führe dieses Kommando einmal ohne und einmal mit eingestecktem Kartenlesegerät durch und du wirst ganz einfach sehen, welcher Eintrag hinzugekommen ist. In meinem Fall ist das der letzte Eintrag in der Liste:

```
/dev/sdd          31686512        16  31686496    1% /media/1913-19D7
```

Der entsprechende *Gerätename*, der auch *Device* genannt wird, lautet bei mir */dev/sdd.*

Das könnte wichtig für dich sein

Seit es *SATA-Festplatten* gibt, beginnen die Partitionen mit *sd* und einem folgenden Buchstaben bzw. einer fortlaufenden Nummer. Zu Zeiten von veralteten *IDE-Festplatten* lautete die Bezeichnung *hd* (*Hard-Drive*).

Damit du auch weißt, wo dieses Device im Dateisystem eingehängt ist, musst du dir lediglich den Pfad auf der rechten Seite anschauen, der hier */media/1913-19D7* lautet und uns erst einmal nicht weiter interessiert. Bei dir wird er sicherlich anders lauten. Wir haben es hier also mit einer einzigen *Partition* zu tun, die einen zusammenhängenden Speicherbereich eines Datenträgers repräsentiert.

Image aufspielen (Möglichkeit 1)

Da die *SD-Karte* von *Linux* korrekt erkannt wurde, können wir uns jetzt an die Arbeit machen und das Image aufzuspielen. Dazu verwenden wir im einfachsten Fall – jeder *Linux-* bzw. *Unix-*User wird mich jetzt massakrieren, steinigen und vierteilen, denn für sie ist die Steuerung ihres Rechners via *Terminal-Fenster* das Non-Plus-Ultra – ein spezielles Programm, das sich *Imagewriter* nennt und über eine grafische Benutzerschnittstelle verfügt.

Abbildung 2-20 ▶
Image-Aufspielung – Möglichkeit Nummer 1 über den ImageWriter

Installiere es über das *Ubuntu Software-Center* nach, indem du einfach in der Suchmaske den Programmnamen *ImageWriter* eingibst und dann auf die Schaltfläche INSTALLIEREN klickst.

Abbildung 2-21 ▶
Installation von ImageWriter

Wenn du das Programm nach der erfolgreichen Installation startest, musst du auf zwei Dinge achten:

- Wo liegt das Linux-Image für mein *Raspberry Pi*?
- Habe ich meine *SD-Karte* schon mit meinem Linux-Rechner verbunden?

Hast du das Programm ohne eingesteckte *SD-Karte* gestartet, dann wird dir die folgende Fehlermeldung angezeigt:

Abbildung 2-22 ▶
Fehlermeldung bei fehlender SD-Karte

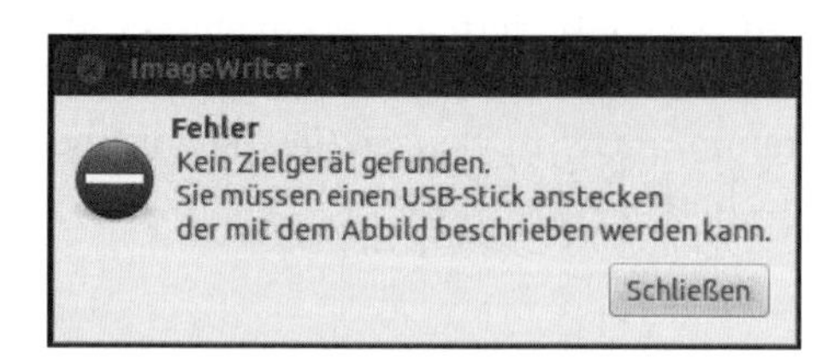

Wenn du alles bedacht hast, führe die folgenden Schritte durch:

Abbildung 2-23
Fehlermeldung bei fehlender SD-Karte

1. Wähle das Image aus (es befindet sich im Download-Verzeichnis unterhalb von *Home*).
2. Wähle das *SD-Karten*-Device aus.
3. Klicke auf die Schaltfläche AUF GERÄT SCHREIBEN und bestätige den nachfolgenden Dialog mit *OK*.
4. Beobachte den Fortschrittsbalken.

Der Schreibvorgang kann schon ein paar Minuten dauern, so dass du dich etwas gedulden musst. Nach erfolgreichem Schreiben des Images wird dir der folgende Dialog angezeigt:

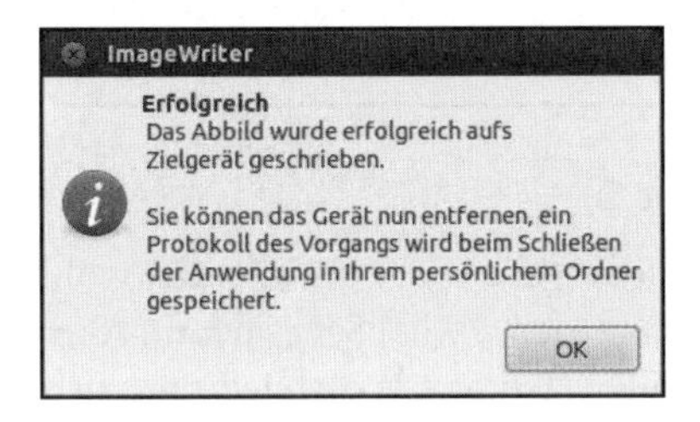

Abbildung 2-24
Erfolgsmeldung nach dem Schreiben des Images auf die SD-Karte

Ich habe sofort nach dem Abschluss dieses Vorgangs einmal das Kommando `df -k` eingegeben. Was mich jetzt doch sehr erstaunt, ist die Tatsache, dass die *SD-Karte* überhaupt nicht mehr in der Liste erscheint. Was ist da schiefgelaufen?

Hey, *RasPi*, du musst schon lesen, was dir der letzte Dialog mitteilen wollte. Da steht zwar *nur*, dass du das Gerät jetzt entfernen *kannst*, aber das solltest du auf jeden Fall tun. Danach verbindest du es wieder mit deinem Rechner (Einbinden des USB-Devices in *VirtualBox* nicht vergessen!). Schau einmal, was dann passiert. *Ubuntu* verwendet schon etwas länger die Standardoberfläche *Unity*, die auch bei mir aktiv ist. Nach dem Abziehen und erneutem Verbinden der *SD-Karte* mit meinem Rechner hat *Unitiy* das bemerkt und öffnet zwei Fenster, die ein paar Dateien anzeigen. Was hat das zu bedeuten? Wir wollen der Sache auf den Grund gehen. Gib in einem *Terminal-Fenster* einmal das schon bekannte Kommando `df -k` ein:

Abbildung 2-25 ▶
Die SD-Karte hat jetzt zwei Partitionen.

```
erik@erik-ubuntu: ~/Downloads/debian6-19-04-2012
erik@erik-ubuntu:~/Downloads/debian6-19-04-2012$ df -k
Dateisystem    1K-Blöcke Benutzt Verfügbar Verw% Eingehängt auf
/dev/sda1       41575684 6968476  32524036   18% /
udev              505368       4    505364    1% /dev
tmpfs             205056     816    204240    1% /run
none                5120       0      5120    0% /run/lock
none              512636     132    512504    1% /run/shm
/dev/sdd2        1624704 1238280    305016   81% /media/18c27e44-ad29-4264-9506-c93bb7083f47
/dev/sdd1          76186   28089     48097   37% /media/95F5-0D7A
erik@erik-ubuntu:~/Downloads/debian6-19-04-2012$
```

- /media/18c27e44-ad29-4264-9506-c93bb7083f47
- /media/95F5-0D7A

Was es mit den einzelnen Partitionen auf sich hat, dazu werde ich später kommen, wenn es darum geht, eine Partition zu vergrößern.

Du hast zu Beginn gesagt, dass es in deinen Augen einfacher ist, das Aufspielen des Images über ein Programm mit grafischer Benutzerschnittstelle durchzuführen. Mich würde aber trotzdem auch die andere Variante über die Kommandozeile interessieren.

Image aufspielen (Möglichkeit 2)

Nun gut, *RasPi*. Wenn's denn unbedingt sein muss. Du willst wohl auch ein *Hardcore*-Programmierer werden – was? Sei es drum. Aber so schwer ist es nun auch wieder nicht. Ich werde dich jetzt mit den notwendigen Kommandos vertraut machen. Diesmal wird alles über das *Terminal-Fenster* realisiert.

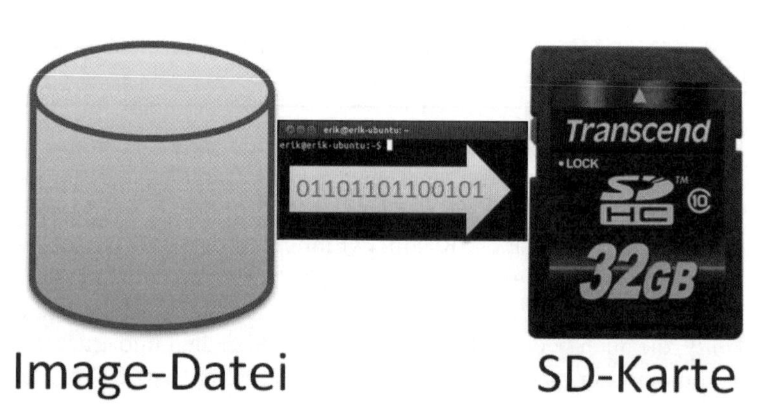

Abbildung 2-26 ▶
Image-Aufspielung – Möglichkeit Nummer 2 über ein Terminal-Fenster

Das Kommando, das die ganze Arbeit der Image-Verarbeitung und Erstellung der einzelnen Partitionen bewerkstelligt, lautet kurz und knapp dd. Diese zwei Buchstaben stehen für *dump device*. Beim Ausführen von dd wird eine bitgenaue Kopie z.B. von *Dateien*, *Festplatten* oder *Partitionen* erstellt. Die zuvor generierte *Image-Datei*, die die beiden Partitionen beinhaltet, die du eben schon gesehen hast, wird über dd Bit für Bit auf deiner *SD-Karte* wiederhergestellt. Das Kommando erwartet in dem Fall eine *Quell-* und eine *Zielangabe*, die *Input-File* (kurz: *if*) bzw. *Output-File* (kurz: *of*) genannt werden.

Eine Bemerkung am Rande

Die Ausführung des dd-Kommandos nimmt schon einige Zeit in Anspruch und dein *Terminal-Fenster* ist währenddessen gesperrt, so dass du keine weiteren Aktionen durchführen kannst. Leider liefert dd keine Statusinformationen während des Schreibvorgangs zurück, so dass du keine Hinweise darüber erhältst, zu wie viel Prozent der Vorgang abgearbeitet ist. Werde deswegen nicht ungeduldig und warte so lange, bis der *Eingabe-Prompt, also der Cursor,* wieder zurückgekehrt ist.

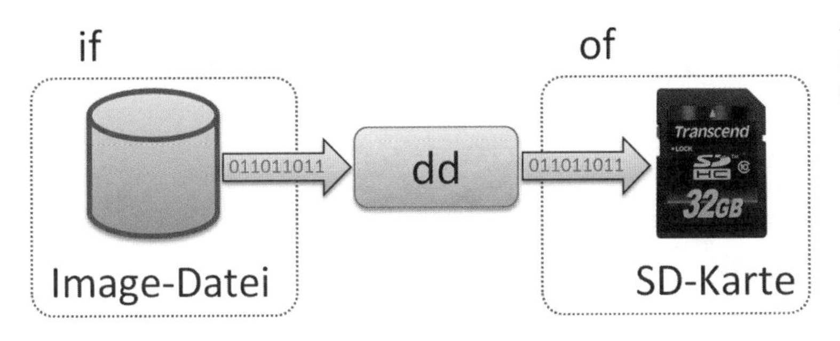

Abbildung 2-27
Das dd-Kommando erwartet eine Quell- und eine Zielangabe

Im folgenden *Terminal-Fenster* siehst du die notwendigen Eingaben, um das Image über das dd-Kommando auf die *SD-Karte* zu übertragen.

```
erik@erik-ubuntu: ~/Downloads/debian6-19-04-2012
erik@erik-ubuntu:~$ cd Downloads/debian6-19-04-2012/
erik@erik-ubuntu:~/Downloads/debian6-19-04-2012$ ls -l
insgesamt 1904308
-rw-r--r-- 1 erik erik 1950000000 Apr 19 18:25 debian6-19-04-2012.img
-rw-r--r-- 1 erik erik         65 Apr 19 19:15 debian6-19-04-2012.img.sha1
erik@erik-ubuntu:~/Downloads/debian6-19-04-2012$ sudo dd bs=1M if=debian6-19-04-2012.img of=/dev/sdd
[sudo] password for erik:
1859+1 Datensätze ein
1859+1 Datensätze aus
1950000000 Bytes (2,0 GB) kopiert, 521,062 s, 3,7 MB/s
erik@erik-ubuntu:~/Downloads/debian6-19-04-2012$ sync
erik@erik-ubuntu:~/Downloads/debian6-19-04-2012$
```

Abbildung 2-28
Die Ausführung des dd-Kommandos

Das nachfolgende sync-Kommando stellt sicher, dass auch wirklich alle Daten auf die *SD-Karte* übertragen wurden. Entferne die *SD-*

Karte anschließend von deinem Rechner und verbinde sie erneut. Mit dem Kommando `df -k` kannst du dir wieder die gerade angelegten Partitionen anzeigen lassen.

Abbildung 2-29 ▶ Anzeigen der Partitionen mit `df -k`

```
erik@erik-ubuntu: ~/Downloads/debian6-19-04-2012
erik@erik-ubuntu:~/Downloads/debian6-19-04-2012$ df -k
Dateisystem    1K-Blöcke Benutzt Verfügbar Verw% Eingehängt auf
/dev/sda1       41575684 6968476  32524036   18% /
udev              505368       4    505364    1% /dev
tmpfs             205056     816    204240    1% /run
none                5120       0      5120    0% /run/lock
none              512636     132    512504    1% /run/shm
/dev/sdd2        1624704 1238280    305016   81% /media/18c27e44-ad29-4264-9506-c93bb7083f47
/dev/sdd1          76186   28089     48097   37% /media/95F5-0D7A
erik@erik-ubuntu:~/Downloads/debian6-19-04-2012$
```

Die Namen *sdd1* bzw. *sdd2* sind zwar etwas kryptisch, doch das sollte dich nicht weiter stören.

> Da ist mir aber etwas überhaupt nicht klar. Du schreibst für das Zielsystem lediglich `/dev/sdd`. Muss das nicht `sdd1` oder `sdd2` lauten?

Nun, *RasPi*, dass verhält sich unter *Linux* folgendermaßen: Ein Datenträger bekommt bei SATA-Festplatten, so wie ich das eben schon gesagt habe, die Bezeichnung *sd*, wobei eine *SD-Karte* ähnlich gehandhabt wird. Der 3. Buchstabe hinter *sd* gibt an, um welche Festplatte es sich handelt. Schau einmal her. Ich zeige dir das an einem Beispiel:

sdb

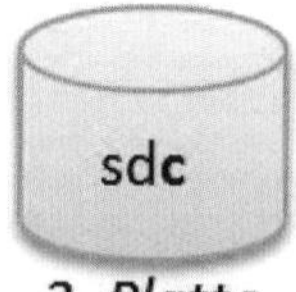

1. Platte *2. Platte* *3. Platte*

Wenn eine Festplatte mehrere Partitionen besitzt, dann wird noch eine fortlaufende Nummer angehängt, um genau zu unterscheiden, welche Partition denn gemeint ist. Schauen wir uns doch einfach einmal die 2. *Platte* genauer an und sagen einfach, dass sie in *3 Partitionen* unterteilt ist. Dann würde sich das wie folgt darstellen:

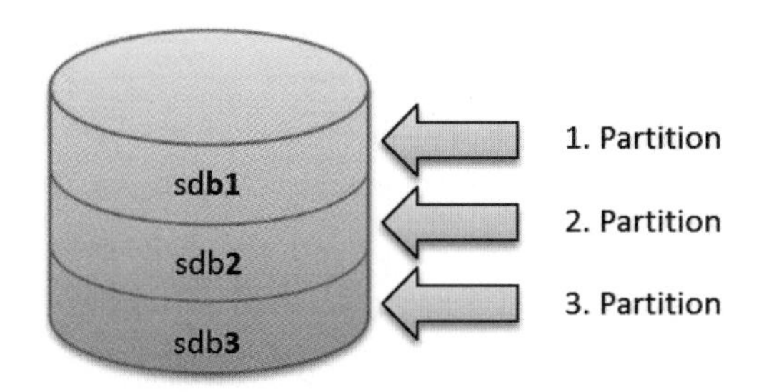

Da du das Image auf die gesamte *SD-Karte* übertragen möchtest, wird als Ziel `sdd` angegeben und nicht etwa eine bestimmte Partition. Die innerhalb des Images gespeicherten Meta-Daten *wissen* genau, welche und wie viele Partitionen in ihm vorhanden sind und erstellen diese automatisch.

Das könnte wichtig für dich sein

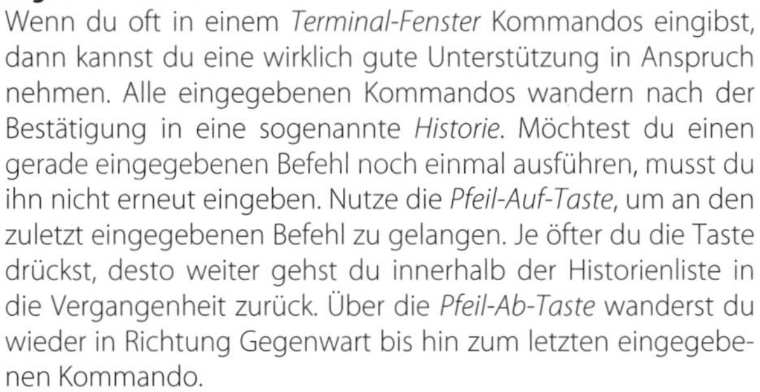

Wenn du oft in einem *Terminal-Fenster* Kommandos eingibst, dann kannst du eine wirklich gute Unterstützung in Anspruch nehmen. Alle eingegebenen Kommandos wandern nach der Bestätigung in eine sogenannte *Historie*. Möchtest du einen gerade eingegebenen Befehl noch einmal ausführen, musst du ihn nicht erneut eingeben. Nutze die *Pfeil-Auf-Taste*, um an den zuletzt eingegebenen Befehl zu gelangen. Je öfter du die Taste drückst, desto weiter gehst du innerhalb der Historienliste in die Vergangenheit zurück. Über die *Pfeil-Ab-Taste* wanderst du wieder in Richtung Gegenwart bis hin zum letzten eingegebenen Kommando.

Du kannst sogar eine Stichwortsuche durchführen. Gib dazu STRG-R ein und tippe dann z.B. `sh`, um ein zuvor eingegebenes `sudo shutdown -h now` zu finden, was du dann mit der RETURN-Taste bestätigen könntest. Ein weiteres sehr nützliches Feature ist die *Autovervollständigung* über die *TAB*-Taste. Gib nur die bekannten Anfangsbuchstaben eines Verzeichnisses bzw. einer Datei ein und drücke dann die *TAB*-Taste. Ist die Eingabe eindeutig, wird sofort der komplette Pfad bzw. Dateiname angezeigt. Falls mehrere Ergebnisse existieren, wird nur bis zu *der* Stelle vervollständigt, die eindeutig ist. Danach musst du weitere Zeichen eingeben, bis entweder eine Eindeutigkeit erreicht ist oder der komplette Pfad bzw. Name von dir eingegeben wurde.

Die Partitionen 3

Sicher sind die näheren Details zu den einzelnen Partitionen des *Raspberry Pi* nicht nur für Profis interessant. Als Beispiel dafür nehme ich das *Debian-Squeeze-Image*, das ich auch schon im vorangegangenen Kapitel zur Installation genutzt habe. Die Themen werden folgende sein:

- Wie logge ich mich ein?
- Was ist ein *X Windows System*?
- Wie starte ich die grafische Umgebung des *Raspberry Pi*?
- Welche Partitionen existieren?
- Wie kann ich mir die einzelnen Partitionen anzeigen lassen?
- Wie nutze ich die *GParted*-Anwendung unter Linux?
- Was bedeutet das `sudo`-Kommando?
- Wie kann ich mit dem `cd`-Kommando in ein anderes Verzeichnis wechseln?
- Wie kann ich mit dem `pwd`-Kommando anzeigen lassen, in welchem Verzeichnis ich mich gerade befinde?
- Wie kann ich mit dem `cat`-Kommando den Inhalt einer Textdatei anzeigen?
- Wie zeige ich den Inhalt des Dateisystems mit dem `ls`-Kommando an?
- Wie werden die Partitionen an die vorhandene SD-Karten-Größe angepasst?
- Wie können wir das voreingestellte Keyboard-Layout von *Englisch* auf *Deutsch* umstellen?

Bitte achte immer darauf, ob die Themen, die ich anspreche, sich auf mein *Ubuntu-Hostsystem* und die virtuelle Umgebung (*VirtualBox*) auf meinem Windows-Rechner oder auf die spätere eigentliche Umgebung des *Raspberry Pi* beziehen. Hier muss sorgfältig unterschieden werden. Ich habe das aber immer unterhalb der Screenshots, z.B. mit dem Zusatz *Ubuntu-Hostsystem,* kenntlich gemacht. So solltest du eigentlich jederzeit den Überblick waren können und nicht durcheinanderkommen.

Die Linux-Partitionen des Raspberry Pi

Für das *SD-Karten-Setup* habe ich im vorherigen Kapitel *Debian Squeeze* genutzt. Wir wollen uns nun einmal die über das Setup entstandenen Partitionen genauer anschauen. Unter dem Betriebssystem *Windows* sind einzelne Laufwerke wie *C:*, *D:*, *E:* usw. vorhanden. Unter *Linux* finden sich indessen *Partitionen*, deren Ursprung das *Root-Verzeichnis* / (*Slash*) ist. Alle Partitionen werden quasi unterhalb dieses Verzeichnisses *eingehängt* wodurch eine hierarchische Struktur entsteht. Der Zugriff auf die einzelnen Partitionen erfolgt per Navigation durch die betreffende Baumstruktur. Über das tree-Kommando kannst du dir diese Struktur wunderbar anzeigen lassen. Wenn du bei *Root* / beginnst, werden dir zahlreiche Informationen angezeigt, was natürlich recht unübersichtlich ist, da der ganze Bildschirm mit Daten überflutet wird bzw. alles sehr schnell durchscrollt. Ist *tree* auf deinem Rechner nicht installiert, dann installiere es einfach über

```
erik@erik-ubuntu:/$ sudo apt-get install tree
```

nach. Wenn du es innerhalb eines weiter unten in der Hierarchie gelegenen Verzeichnisses ausführst, erhältst du z.B. die folgende Anzeige:

Abbildung 3-1 ▶ Dateistruktur in meinem Download-Verzeichnis (Ubuntu-Hostsystem)

```
erik@erik-ubuntu: ~/Downloads
erik@erik-ubuntu:~/Downloads$ tree
.
├── debian6-19-04-2012
│   ├── debian6-19-04-2012.img
│   └── debian6-19-04-2012.img.sha1
└── debian6-19-04-2012.zip

1 directory, 3 files
erik@erik-ubuntu:~/Downloads$
```

Die Anwendung GParted

Dazu werde ich auf meinem *Ubuntu*-Hostsystem eine Software installieren, die zum Partitionieren unter Linux *State Of The Art* ist. Es handelt sich um *GParted*. Dazu öffne ich das *Ubuntu Software-Center* und gebe in der rechten oberen Ecke den Suchbegriff *gparted* ein. Im Anschluss wird mir die Software zur Installation angezeigt. Anschließend klicke auf den Button INSTALLIEREN in der rechten unteren Ecke.

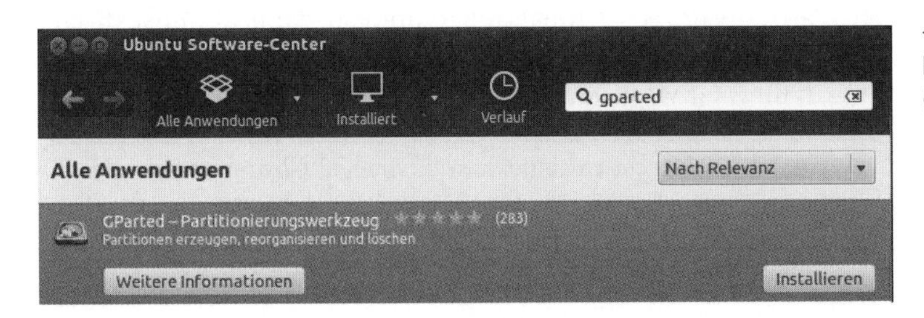

◀ **Abbildung 3-2**
Das Ubuntu-Software-Center (Ubuntu-Hostsystem)

Nach dem Start des Programms wirst du erst einmal nach dem *Root-Passwort* gefragt, denn es handelt sich um eine Anwendung, mit der sich die Filesystem-Struktur verändern lässt und nicht ganz ungefährlich für einen ungeübten Nutzer ist. Die Gefahr bezieht sich natürlich primär auf das Filesystem, wobei aber die Gefahr für den Administrator durch wütende User, deren Server ggf. unbrauchbar wurde, auch nicht zu unterschätzen ist. Es ist also ratsam, in Ruhe vorzugehen und jeden Mausklick vorher genauestens zu überdenken. Jede noch so kleine Unsicherheit birgt ein potentielles Risiko für Mensch und Maschine und es ist sicherlich besser, sich vorher einmal im Internet schlau zu machen. Alles, was ich hier zeige, geschieht auf eigene Gefahr.

Nachdem das Programm erfolgreich gestartet wurde, zeigt es sich wie folgt:

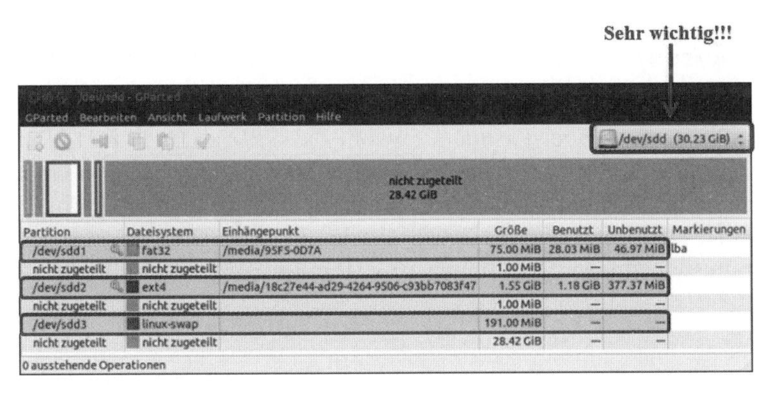

◀ **Abbildung 3-3**
Die Software Gparted (Ubuntu-Hostsystem)

Zuerst solltest du dir im Klaren darüber sein, welche Partitionen angezeigt werden sollen. Die betreffende Stelle habe ich rechts oben auf dem Bild rot markiert. Dort kannst du nämlich über eine Auswahlliste alle vorhandenen *Devices* bzw. *Geräte* auswählen, um die darin enthaltenen Partitionen anzeigen zu lassen. Ich habe natürlich für mein System das Device */dev/sdd* ausgewählt, das ich im vorangegangenen Kapitel schon genutzt habe. Die für uns wichtigen Partitionen sind rot eingerahmt bzw. rosa unterlegt, und ich komme jetzt im Einzelnen auf sie zu sprechen. Wenn du die einzelnen Partitionsgrößen einmal aufsummierst, dann kommst du auf einen ungefähren Wert von *2 GByte*. Das ist genau *die* Größe, die Debian für *2 GByte* große *SD-Karten* bereitstellt.

Wenn ich mich recht entsinne, hast du eine *32 Gbyte*-Karte mit den entsprechenden Daten versehen. Das würde ja bedeuten, dass *30 GByte* ungenutzt vor sich hindümpeln würden. Ist das nicht eine gewaltige Verschwendung?

Das ist ein guter und berechtigter Einwand, dem wir in Kürze nachgehen werden.

Welche Partitionen sind vorhanden?

Wie aus *GParted* zu ersehen ist, werden im Device */dev/sdd* drei zugewiesene Partitionen erkannt. Die nicht zugeteilten Partitionen sind für uns ohne Belang und spielen keine Rolle.

Tabelle 3-1 ▶ Die unterschiedlichen Partitionen

Partition	Dateisystem
/dev/sdd1	*fat32*
/dev/sdd2	*ext4*
/dev/sdd3	*linux-swap*

Nun zu den einzelnen Partitionen:

dev/sdd1

Die erste Partition *dev/sdd1* ist mit dem Dateisystem *fat32* versehen und dient als *Boot-Partition*. Sowohl die *GPU* als auch der *ARM* beziehen ihre Informationen aus dieser Partition. Der Typ *fat32* ist ein von *Microsoft* entwickeltes Dateisystem, das von vielen mobilen Speichermedien genutzt wird. Wenn du die *SD-Karte* mit den unterschiedlichen Partitionen bzw. Dateisystemen unter *Windows* einsteckst, dann wirst du dich vielleicht wundern, warum nur eine einzige Partition zu erkennen ist. Der Grund ist ziemlich simpel. *Windows* kann lediglich die *fat32*-Partition lesen und darauf zugreifen. Alle anderen Partitionen wie *ext4* bzw. *linux-swap* sind *Windows* fremd und bleiben somit verborgen.

dev/sdd2

Die zweite Partition *dev/sdd2* ist mit dem Dateisystem *ext4* versehen. Hier ist das *Linux*-Betriebssystem mit allen Programmen installiert. Bei dem Typ *ext4* handelt es sich um ein sogenanntes *Journaling-Filesystem*, das speziell für *Linux* entwickelt wurde.

/dev/sdd3

Die dritte Partition *dev/sdd3* hat einen besonderen Dateisystemtypen. Es handelt sich um *linux-swap*, was eigentlich kein richtiges Dateisystem darstellt. Du hast dich vielleicht schon gewundert, warum dieser Bereich von *GParted* angezeigt wird, bei der Eingabe von `df -k` jedoch nicht. Ein *Swap-Bereich* auf einem *Linux*-System ist erforderlich, weil dort die Informationen des virtuellen Speichers abgelegt werden, die im physikalischen Speicher keinen Platz mehr finden. Er ist im weitesten Sinne mit der *Auslagerungsdatei* von *Windows* vergleichbar, der bestenfalls eine eigene Partition zugewiesen wird.

Ich habe meinen *Raspberry Pi* einmal angeschlossen und ihn booten lassen. Wenn er mit der Spannungsversorgung verbunden wird und alle erforderlichen Komponenten angeschlossen sind, siehst du auf deinem Display sehr viele Informationen von unten nach oben durchlaufen. Diese interessieren uns zunächst einmal recht wenig.

Das könnte wichtig für dich sein

Es kann beim Booten manchmal vorkommen, dass das System hängt und du nicht zu *dem* Punkt kommst, an dem du dich einloggen kannst. Das passiert manchmal, wenn ein frisch aufgesetztes System zum ersten Mal gestartet wird. Entferne in diesem Fall einfach die Spannungsversorgung und verbinde sie erneut. Dann sollte es in den meisten Fällen funktionieren.

Nach ein paar Minuten – so *Linux* will – siehst du den sogenannten *Login-Prompt*, der dich dazu auffordert, die Anmeldedaten einzugeben. Das sind bei der *Debian Distribution* folgende, wobei ich die notwendigen Eingaben in Rot gekennzeichnet habe:

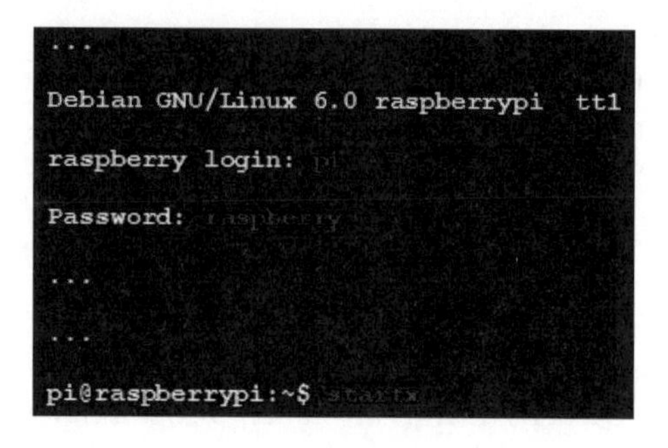

...
Debian GNU/Linux 6.0 raspberrypi ttl
raspberry login:
Password:
...
...
pi@raspberrypi:~$

Abbildung 3-4 ▶
Einloggen bei Raspberry Pi

Achtung

Es wird das englische Keyboard-Layout geladen, so dass die Tasten Y und Z vertauscht sind! Die meisten Tastaturbesitzer im deutschsprachigen Raum werden wohl über eine *QWERTZ*-Tastatur verfügen. Du musst also für das Passwort `raspberrz` eintippen. Wenn du das nicht beachtest, so wie ich am Anfang, dann kann einen das schon in den Wahnsinn treiben. Auf so triviale Dinge kommt man immer erst recht spät und man denkt vorher einfach nicht daran. Ich war so begeistert von meinem *Raspberry Pi*, dass ich die Aspekte *Original Debian-Image*, *Deutsche Tastatur* und ein Passwort mit einem ‚y' drin einfach nicht bedacht habe.

Soll das heißen, ich muss jetzt ständig diese blöden Keyboard-Einstellungen nutzen und beim Suchen der einzelnen Tasten fast verzweifeln?

Boah, kannst du dich anstellen, *RasPi*. Doch ich werde dir gleich eine Möglichkeit zeigen, um vom englischen Keyboard-Layout, das mir ehrlich gesagt auch schon ziemlich auf die Nerven gegangen ist, auf das dir vertraute deutsche Layout umzuschalten.

Bisher hast du die Eingaben im *Textmodus* durchgeführt. Natürlich kann dein *Raspberry Pi* auch eine grafische Umgebung starten. Dazu ist die Eingabe von `startx` *erforderlich*, so wie ich das in der vorherigen Abbildung schon gezeigt habe.

Kannst du mir bitte sagen, was es mit `startx` auf sich hat! Den `start`-Befehl verstehe ich ja noch im weitesten Sinne, doch was bedeutet das `x` dahinter? Ist ja fast so geheimnisvoll, wie bei den unheimlichen *X-Akten*.

Das ist schon ok, *RasPi*. Das grafische System unter *Linux* wird *X Windows System* genannt und meistens einfach nur mit *X* abgekürzt. Es wurde vom *MIT* (*Massachusetts Institute of Technologie*) entwickelt und stellt eine Basis für grafische Benutzeroberflächen unter *Linux* und *Unix* dar. Wenn du also über `startx` das *X Windows System* startest, öffnet sich kein weiteres *Terminal-Fenster*, sondern du siehst nach kurzer Zeit eine Desktop-Oberfläche im *Windows-Look*. Bei *Debian* handelt es sich um den Fenstermanager *LXDE*. Natürlich kannst du auch dort ein *Terminal-Fenster* öffnen, um Befehle einzugeben. Es ist ja gerade die Stärke von *Linux*, dass es über sehr mächtige Befehle bzw. Kommandos für jede erdenkliche Situation verfügt. Profis und Puristen veranstalten sehr gerne diese Tastaturorgien, die Ihnen die volle Kontrolle über das System verleihen. Programme mit grafischem Frontend sind zwar schön anzuschauen und man ist mit ihnen in der Regel auch schneller unterwegs, doch es lässt sich eben nur *das* erreichen, was durch den Programmierer bereitgestellt wurde. Nicht mehr und nicht weniger. Wenn du dich also mit deinem *Raspberry Pi* und seinem *Linux*-Betriebssystem ernsthaft beschäftigen möchtest, kommst du nicht umhin, dich intensiv mit der Kommandozeile auseinanderzusetzen. Aus diesem Grund zeige ich dir jetzt einen Weg, ein *Terminal-Fenster* in der grafischen Umgebung zu öffnen.

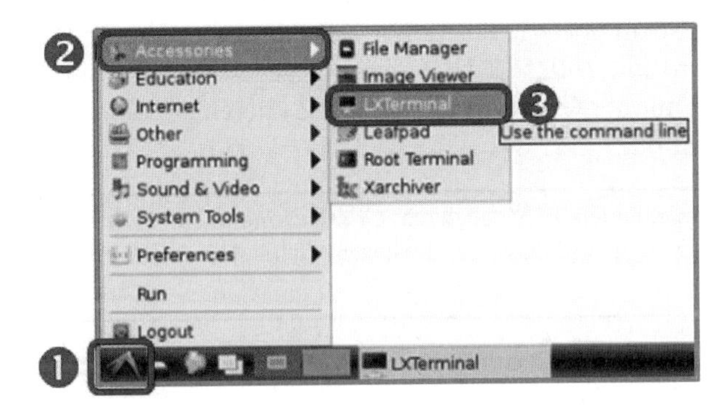

◀ **Abbildung 3-5**
Ein Terminal-Fenster öffnen

Führe einfach die nachfolgenden Schritte aus und du bekommst dein *Terminal-Fenster*:

1. Klicke auf das Icon in der linken unteren Ecke (ähnlich wie bei *Windows*, um an die einzelnen Bereiche wie Programme, Einstellungen etc. heranzukommen).
2. Wähle den Menüeintrag ACCESSORIES aus.
3. Klicke auf LXTERMINAL.

Im Anschluss öffnet sich das *Terminal-Fenster*, in dem wir jetzt z.B. das dir schon bekannte `df -k` eingeben können.

Abbildung 3-6 ▶
Anzeigen der Partitionen mittels df -k

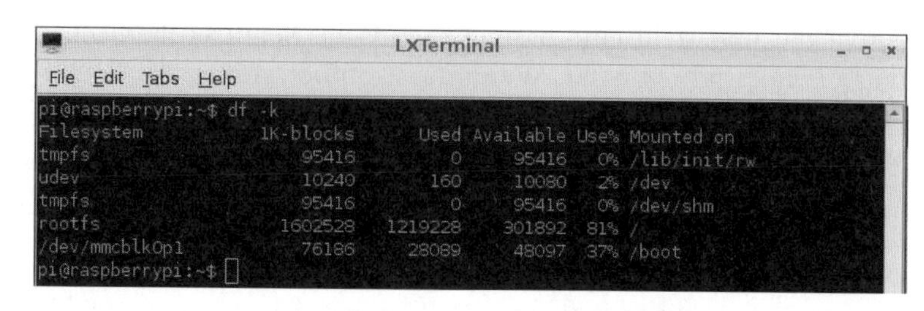

Hier erkennst du die Partitionen wieder, die du beim Aufruf von *GParted* im *Ubuntu-Hostsystem* schon gesehen hast. Die Werte stimmen zwar nicht *100%ig* überein, denn die Speicherplatzberechnungen weichen von Anwendung zu Anwendung schon mal ein wenig ab, doch das soll uns nicht weiter stören. Auf der rechten Seite erkennst du die schon angesprochenen *Mount-Points*, also *die* Punkte im Dateisystem, an denen sich die unterschiedlichen Partitionen quasi eingehängt haben. Da ist zum einen die *Boot*-Partition mit dem *Mount-Point /boot*. Ihre Größe wird mit *76186 1K-Blöcken* angegeben. Das stimmt annähernd mit der Angabe der *GParted*-Partition *sdd1* überein, die mit *75MB* ausgewiesen wurde. Nachfolgend findet sich die *Root*-Partition, deren *Mount-Point /* ist. Sie befindet sich also an oberster Position in der Filesystem-Hierarchie. Ihre Größe wird mit *1602528 1K-Blöcken* angegeben. Das stimmt auch ungefähr mit der *GParted*-Partition *sdd2* überein, die mit *1,55 GB* beziffert wurde.

Gibt es denn nicht auch die Möglichkeit, *GParted* unter meinem *Raspberry Pi* laufen zu lassen? Das wäre doch sicherlich auch sehr interessant!

Hey, *RasPi*, das ist das Stichwort, auf das ich gewartet habe! Wir sind ein gutes Team. Diese Software ist sogar schon in der *Debian-Distribution* vorinstalliert, so dass du sie nicht nachinstallieren musst. Gib einfach in dein schon geöffnetes *Terminal-Fenster* des *Raspberry Pi* die folgende Befehlszeile ein:

Abbildung 3-7 ▶
Starten von Gparted über die Kommandozeile (sudo gparted &)

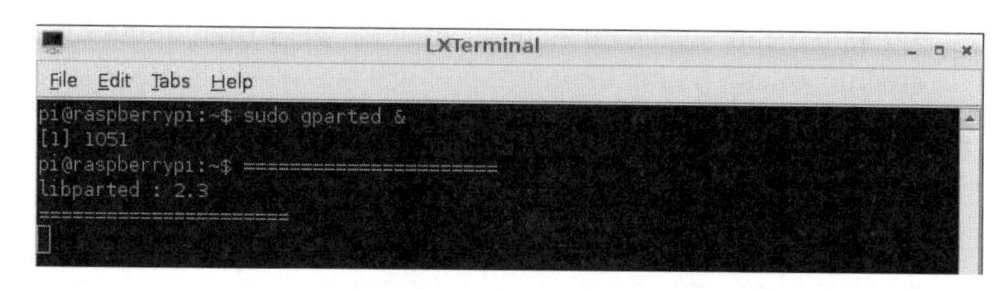

Nach kurzer Zeit meldet sich dann die *GParted*-Anwendung.

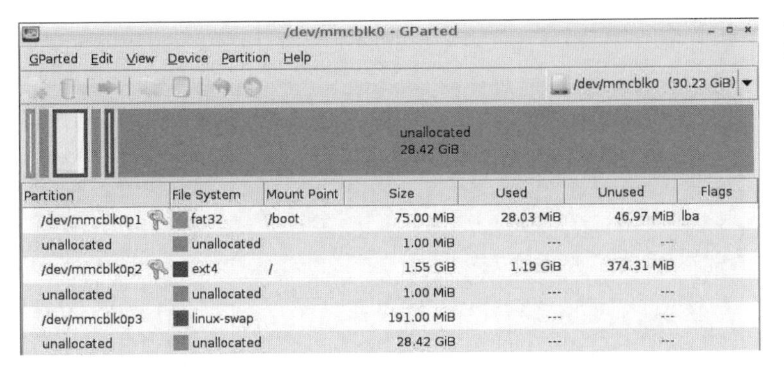

◀ **Abbildung 3-8**
Gparted auf demRaspberry Pi

Auch hier erkennst du die einzelnen Partitionen wieder, auf die wir eben schon eingegangen sind.

Hey, stopp mal! Das sind ja wohl eine Menge neuer Dinge beim Aufruf von *GParted* über das *Terminal-Fenster*, die ich nun überhaupt nicht kapiere.

Das stimmt wohl, *RasPi*. Darum werde ich sie mal eingehend beleuchten. Das sudo-Kommando hatte ich ja schon vorher verwendet und bin stillschweigend darüber hinweggegangen.

Das sudo-Kommando

Dieses Kommando gestattet ausgewählten Benutzern die Ausführung von Programmen unter einem anderen Loginnamen. Ein normaler Benutzername wie z.B. der, mit dem du dich eingeloggt hast, also *pi*, ist bestimmten Restriktionen unterworfen. Es ist mit den jetzigen Rechten nicht möglich, ein so systemrelevantes Programm wie *GParted* zu starten und möglicherweise Unheil damit anzurichten. Dieses administrative Programm darf nur jemand ausführen, der z.B. vom Master-User *root* dazu ermächtigt wurde. Zu diesem Zweck existiert eine besondere Datei, die sich im */etc*-Verzeichnis befindet und sich *sudoers* nennt. Sie kann standardmäßig nur von *root* eingesehen bzw. modifiziert werden. In ihr sind die Benutzer hinterlegt, die über das sudo-Kommando erweiterte Rechte erhalten können. Ich werde sie mal öffnen und dir den Inhalt zeigen:

Abbildung 3-9 ▶
Der Inhalt von /etc/sudoers

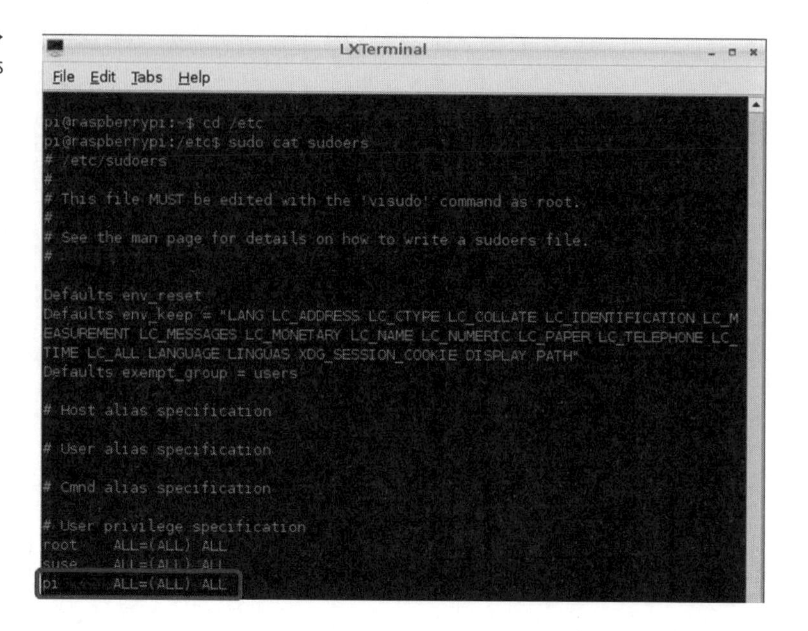

Rot umrandet siehst du den Eintrag, der dem Benutzer *pi* die entsprechenden Rechte zuweist. Die nachfolgenden Angaben `ALL=(ALL) ALL` machen *pi* zum *Super-Duper-User*, der genau wie *root* alle Macht hat, dass System zu administrieren oder zu zerstören. Für weitere Informationen muss ich auf einschlägige Literatur bzw. den Anhang dieses Buches verweisen. Es gibt da eine Menge an Möglichkeiten, die hier einfach den Rahmen sprengen würden. Damit du dir die *sudoers*-Datei anschauen kannst, musst du z.B. in das */etc*-Verzeichnis wechseln. Dies wird mittels eines speziellen Kommandos ermöglicht.

Das cd-Kommando

Die Navigation innerhalb des Dateisystems erfolgt über das `cd`-Kommando. Diese Abkürzung steht für *change directory*. Du kannst nach dem `cd`-Kommando einen Pfad angeben, zu dem du wechseln möchtest. Dazu gibt es zwei Ansätze:

1. Angabe eines absoluten Pfades
2. Angabe eines relativen Pfades

Fangen wir zuerst mit dem *absoluten Pfad* an. Ein *absoluter Pfad* beginnt immer mit einem / (*Slash*), also im *Root*-Verzeichnis, so wie das auch gerade bei */etc* zu sehen war. Wenn das *etc*-Verzeichnis noch weitere Unterverzeichnisse besitzt, was ja der Fall ist, dann kannst du dort auch direkt hineinspringen, indem du z.B. *cd /etc/python* angibst. Nun zum *relativen Pfad*, der *niemals* mit einem / in der Pfadangabe beginnt. Wenn du dich, wie im ersten Beispiel, über *cd /etc* in das *etc*-Verzeichnis begeben hast und jetzt in das darunterliegende *python*-Verzeichnis wechseln möchtest, musst du nicht noch einmal den komplette absoluten Pfad angeben. Du befindest dich ja schon in *etc* und kannst von dort aus weiternavigieren. Dazu gibst du einfach `cd python` ein und landest somit im gewünschten *python*-Verzeichnis.

Wenn du wieder auf eine Hierarchieebene höher zu *etc* navigieren möchtest, ist es ebenfalls nicht notwendig, wieder den kompletten absoluten Pfad anzugeben. Tippe einfach `cd ..` ein und du landest wieder auf der nächsthöheren Ebene im *etc*-Verzeichnis.

Das pwd-Kommando

Solltest du einmal den Überblick über deine Position im Dateisystem verloren haben, kannst du dich des `pwd`-Kommandos bedienen. Die Abkürzung steht für *print working directory*. Als Ergebnis wird dir der *absolute Pfad* angegeben, in dem du dich aktuell befindest. Ich schlage vor, dass du einfach einmal mit diesen Kommandos spielst und dich beliebig im Dateisystem bewegst. Es kann dabei nichts passieren, was dazu führen könnte, dass das System in irgendeiner Weise beschädigt wird.

Das cat-Kommando

Die Konfigurationsdateien unter *Linux* sind zum größten Teil textbasiert. Ihren Inhalt kannst du dir mit dem `cat`-Kommando anschauen. Die Abkürzung steht für *catalog*. Gib `cat` und dann die gewünschte Datei an, also z.B. `cat /etc/hosts`. Für die *sudoers*-Datei sieht die Sache hinsichtlich der Berechtigungen schon etwas anders aus. Ein *normaler* Benutzer darf sich den Inhalt nicht anschauen. Deshalb musstest du dich auch des vorangestellten *sudo*-Kommandos bedienen.

> Wie werden eigentlich die Rechte vergeben bzw. wie kann ich sie mir anschauen?

Gute Frage, *RasPi*! Dazu musst du z.B. das `ls`-Kommando eingeben, das ja zur Anzeige des Dateisystems genutzt wird.

Das ls-Kommando

Dieses Kommando haben wir ja schon einige Male genutzt, damit der Inhalt des Dateisystems sichtbar wird. Die beiden Buchstaben *ls* stehen für *list*, was *auflisten* bedeutet. Wenn du den Schalter `-l` anfügst, was für *long format* steht, werden dir Detailinformationen angezeigt. Das wollen wir uns einmal kurz näher ansehen. Gibst du lediglich `ls -l` ein, dann werden alle Dateien bzw. Verzeichnisse aus dem Verzeichnis angezeigt, in dem du dich gerade befindest. Soweit ist das nichts Neues für dich. Schauen wir uns aber einmal die Ausgabe von `ls` zunächst ohne und dann mit dem Zusatz `-l` an.

Abbildung 3-10 ▶ Das ls-Kommando

```
LXTerminal
File Edit Tabs Help
pi@raspberrypi:~/Demonstration$ ls
geheim  Verzeichnis1  Verzeichnis2
pi@raspberrypi:~/Demonstration$ ls -l
total 12
-rw-r--r-- 1 pi pi  113 Jun 21 13:02 geheim
drwxr-xr-x 2 pi pi 4096 Jun 21 13:00 Verzeichnis1
drwxr-xr-x 2 pi pi 4096 Jun 21 13:00 Verzeichnis2
pi@raspberrypi:~/Demonstration$
```

Ich befinde mich unterhalb des *Home*-Verzeichnisses im Verzeichnis *Demonstration*, wobei das *Tilde*-Zeichen ~ immer für *Home* steht. Nach der Eingabe von `ls` werden drei Dateisystem-Objekte angezeigt:

- Geheim
- Verzeichnis1
- Verzeichnis2

Wenn *Verzeichnis1* und *Verzeichnis2* keinen so verräterischen Namen hätten, würdest du nicht wissen, was eine *Datei* ist und was ein *Verzeichnis*. Das erfährst du dann über die Ausgabe im *long format*. Ganz links außen in der jeweiligen Zeile kannst du den Unterschied zwischen *Datei* und *Verzeichnis* erkennen.

Abbildung 3-11 ▶ Unterschiedliche Kennung bei Datei und Verzeichnis

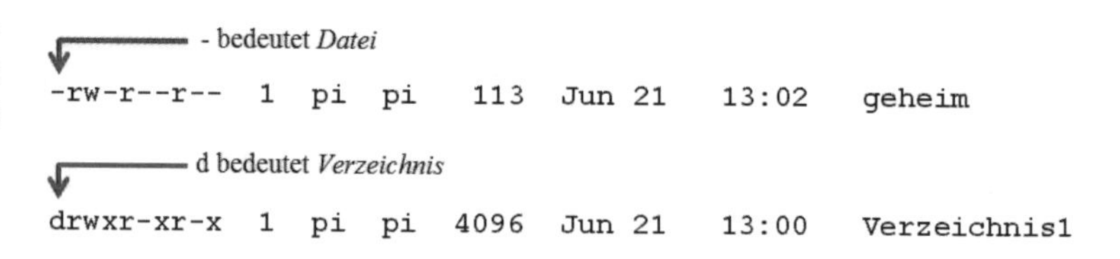

Rechts vom ersten Zeichen befinden sich schon andere, sehr merkwürdige Zeichen, deren Sinn sich einem nicht auf Anhieb

erschließt. Es werden immer *3 Zeichen* zu einer Gruppe zusammengefasst. Es gibt drei solcher Gruppen, die für folgende Kategorien stehen:

- User
- Group
- Other

Die Zeichen stehen für die Zugriffsrechte, die für die jeweilige *Datei* bzw. das *Verzeichnis* gelten. Jede der eben angeführten Kategorien kann die folgenden Rechte aufweisen:

- r: Read (Leserecht)
- w: Write (Schreibrecht)
- x: Execute (Ausführungsrecht)

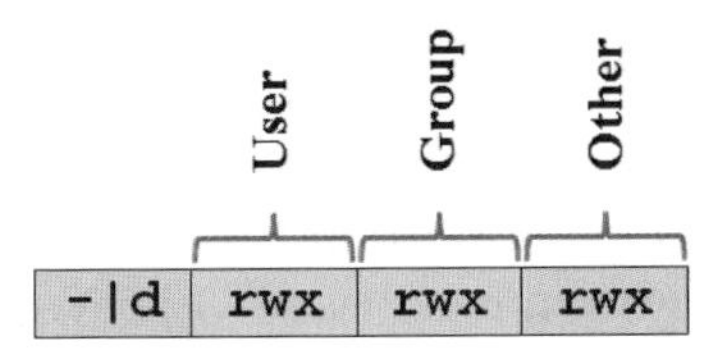

Dabei seht -|d für entweder – (*Datei*) oder d (*Directory*).

> Der Unterschied zwischen den einzelnen Kategorien ist mir noch nicht ganz klar. Kannst du da bitte etwas genauer drauf eingehen!?

Klar, *RasPi*! Wenn z.B. eine Datei oder ein Verzeichnis von einem Benutzer angelegt wird, dann ist er automatisch der Eigentümer, also der *User*. Er hat dann alle Rechte, die es ihm erlauben, dieses Objekt zu *lesen*, zu *ändern* oder wieder zu *löschen*. Wird eine Datei angelegt, dann erhält der entsprechende Eigentümer standardmäßig die *Lese-* bzw. *Schreibrechte*. Das wäre dann die folgende Kombination:

```
rw-
```

Das Ausführungsrecht wird beim Anlegen einer Datei standardmäßig nicht gesetzt, weil nicht jede Textdatei auch einen ausführbaren Inhalt enthält, wenn du da z.B. mal an ein *Shell-Skript denkst*. Alle anderen bekämen die folgenden Rechte:

Das bedeutet lediglich Leseberechtigung für *Gruppen* und *Andere*. Was sind aber *Gruppen* bzw. *Andere*? Wir nehmen einmal an, dass es in einer Firma unterschiedliche Abteilungen gibt, die mit abweichenden Aufgaben betraut sind. Jede Abteilung verfügt natürlich über mehrere Mitarbeiter, die dann abteilungsbezogen alle die gleichen Rechte besitzen. Die *Entwicklungsabteilung* darf nur auf bestimmte Verzeichnisse zugreifen, die zur Erfüllung ihrer Programmiertätigkeiten genutzt werden müssen. Also dort, wo sich z. B. die Quellcodedateien befinden. Die *Beschaffungsabteilung* hingegen nutzt andere Verzeichnisse auf dem Server, die die für die Beschaffung von IT-Equipment notwendigen Formulare beinhaltet. Beide Abteilungen sollten keinen Zugriff auf die Verzeichnisse bzw. die in ihnen enthaltenen Dateien der jeweils anderen haben. Aus diesem Grund werden *Gruppen* angelegt, die die Zugriffrechte regeln. Jeder Gruppe werden Benutzer hinzugefügt bzw. es werden Benutzer aus ihr entfernt, so dass das Anpassen der Rechte für jeden einzelnen Benutzer entfällt. Sind neue Rechte für eine Gruppe erforderlich, muss nicht jeder Benutzer einer Rechteanpassung unterzogen werden, sondern lediglich die übergeordnete Gruppe. Ist ein Benutzer keiner Gruppe zugeordnet, dann agiert er außerhalb seines *Home*-Verzeichnisses als Fremder und fällt in die Kategorie *Andere*.

Ok, das habe ich verstanden. Ich habe noch eine Frage zum angesprochenen Ausführungsrecht bei Dateien. Das ist auch soweit verständlich. Was aber bedeutet denn ein Ausführungsrecht bei Verzeichnissen? Wenn ich mir das *Verzeichnis1* anschaue, dann sind dort die *Ausführungsrechte* gesetzt. Das macht aber wenig bis überhaupt keinen Sinn – nicht wahr!?

Vollkommen richtig, *RasPi*! Diese Kennzeichnung wird bei Verzeichnissen dazu genutzt, zu bestimmen, ob ein Benutzer z.B. mit dem *cd*-Kommando in sie hineinwechseln kann. Ist es nicht gesetzt, ist der Zugriff verwehrt.

Hat ein Benutzer die erforderlichen Rechte, so kann er natürlich die Zugriffsrechte anpassen. Das erfolgt über das `chmod`-Kommando. Die Syntax dafür lautet wie folgt:

```
chmod Rechte Datei|Verzeichnis
```

Um z.B. der Datei *geheim* Gruppen-Schreibrechte zu verleihen, wird die folgende Syntax verwendet:

```
chmod g+w geheim
```

Um die Rechte wieder zu entziehen, schreiben wir dies:

```
chmod g-w geheim
```

Nähere Informationen findest du im Anhang.

> Eine Sache hast du aber sicherlich noch vergessen. Hinter den ganzen kryptisch aussehenden Zeichen für *User*, *Group* und *Other* stehen noch zwei Namen. Also *pi* und noch einmal *pi*. Was hat es damit auf sich?

Nun, auf diese Weise ist sofort ersichtlich, wie zum einen die *Login-Kennung* und zum anderen der *Gruppenname* des Dateibesitzers lautet. Schau her:

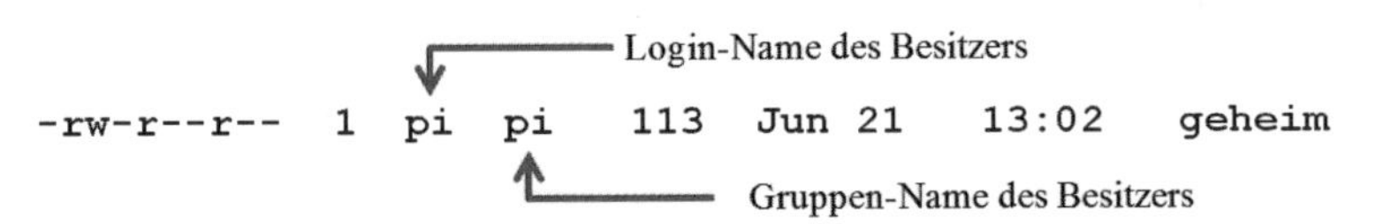

◀ **Abbildung 3-12**
Login- und Gruppen-Name des Dateibesitzers

Weiter rechts findest du das Erstelldatum bzw. die Uhrzeit der Erstellung und ganz rechts den eigentlichen Dateinamen, nur um schon mal weiteren Frage vorzubeugen!

Partitionen anpassen bei Debian Squeeze

Du hattest zu Beginn einmal kurz den sehr berechtigten Einwand, dass ich ca. *30 GByte* verschwende, wenn ich das Debian-Image auf meiner *32 GByte* SD-Karte installiere. Ich möchte dir jetzt einmal eine recht einfache Möglichkeit zeigen, wie du auf den restlichen und bisher brach liegenden Speicherplatz zugreifen kannst. Ich nutze dazu wieder die *GParted*-Anwendung. Sie darf aber nicht auf deinem *Raspberry Pi* gestartet werden, denn die genutzten Partitionen sind gesperrt. Also werde ich dazu wieder mein *Ubuntu-Hostsystem* heranziehen. Nach dem Start von *GParted* wähle ich zuerst wieder das korrekte Device in der rechten oberen Ecke aus. Das muss immer der erste Schritt sein, und die erste wichtige Frage muss immer lauten: *»Bin ich auf dem richtigen Device?«* Der obere Bereich von *GParted* zeigt in Form eines horizontalen Balkendiagramms mit unterschiedlichen Farben die Verteilung bzw. die Größen der Partitionen an.

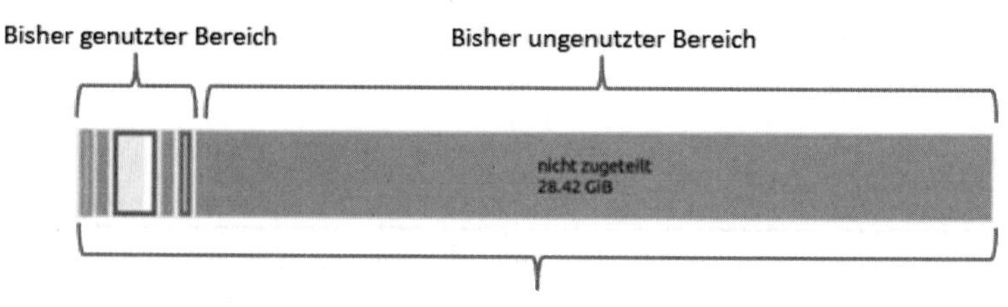

Abbildung 3-13 ▶ Anpassung der Partitionen (das farbige horizontale Balkendiagramm)

Du siehst sofort, dass sich alles im kleinen linken Bereich abspielt und der Rest von *28,42 GByte* nicht zugeteilt ist. Das ist ein beträchtliches ungenutztes Volumen, das wir jetzt zugänglich machen wollen. Die Umrandungsfarbe dieser einzelnen Balken korrespondiert mit denen in der Partitionsliste.

Abbildung 3-14 ▶ Anpassung der Partitionen (mit den korrespondierenden Farben der Dateisysteme)

Partition	Dateisystem	Größe	Benutzt	Unbenutzt	Markierungen
/dev/sdd1	fat32	75.00 MiB	28.03 MiB	46.97 MiB	lba
nicht zugeteilt	nicht zugeteilt	1.00 MiB	–	–	
/dev/sdd2	ext4	1.55 GiB	1.19 GiB	372.46 MiB	
nicht zugeteilt	nicht zugeteilt	1.00 MiB	–	–	
/dev/sdd3	linux-swap	191.00 MiB	–	–	
nicht zugeteilt	nicht zugeteilt	28.42 GiB	–	–	

Die *Boot*-Partition besitzt die Farbe Grün, Die *Root*-Partition die Farbe Blau und die *Swap*-Partition die Farbe Rot. Worauf es uns jetzt ankommt, ist die Vergrößerung der *Root*-Partition, auf der sich das *Linux*-Betriebssystem befindet und die auch alle weiteren Programme aufzunehmen vermag, wenn denn auch genügend Platz verfügbar ist. Zum jetzigen Zeitpunkt können wir sagen: Es sieht *sehr mau* aus, denn lediglich knappe *400 Mbyte* stehen noch zur Verfügung. Das ist nicht gerade üppig und führt uns schnell an die Grenzen des Machbaren. Das zugrunde liegende Problem ist aber klein und durchaus lösbar. Die *Swap*-Partition ist uns quasi im Wege und verhindert das Vergrößern der *Root*-Partition. Aber *hey*! Ich würde das hier nicht ansprechen, wenn's dafür nicht eine simple Lösung gäbe. Wir müssen einfach die *Swap*-Partition nach rechts verschieben, um genügend Platz zu schaffen. Was spräche dagegen, sie einfach ganz am rechten Rand zu positionieren? Dann hätten wir die maximale Ausbeute für die *Root*-Partition.

Schritt 1: Swap-Partition verschieben

Wähle mit dem Mauszeiger die *Swap*-Partition entweder im Balkendiagramm oder in der Liste aus und klicke auf den nach rechts weisenden Pfeil in der Icon-Leiste.

Es wird dann ein Dialogfenster geöffnet, das dir ermöglicht, die ausgewählte Partition entweder in der Größe anzupassen oder sie komplett in der aktuellen Größe zu verschieben. Wie wählen natürlich das *Verschieben* aus.

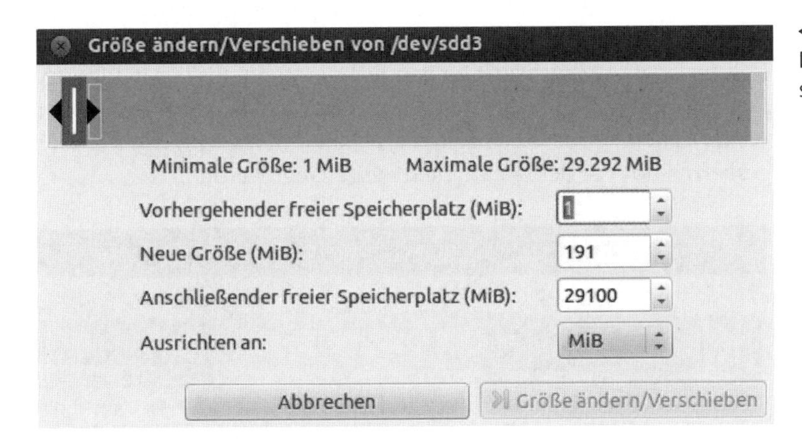

◀ **Abbildung 3-15**
Dialog zum Anpassen der selektierten Partition

Du erkennst wieder im oberen Bereich einen horizontalen Balken und am linken Rand die ausgewählte *Swap*-Partition. Die unterhalb angezeigten Werte kannst du außer Acht lassen. Klicke jetzt einfach mit dem Mauszeiger auf das dunkelrote Rechteck im Balkendiagramm und ziehe ihn mit gedrückter linker Maustaste einfach ganz nach rechts in den Anschlag. Achte dabei aber darauf, dass du den Mauszeiger genau in der Mitte des Rechtecks platzierst, denn nur dann ändert der Mauszeiger sein Aussehen in die Form einer *Hand*. Gehst du nur an den rechten Rand, dann wandelt sich der Mauszeiger in ein beidseitiges *Pfeilsymbol*, wodurch dir zurückgemeldet wird, dass du die Größe der Partition nach rechts erweitern möchtest. Das wollen wir aber nicht! Schiebst du die Partition mit dem *Hand*-Symbol komplett nach rechts, dann ändern sich automatisch die angezeigten Werte.

Schiebe sie solange nach rechts, wie es möglich ist. Dann wird im Feld ANSCHLIEßENDER FREIER SPEICHERPLATZ der Wert *0* angezeigt. Jetzt lässt du den Mauszeiger los und bestätigst die von dir durchgeführte Änderung mit einem Klick auf den Button GRÖẞE ÄNDERN/VERSCHIEBEN. Ok, jetzt ist genügend Platz für die zu erweiternde *Root*-Partition vorhanden.

Schritt 2: Root-Partition erweitern

Wähle jetzt die *Root*-Partition aus und verfahre ähnlich wie bei der *Swap*-Partition. Nach dem Klick auf den nach rechts weisenden Pfeil wird dir wieder den Dialog zum Anpassen der Partition angezeigt. Jetzt wollen wir aber *nicht* verschieben, sondern vergrößern. Führe also den Mauszeiger an den rechten Rand, bis das beidseitige Pfeilsymbol sichtbar wird. Hier noch ein kleiner Hinweis, bevor es weiter gehen kann: Vereinzelte Partitionen müssen, wenn sie noch *gesperrt* sind, vor dem Bearbeiten ausgehängt werden.

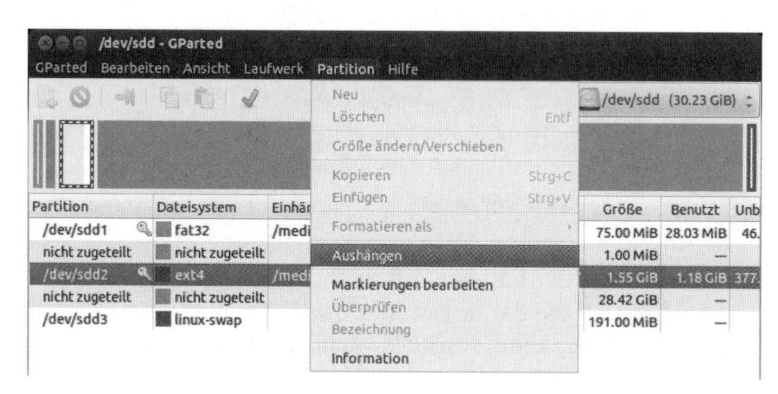

Abbildung 3-16 ▶ Das Aushängen von gesperrten Partitionen

Das *Schlüsselsymbol* zeigt dir, dass eine Partition noch gesperrt ist und du sie daher noch nicht bearbeiten kannst. Wähle also die Partition */dev/sdd2* aus und wähle im Menü PARTITION die Option AUSHÄNGEN. Diese Aktion lässt sich auch über das *Kontextmenü* durchführen. Danach kannst du fortfahren. Hier das *Vorher*-Bild:

Dann ziehe bei gedrückter linker Maustaste den rechten Rand bis zum Anschlag, also bis vor die *Swap*-Partition nach rechts. Dann das *Nachher*-Bild:

Klicke zum Bestätigen wieder auf den Button GRÖẞE ÄNDERN/VERSCHIEBEN. Das obere horizontale Balkendiagramm zeigt den gewünschten Endzustand an.

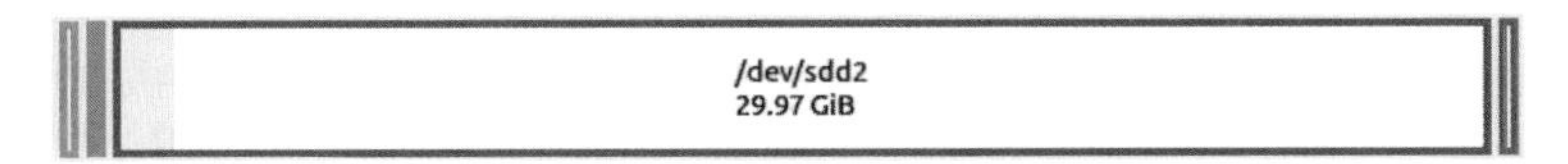

◀ **Abbildung 3-17**
Die angeforderte Partitionsverteilung

Beachte, dass bisher noch nichts an deiner *SD-Karte* verändert wurde. Es wurden lediglich die angeforderten Anpassungen in eine Liste eingetragen. Diese Liste befindet sich im unteren Fenster von GParted.

/dev/sdd3 nach rechts verschieben
/dev/sdd2 von 1.55 GiB auf 29.97 GiB vergrößern

2 ausstehende Operationen

◀ **Abbildung 3-18**
Die Liste der angeforderten Partitionsanpassungen

Wenn du dir sicher bist, dass alle Anpassungen ausgeführt werden sollen, klicke in der Icon-Leiste auf das grüne Häkchen.

Danach wird noch einmal ein Dialog angezeigt, der dich fragt, ob du auch wirklich sicher bist, dass die Liste abgearbeitet werden soll. Bei einer positiven Bestätigung geht's dann zur Sache.

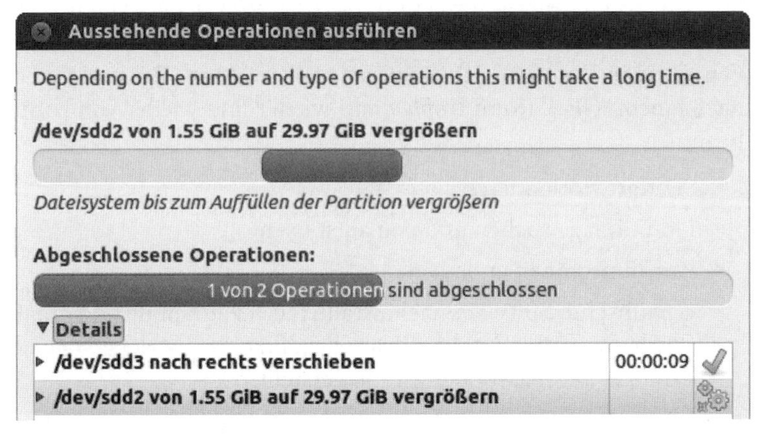

◀ **Abbildung 3-19**
Die Liste der angeforderten Partitionsanpassungen wird abgearbeitet (Schritt 1 ist schon fertig)

Abschließend solltest du die *SD-Karte* entfernen, sie in den Slot deines *Raspberry Pi* stecken und booten. Jetzt steht dir die gesamte Speicherkapazität der *SD-Karte* zur Verfügung.

Das könnte wichtig für dich sein

Die *GParted*-Anwendung gibt es auch als Live-System. Du kannst dir ein *ISO-Image* aus dem Internet herunterladen und damit eine bootfähige CD erstellen. Auf diese Weise hast du immer eine lauffähige *GParted*-Version zur Hand. Zum Brennen von *ISO-Dateien* kannst du auch z.B. *ISO Burner* verwenden. Gib diesen Begriff in die Suchmaschine *Google* ein und du wirst zahlreiche Informationen erhalten.

Sichern der Image-Anpassungen

Wenn du jetzt mit deinem *Raspberry Pi* arbeitest und hier und da Software installierst bzw. deinstallierst oder sonstige Anpassungen vornimmst, kann es leicht passieren, dass du dein *Linux* beim Experimentieren so änderst, dass Probleme auftreten:

- Konfigurationsdateien wurde angepasst und du kennst deren Urzustand nicht, weil du vergessen hast, eine Sicherungskopie anzulegen.
- Dateien wurden versehentlich gelöscht, umbenannt oder an irgendeine andere Stelle im Dateisystem verschoben, wo sie eigentlich nicht hingehören.
- Zugriffsrechte stimmen mit dem Ausgangszustand nicht mehr überein.
- etc.

Die Liste der möglichen Fehler die einem so tagtäglich passieren können, könnte endlos fortgeführt werden. Was denkst Du, wie oft mir solche Dinge schon passiert sind? Blöde Frage was!? Für jeden Fehler einen Euro und ich wäre ein reicher Mann. Du musst also nach einem *K-Fall* (*Katastrophenfall*) wieder und wieder von vorne beginnen:

- SD-Karte formatieren
- Linux-Image suchen und neu aufspielen
- Partitionsgrößen anpassen
- Gewünschte Software nachinstallieren. (Verdammt noch mal, was hatte ich bloß für Software installiert und welche Dateien hatte ich angepasst oder ggf. neu erstellt???)

Du siehst, dass das schon nervig und zeitraubend sein kann. Das *Backup* und der spätere *Restore* nehmen bei einer *32 GByte* großen *SD-Karte* schon etwas Zeit in Anspruch und es bleibt natürlich jedem selbst überlassen, welche Strategie er fahren will. Doch eine mühsam zusammengestellte Installation mit zahllosen Programmpaketen bzw. Quellcodedateien ist nicht eben einmal aus dem Ärmel geschüttelt. Das Programm, das das zu leisten vermag, habe ich dir schon vorgestellt. Es läuft unter Windows und lautet *USB-Image-Tool*.

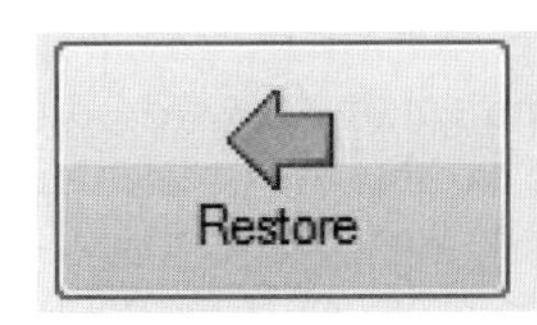

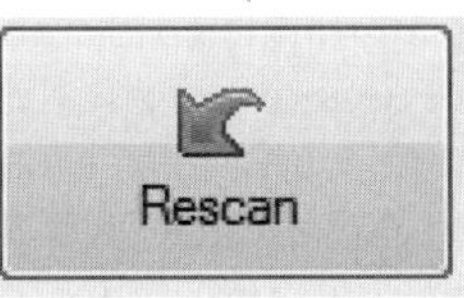

◀ Abbildung 3-20
Die Buttons des USB Image Tools (siehe das Kapitel über die Betriebssystem-Installation)

Wenn du eine vorhandene Installation auf deiner *SD-Karte* sichern möchtest, verwendest du den rechten BACKUP-Button. Im nachfolgende Dialog wirst du dann gefragt, wo du das Image ablegen möchtest, das sich dann im *K-Fall* über den RESTORE-Button wiederherstellen lässt. Du kannst auch eine weitere *SD-Karte* mit dem Image versehen.

Das Keyboard-Layout umstellen

Das Thema ist zwar nicht ganz passend für ein Kapitel über *Partitionen*, doch du hattest dich ja eben zu Recht über das voreingestellte englische *Tastatur-Layout* beschwert. darum werde ich dir in diesem Kapitel auch eine Vorgehensweise zeigen, mittels derer sich dieses Manko abstellen lässt. Gib dazu bitte in einem *Terminal-Fenster* das folgende Kommando ein:

```
sudo leafpad /etc/default/keyboard
```

Es wird ein Texteditor mit dem Namen *Leafpad* geöffnet, auf den wir gleich noch zu sprechen kommen werden. Über diesen editierst du die Datei */etc/default/keyboard* und nimmst die notwendige Anpassung vor.

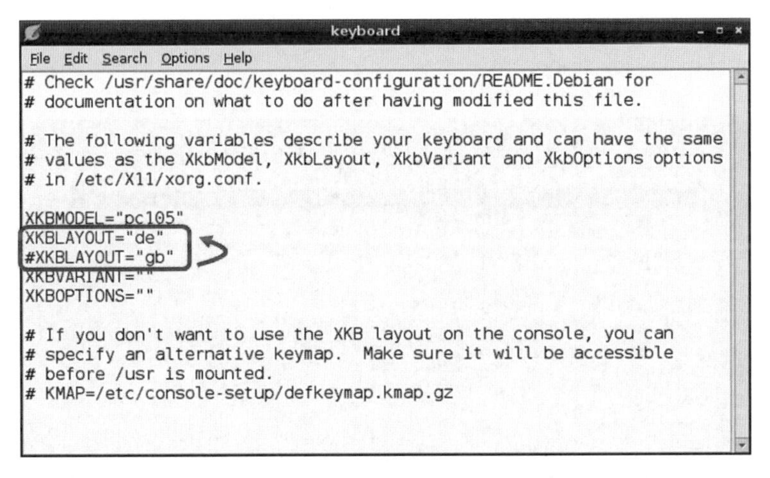

◀ Abbildung 3-21
Anpassung der Datei /etc/default/keyboard

Kommentiere den rot umrandeten Eintrag `XKBLAYOUT="gb"` mit einem #-Zeichen aus, so dass dieser zur Kommentarzeile wird und nicht mehr berücksichtigt wird. Jetzt setze darüber den gleichen Eintrag, jedoch mit der Zuweisung `XKBLAYOUT="de"`. Danach speicherst du die Änderungen ab und führst einen *Neustart* (*Reboot*) des Systems durch, denn erst danach werden die Änderungen wirksam.

Automatisches Anpassen von Partitionen

Bei der Verwendung von *Debian Squeeze 6.0* musst du die *Root*-Partition von Hand an die physikalische Größe deiner *SD-Karte* anpassen. Wie das funktioniert, hast du hier in diesem Kapitel erfahren. Die Version *Debian Wheezy 7.0*, die im Moment lediglich als Beta-Version vorliegt, kann diesen Vorgang automatisch durchführen. Dafür dauert der Systemstart naturgemäß etwas länger. Zudem soll diese Distribution automatisch über *apt-get upgrade* die Firmware deines *Raspberry Pi* auf den neuesten Stand bringen.

Andere Distributionen, wie z.B. das *Fedora-Linux*, verfügen schon in der jetzigen Version über einen programmtechnischen Mechanismus, um die *Root*-Partition an die SD-Karten-Größe anzupassen. Ich zeige dir jetzt einmal die notwendigen Schritte, damit *Debian Wheezy* die *Root-Partition* automatisch an die zur Verfügung stehende *SD-Karten* Größe anpasst. Wenn du *Wheezy* auf deiner *SD-Karte* installiert und das erste Mal bootest, wird dir sofort ein Auswahlmenü angezeigt, mit dem du die notwendigen Einstellungen bzw. Änderungen vornehmen kannst. Eine sehr feine Sache, wie ich finde.

Abbildung 3-22 ▶
RasPi-Config in Debian Wheezy (Root-Partition erweitern)

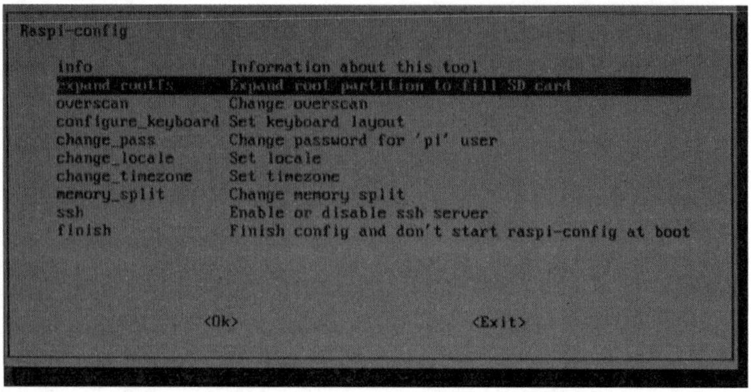

```
Raspi-config

  info                 Information about this tool
  expand_rootfs        Expand root partition to fill SD card
  overscan             Change overscan
  configure_keyboard   Set keyboard layout
  change_pass          Change password for 'pi' user
  change_locale        Set locale
  change_timezone      Set timezone
  memory_split         Change memory split
  ssh                  Enable or disable ssh server
  finish               Finish config and don't start raspi-config at boot

            <Ok>                        <Exit>
```

Ich habe schon einmal den zweiten Menüeintrag EXPAND_ROOTFS ausgewählt, der die *Root-Partition* erweitert. Wenn du diese Auswahl mit der RETURN-Taste bestätigst, erfolgt noch keine unmittelbare Anpassung. Dein Wunsch wird aber schon mal im System vermerkt, kann jedoch erst beim nächsten *Reboot* erfolgen. Deshalb erhältst du auch die folgende Meldung:

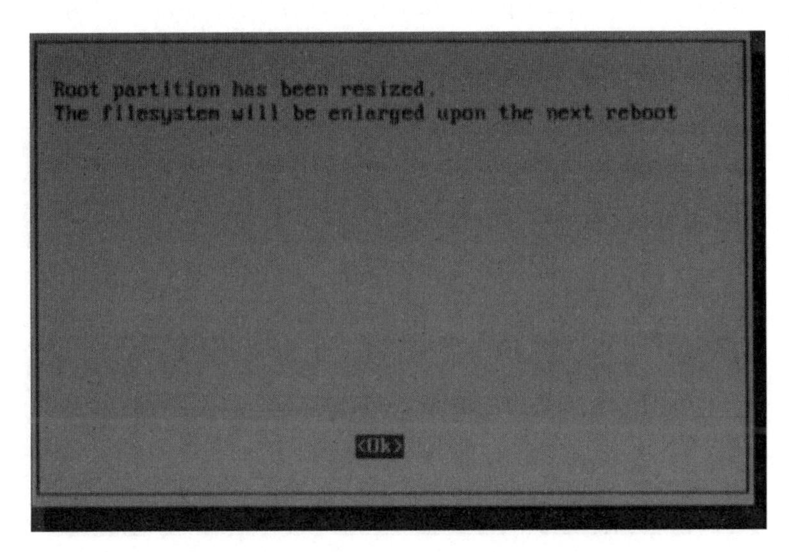

◀ **Abbildung 3-23**
RasPi-Config in Debian Wheezy (Root-Partition erweitern)

Bestätige wieder mit der RETURN-Taste und du gelangst wieder zum Hauptmenü. Jetzt wollen wir das Tastatur-Layout auf die deutsche Sprache umstellen. Das geht auch ganz fix. Wähle dazu den Menüeintrag CONFIGURE_KEYBOARD aus.

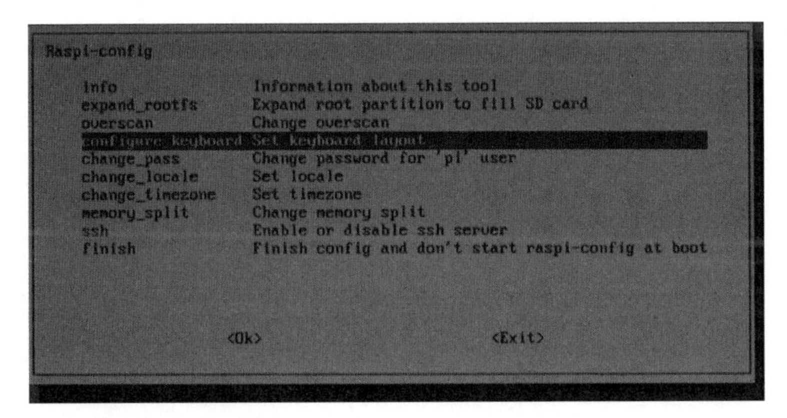

◀ **Abbildung 3-24**
RasPi-Config in Debian Wheezy (Keyboard-Layout anpassen)

Nach Bestätigung mit der RETURN-Taste wirst du mit einigen weiteren Dialogen konfrontiert. Zuerst musst du deine Tastatur angeben. Über wie viele Tasten verfügt sie? Ich habe die folgende Auswahl getroffen, die du natürlich an deine Gegebenheiten anpassen solltest:

```
Generic 105-key (Intl) PC
```

Jetzt geht es um das eigentliche Layout, wobei das *deutsche* Layout hier noch nicht angezeigt wird und du deshalb den Menüeintrag OTHER auswählen solltest.

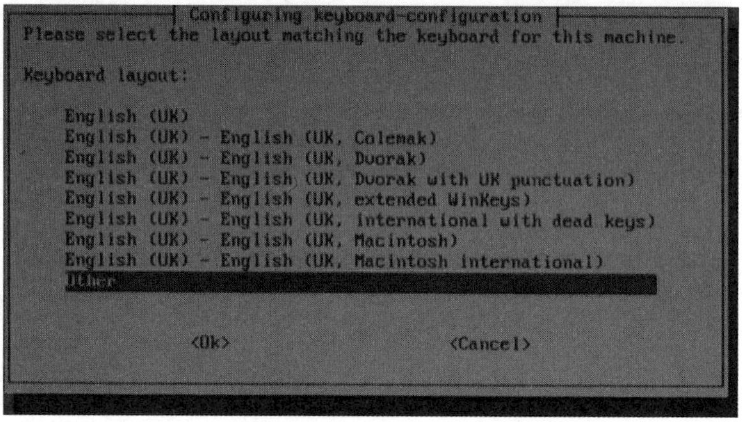

Abbildung 3-25 ▶ RasPi-Config in Debian Wheezy (Keyboard-Layout anpassen)

```
┤ Configuring keyboard-configuration ├
Please select the layout matching the keyboard for this machine.

Keyboard layout:

    English (UK)
    English (UK) - English (UK, Colemak)
    English (UK) - English (UK, Dvorak)
    English (UK) - English (UK, Dvorak with UK punctuation)
    English (UK) - English (UK, extended WinKeys)
    English (UK) - English (UK, international with dead keys)
    English (UK) - English (UK, Macintosh)
    English (UK) - English (UK, Macintosh international)
    Other

          <Ok>                         <Cancel>
```

Jetzt wählst du in zwei nachfolgenden Dialogen den Menüeintrag *German* aus:

```
German
```

Dann erfolgt diese Selektion:

```
The default for the keyboard layout
```

Anschließend muss folgende Auswahl getroffen werden:

```
No compose key
```

Am Schluss noch die Konfiguration zum Verlassen des *X-Servers*, das über die Tastenkombination CONTROL-ALT-BACKSPACE ermöglicht werden kann. Falls du das möchtest, wähle YES aus und bestätige wieder mit der RETURN-Taste.

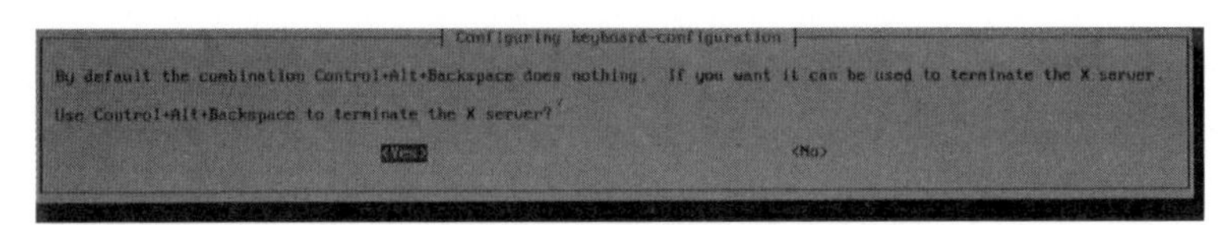

Abbildung 3-26
RasPi-Config in Debian Wheezy (X-Server Verhalten anpassen)

Wenn du mit allen Einstellungen zufrieden bist, kannst du das Menü RASPI-CONFIG über folgende Möglichkeit verlassen:

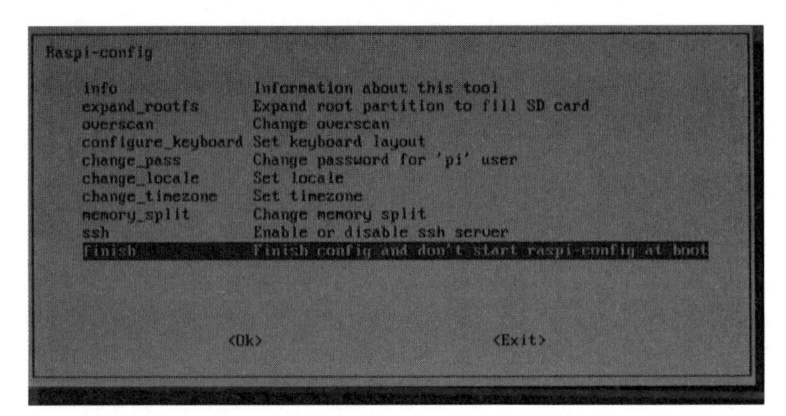

Abbildung 3-27
RasPi-Config in Debian Wheezy (Abschluss)

Wenn du jetzt einen *Reboot* über

```
sudo reboot
```

durchführst, wird dir u.a. die folgende Meldung angezeigt:

```
[....] Starting resize2fs_once:resize2fs 1.42.2 (9-Apr-2012)
Filesystem at /dev/mmcblk0p2 is mounted on /; on-line resizing required
old_desc_blocks = 1, new_desc_blocks = 1
Performing an on-line resize of /dev/mmcblk0p2 to 3894016 (4k) blocks.
```

Anhand dieser erkennst du, dass das System einen *Resize* der *Root-Partition* vornimmt, was einige Zeit in Anspruch nehmen kann und natürlich von der Größe deiner *SD-Karte* abhängt. Im Anschluss kannst du z.B. den *X-Server* starten und mit dem System arbeiten. Gib das folgende Kommando ein, um dich über die Größe deiner *Root-Partition* zu informieren:

```
df -k
```

Jetzt geht's los – der Start

4

Bisher hast du noch überhaupt nicht wirklich mit deinem *Raspberry Pi* gearbeitet. Na ja, irgendwie schon, aber es handelte sich um so eine Art Vorspiel bzw. eine Vorbereitungsphase, die erforderlich ist, um dann wirklich mit dem Board arbeiten zu können. Bevor du mit deinem *PC* spielen kannst, musst ja auch erst einmal der Rechner korrekt verkabelt werden. Es muss also genau wie beim *Raspberry Pi* die *Tastatur*, die *Maus*, das *Display*, der *Netzwerkanschluss* usw. verbunden werden. Im Anschluss müssen dann ggf. noch das Betriebssystem bzw. die Programme installiert werden. Erst dann kann's losgehen. Diesen Stand hast du hoffentlich nun mit deinem *Raspberry Pi* auch erreicht. Andernfalls solltest du einen Blick in das Kapitel *Troubleshooting* werfen. Wenn aber alle Vorbereitungen einwandfrei durchgeführt wurden, können wir jetzt an dieser Stelle fortfahren. Im vorliegenden Kapitel werden folgende Themen behandelt:

- Der *LXDE-Fenstermanager* von *Debian Squeeze*
- Was ist eine *Taskleiste*?
- Wie wird ein *Terminal-Fenster* geöffnet?
- Wie kannst du über Kommandos den *Usernamen* bzw. den *Hostnamen* ermitteln?
- Wie kann ich das System sauber runterfahren, ohne einfach den Stecker zu ziehen?
- Nützliche Programme
- Der Anschluss eines *USB-Sticks* über einen *USB-HUB*
- Anzeigen von System-Meldungen in der Log-Datei */var/log/messages*

- Das `tail`-Kommando
- Wie entferne ich sicher den *USB-Stick* vom System?

Bitte achte immer darauf, ob die Themen, die ich anspreche, sich auf mein Ubuntu-Hostsystem und die virtuelle Umgebung (VirtualBox) auf meinem Windows-Rechner oder auf die spätere eigentliche Umgebung des *Raspberry Pi* beziehen. Hier muss sorgfältig unterschieden werden. Ich habe das aber immer unterhalb der Screenshots, z.B. mit dem Zusatz Ubuntu-Hostsystem, kenntlich gemacht. So solltest du eigentlich jederzeit den Überblick waren können und nicht durcheinanderkommen.

Der Spaß beginnt

Wie schon mehrfach erwähnt und auch gezeigt arbeiten wir im Moment mit der Linux-Distribution *Debian Squeeze* und deshalb zeigt sich die grafische Oberfläche nach der erfolgreichen Anmeldung und dem Starten über `startx` auch wie folgt:

Abbildung 4-1 ▶ Der Startbildschirm von Debian Squeeze

Alles erinnert irgendwie an den *Windows*-Startbildschirm, wobei ich jetzt nicht die Diskussion beginnen möchte, wer hier wem ähnelt. Darüber haben sich andere schon zu Genüge ausgelassen. Den größten Teil nimmt die große helle Fläche mit der darauf befindlichen Himbeere ein. Hier kannst du *Icons* bzw. *Fenster* platzieren oder deine Programme ausführen, deren grafische Ausgabe dann ebenfalls hier erfolgt.

Die Taskleiste

Im unteren Bereich befindet sich die *Taskleiste*, die im Moment noch die Standard-Symbole anzeigt. *Task* bedeutet übersetzt *Auf-*

gabe. Wenn z.B. ein Programm von dir ausgewählt wird, übernimmt das Betriebssystem die Aufgabe, dieses Programm zu starten und abzuarbeiten. Dazu wird der *Taskleiste* in der Regel eine *Schaltfläche* hinzugefügt, wodurch der Benutzer gleichzeitig ein optisches Feedback über das gestartete Programm erhält. Wenn das Fenster des Programms minimiert wird, ist der letzte verbleibende Hinweis auf das Programm eben diese *Schaltfläche*. Da *Linux* ein *Multi-User/Multi-Tasking*-Betriebssystem ist, können nicht nur mehrere Benutzer daran arbeiten, sondern es kann auch jeder Benutzer mehrere Programme in seiner Umgebung starten. Für jedes dieser Programme wird eine eigene Schaltfläche in der *Taskleiste* angelegt, so dass dann ein komfortables Hin- und Herschalten möglich ist. In der nachfolgenden Abbildung siehst du die *Taskleiste* meines *Linux*-Systems, wobei ich zwei *Terminal-Fenster* und einen *File-Manager* gestartet habe.

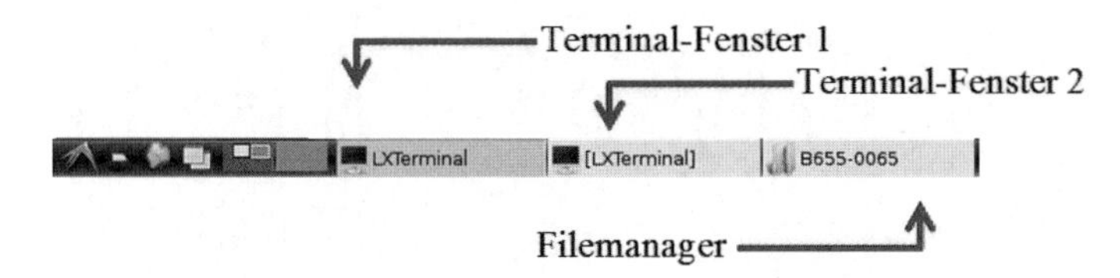

◀ Abbildung 4-2
Ausschnitt der Taskleiste

Die *Taskleiste* verfügt über eine ähnliche Funktionalität, wie die, die bei *Windows* als *Schnellstartleiste* bezeichnet wird. Ein einzelner Mausklick reicht aus, um das betreffende Programm zu starten. Die betreffenden *Schaltflächen* befinden sich im linken Bereich der *Taskleiste*, wobei die Schaltfläche ganz links außen (des *LXDE*-Fenstermanagers) mit der *Start*-Schaltfläche bei *Windows XP* bzw. dem *Windows*-Symbol bei *Windows 7* vergleichbar ist. Über diese lässt sich ein Menü öffnen, das Zugriff auf diverse installierte Programme bzw. Einstellungen ermöglicht.

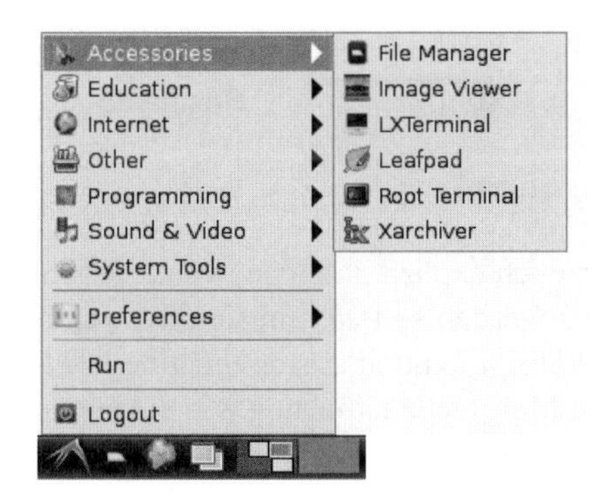

◀ Abbildung 4-3
Die Programmkategorien der LXDE-Schaltfläche

Das Terminal-Fenster

Für die administrativen Aufgaben ist das dir bereits gut bekannte *Terminal-Fester* überaus geeignet, das sich hier unter ACCESSORIES auch *LXTerminal* aufrufen lässt. Im Anschluss öffnet sich das Fenster, in das du die *Kommandos* bzw. *Befehle* an das Betriebssystem eintippen kannst.

Abbildung 4-4 ▶
Das geöffnete Terminal-Fenster

Kannst du mir bitte kurz verraten, was die Zeichenkette in diesem Fenster bedeutet.

Klar doch, *RasPi*! Beginnen wir mit den Zeichen vor dem Doppelpunkt. Hierbei handelt es sich um Informationen über den *Anmeldenamen* und den *Rechner-* bzw. *Hostnamen*.

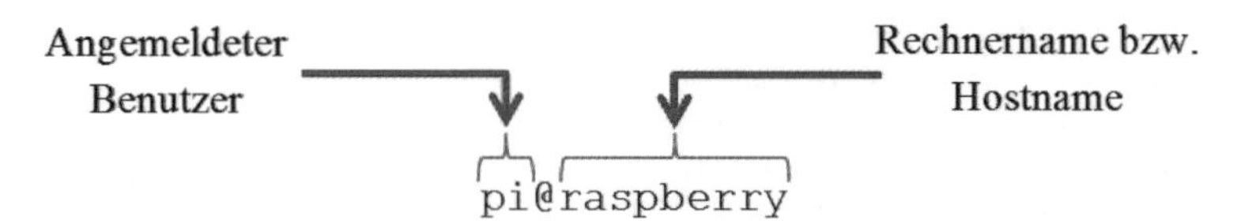

Du kannst diese Informationen auch explizit abfragen, wenn sie z.B. in einem *Shell-Skript* verwendet werden sollten, um sie dort weiter zu verarbeiten. Bei einem *Shell-Skript* handelt es sich um eine *Kommandoverkettung*, also um eine Mehrfachausführung von einzelnen Befehlen nach dem *Top-Down-Verfahren*. Alle Kommandos werden in der Reihenfolge ihres Auftretens in der entsprechenden Skript-Datei ausgeführt.

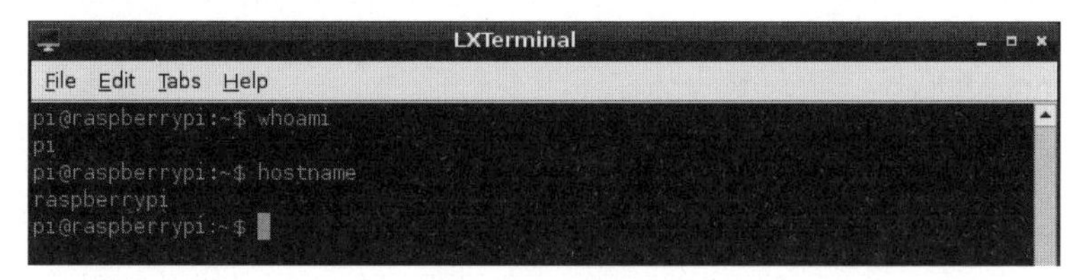

◀ Abbildung 4-5
Abfragen der Informationen über den angemeldeten Benutzer und Hostnamen

Die beiden Kommandos `whoami` bzw. `hostname` rufen genau *die* Informationen vom System ab, die innerhalb des *Terminal-Fensters* angezeigt werden.

Das whoami-Kommando

Mit `whoami` *(übersetzt: wer bin ich?)* kannst du dir deinen *Login-Namen* anzeigen lassen. Es ist gerade bei *Linux*- bzw. *Unix*-Systemen durchaus gängige Praxis, den Benutzer in einer Session zu wechseln. Über dieses Kommando kann man sich dann darüber informieren, mit welchem Benutzer man gerade aktiv ist.

Das hostname-Kommando

Mit `hostname` wird der Name des lokalen Rechners angezeigt.

Kommen wir zum Rest der Zeichenkette im *Terminal-Fenster*, wobei der Doppelpunkt quasi als Trennzeichen dient.

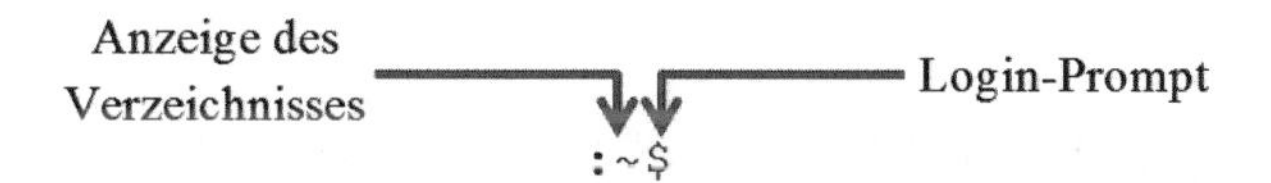

Das *Tilde*-Zeichen ~ ist immer ein Hinweis auf das *Home*-Verzeichnis des angemeldeten Benutzers. In unserem Fall wäre das also */home/pi*.

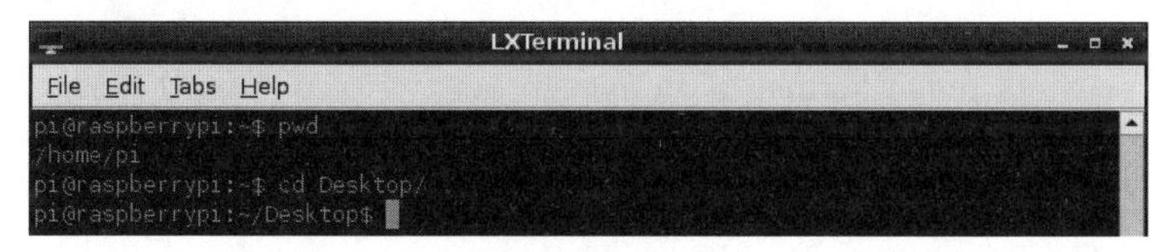

◀ Abbildung 4-6
Abfragen des Verzeichnisses, in dem wir uns befinden, und ein nachfolgender Wechsel

Du siehst in der ersten Zeile das *Tilde*-Zeichen. Über das `pwd`-Kommando, das du schon im Kapitel über die *Partitionen* kennengelernt hast, lassen wir uns nun den absoluten Pfad anzeigen. Über das nachfolgende cd-Kommando, das du ebenfalls schon kennst, wechseln wir in ein darunterliegendes Verzeichnis mit dem Namen *Desktop*. Dieses Verzeichnis wird jetzt ebenfalls in der Zeichenkette angezeigt.

Eine Bemerkung am Rande

Das *Tilde*-Zeichen wird als Synonym für den absoluten Pfad des *Home*-Verzeichnisses verwendet, da sich auf diese Weise einfach ein wenig Platz innerhalb des *Terminal-Fensters* sparen lässt. Der absolute Pfad ist nämlich u.U. recht lang, wodurch die Anzeige außerdem recht unübersichtlich werden kann.

Wenn du noch weitere *Terminal-Fenster* benötigst, was natürlich absolut möglich ist, dann stehen dir außerdem über das Menü FILE in einem bereits geöffneten *Terminal-Fenster* zwei Möglichkeiten zur Verfügung.

Abbildung 4-7 ▶
Das File-Menü im Terminal-Fenster

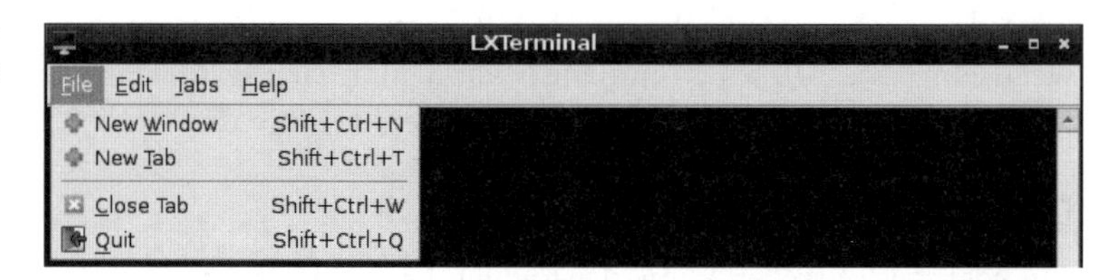

Über NEW WINDOWS wird ein weiteres *Terminal-Fenster geöffnet*, wogegen mit NEW TAB im selben Fenster ein *Reiter* eingerichtet wird, über den du bequem zwischen den einzelnen Fenstern hin- und herschalten kannst.

Abbildung 4-8 ▶
Mehrere »Reiter« in einem einzigen Terminal-Fenster

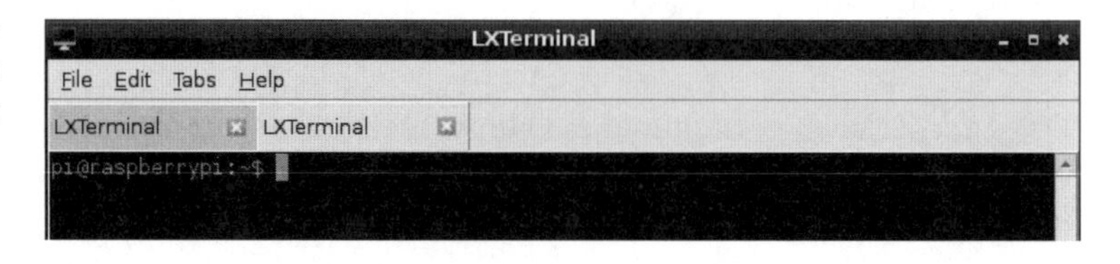

Das hat aber den Nachteil, dass du immer nur den Inhalt eines Fensters sehen kannst, wohingegen bei zwei separaten Fenstern z.B. ein Vergleich der betreffenden Inhalte erfolgen kann. Es kommt also immer darauf an, was du beabsichtigst.

Die Schnellstartleiste

Die *Schnellstartleiste*, die ich eben schon einmal kurz erwähnt habe, weist standardmäßig noch weitere Schaltflächen auf.

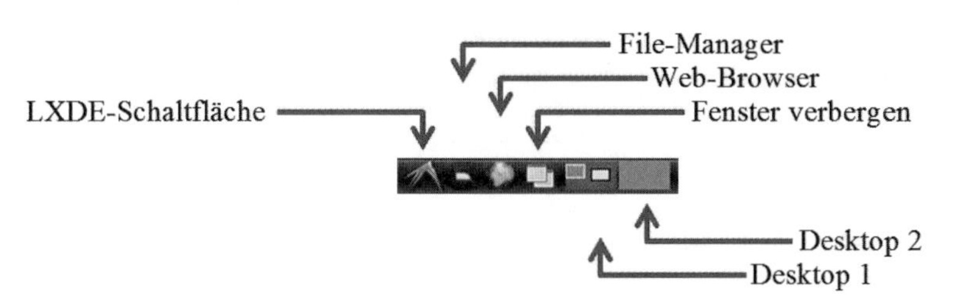

Abbildung 4-9
Die Schnellstartleiste

Die LXDE-Schaltfläche

Über die *LXDE-Schaltfläche* hast du Zugriff auf zahlreiche vorinstallierte Programme, auf die ich hier nicht alle eingehen kann. Die Kategorien sind folgende:

- *Accessories* (nützliche kleine Programme)
- *Education* (Bildungsprogramme)
- *Internet* (Internetbrowser)
- *Other* (eine Sammlung von Programmen aus unterschiedlichen Bereichen)
- *Programming* (Anwendungen zum Programmieren bzw. Editoren wie Python, Scratch, Squeak, wxGlade etc.)
- *Sound&Video* (Media-Player)
- *System Tools* (Login Fenster, Task-Manager)
- *Preferences* (Grundeinstellungen für Desktop, Monitor, Bildschirmschoner etc.)

Auf die Programmierung werde ich in einem gesonderten Kapitel eingehen, denn mit deinem *Raspberry Pi* kannst du zahlreiche Programmiersprachen ausprobieren, wobei es dir sicher nicht leicht fallen wird, dich für eine zu entscheiden. Das ist manchmal reine Geschmackssache. Vielleicht findest du auch Spaß an mehreren Sprachen und du wirst ein Allround-Programmierer.

Die File-Manager-Schaltfläche

Mit der *File-Manager-Schaltfläche* wird ein *Dateisystem-Browser* geöffnet. Wenn du aus dem Windows-Umfeld kommst, wird er dich an den *Explorer* erinnern. Über ihm kannst du mithilfe der Maus recht komfortabel durch das Dateisystem navigieren, was sich über das *Terminal-Fenster* schon manchmal recht mühsam gestaltet.

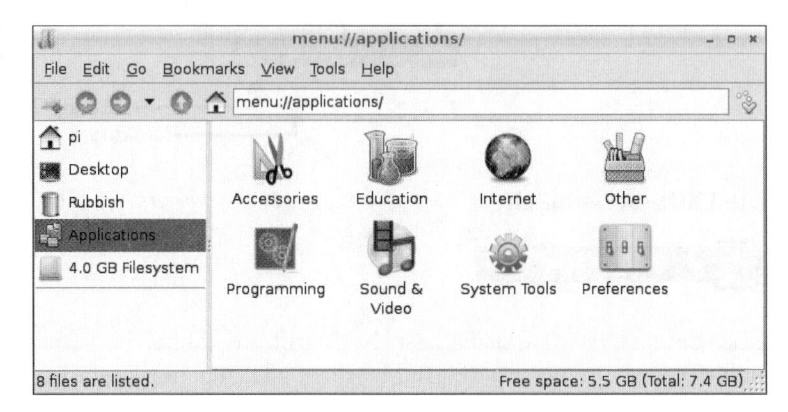

Abbildung 4-10 ▶ Der File-Manager

Wenn du in der linken Spalte des *File-Managers* einen Bereich auswählst, wird dir auf der rechten Seite der Inhalt angezeigt. Der Bereich *Applications* entspricht dabei dem der *LXDE-Schaltfläche* unter der sich ja alle Programme befinden. Im folgenden Bild siehst du die Dateisystem-Objekte, also *Verzeichnisse* bzw. *Dateien*, die sich auf meinem *Desktop* befinden, weil ich sie dort angelegt habe.

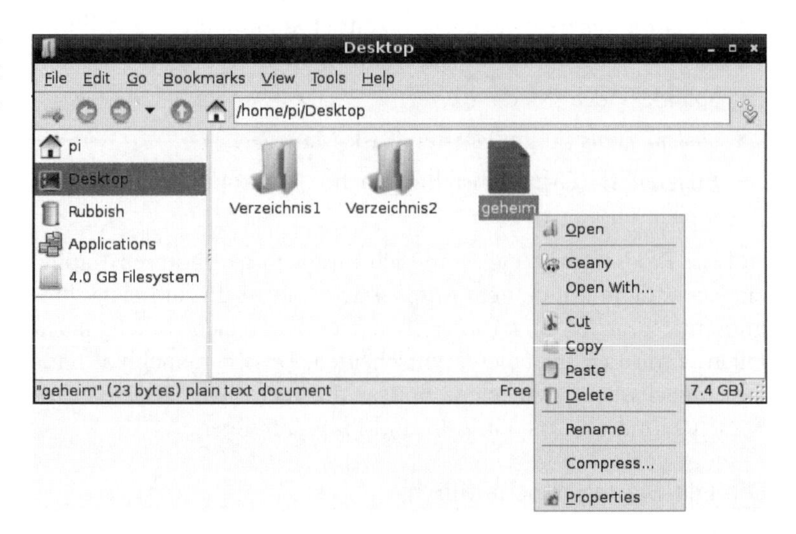

Abbildung 4-11 ▶ Der File-Manager zeigt Verzeichnisse bzw. Dateien an.

Über einen Klick mit der *rechten Maustaste* kannst du das sogenannte *Kontext-Menü* öffnen. Dieses Menü zeigt dir genau *die* Aktionen, die für das ausgewählte Objekt sinnvoll erscheinen. Da ich die Datei *geheim* selektiert habe, besteht natürlich u.a. auch ein naheliegendes Interesse, einen Blick in diese Datei zu riskieren. Dazu kannst du die Option OPEN wählen. Weitere nützliche Optionen sind folgende:

- CUT (Ausschneiden, um an anderer Stelle wieder einzufügen)
- COPY (Erstellen einer Kopie, um sie an anderer Stelle einzufügen)
- PASTE (Einfügen eines in der Zwischenablage befindlichen Objekts an dieser Stelle)
- DELETE (Löschen eines markierten Objekts)
- RENAME (Umbenennen eines markierten Objekt)
- PROPERTIES (Anzeigen der Objektinformationen, wie z. B. Typ, Größe, Name und Zugriffsberechtigungen)

Die Web-Browser-Schaltfläche

Der vorinstallierte *Web-Browser* lautet *Midori* und ist für grundlegende Suchen im Internet sicherlich gut geeignet. Er ist Ressourcen schonend und recht fix, was für leistungsschwächere Systeme sicherlich die richtige Wahl ist. Er kann natürlich nicht mit dem Funktionsumfang von *Firefox*, *Internet-Explorer* oder *Opera* mithalten, um nur einige zu nennen. Doch das will er auch nicht, denn lt. Entwickler soll er schnell, schlank und funktionell arbeiten. Sicher eine gute Wahl für den *Raspberry Pi*.

Die Fenster verbergen-Schaltfläche

Über die *Fenster verbergen-Schaltfläche* kannst du, falls es einmal notwendig sein sollte, alle auf dem Desktop befindlichen Fenster mit einem Klick minimieren, so dass sie lediglich noch in der Taskleiste sichtbar sind. Wenn du beispielsweise *10* Fenster geöffnet hättest, würde die Übersichtlichkeit sicherlich leiden. Jetzt könntest du natürlich hingehen und jedes einzelne geöffnete Fenster minimieren, was ganz schön mühsam ist. Wenn du aber auf diese Schaltfläche klickst, sind im Handumdrehen alle Fenster quasi »verschwunden«.

Die Desktop wechseln-Schaltflächen

Der grafische Fenstermanager verfügt über ein nettes und sicherlich sehr sinnvolles Feature. Da dein Display bzw. Monitor in seinen Ausmaßen begrenzt ist, kannst du bei entsprechend großer Anzahl von geöffneten Fenstern schon einmal den Überblick verlieren. Aus diesem Grund gibt es die Möglichkeit, mehrere virtuelle Displays zu verwalten. Die beiden Schaltflächen, die ich hier im Bild umrandet habe, kannst du dazu nutzen, zwischen zwei Desktops zu wechseln.

Das könnte wichtig für dich sein

Denselben Effekt kannst du auch erreichen, indem du am *Mausrad* drehst, wenn sich dein Mauszeiger über dem freien *Desktop* befindet und nicht innerhalb eines geöffneten Fensters platziert ist.

Um direkt zu einem bestimmten Programm zu springen, das sich ggf. auf einem anderen Desktop befindet, kannst du einen Trick anwenden. Falls deine Maus über eine mittlere Maustaste verfügt, kannst du diese bei einem auf freiem Desktop-Hintergrund platzierten Mauszeiger drücken. Weist die Maus nur zwei Tasten auf, dann drücke beide gleichzeitig, woraufhin ein Menü geöffnet wird. Ich habe auf meinem System einfach einmal mehrere Anwendungen auf den beiden Desktops gestartet. Schau her, was das Menü zur Auswahl anbietet:

Abbildung 4-12 ▶ Schnellauswahl einzelner Anwendungen auf unterschiedlichen Desktops

Auf *Desktop 1* habe ich ein *Terminal-Fenster* und den *File-Manager* aufgerufen, wohingegen auf *Desktop 2* der *Web-Browser Midori* und der *Text-Editor Geany* geöffnet sind. Über einen entsprechenden Mausklick auf einen der Menüeinträge kann ich dann unmittelbar zum gewünschten Programm springen.

Das könnte wichtig für dich sein

Fall dir die zwei angebotenen virtuellen Desktops zu wenig erscheinen, füge einfach über die Option ADD NEW DESKTOP weitere hinzu. Über REMOVE LAST DESKTOP kannst du den zuletzt hinzugefügten einfach wieder entfernen.

Die Icons am rechten Rand der Taskleiste:

Sicherlich sind dir auch schon die Icons am rechten Rand der *Taskleiste* aufgefallen.

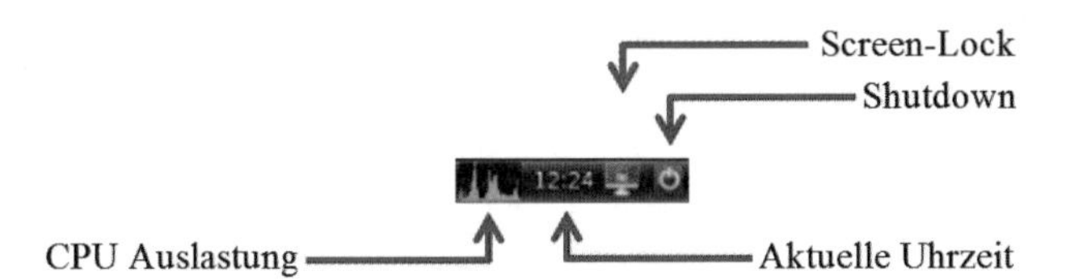

◀ **Abbildung 4-13**
Noch mehr Icons in der Taskleiste

Sie haben folgende Funktion:

- *CPU-Auslastung* (Anzeige der Prozessorauslastung in Form eines kleinen Peak-Diagramms)
- *Aktuelle Uhrzeit* (Anzeige der aktuellen Uhrzeit, die jedoch nicht immer stimmt, da dein *Raspberry Pi* nicht über einen Uhrenchip verfügt. Die Aktualisierung kann über einen sogenannten *Time-Server* – via *NTP: Network Time Protocol* – erfolgen.)
- *Screen-Lock* (Sperren des Desktop. Eine Entsperrung kann nur über Eingabe des Passwortes erfolgen.)
- *Shutdown* (Sauberes *runterfahren* oder *rebooten* deines Raspberry Pi bzw. *ausloggen* aus dem *Raspberry Pi*) Nach der Auswahl wird das folgende *Dialog-Fenster* geöffnet:

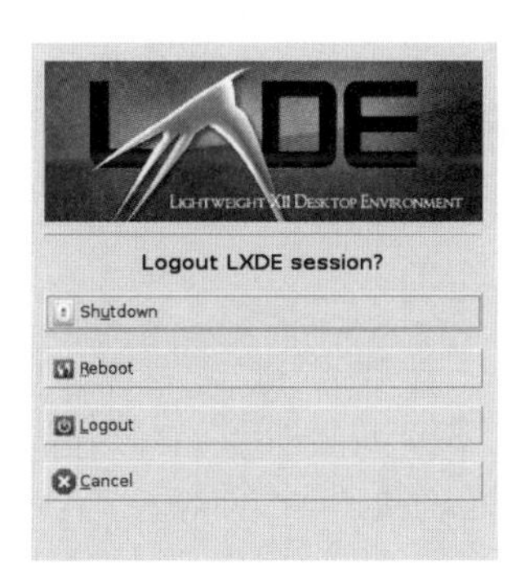

◀ **Abbildung 4-14**
Logout-Dialog

Weitere nützliche Programme

Wollte ich auf alle vorinstallierten Programme eingehen, dann könnte ich darüber ein eigenes Buch schreiben. Dennoch möchte ich es nicht versäumen, einige nützliche Programme zu erwähnen, die im täglichen Umgang mit deinem *Raspberry Pi* wirklich gute Dienste leisten.

Der Texteditor

Was wäre eine grafische Benutzeroberfläche, ohne eine Anwendung, mit der man einfache Texte schreiben kann. Eines der Programme nennt sich *Leafpad* und ist unter dem Menüeintrag ACCESSORIES zu finden.

Abbildung 4-15 ▶ Das Texteditor-Fenster von Leafpad

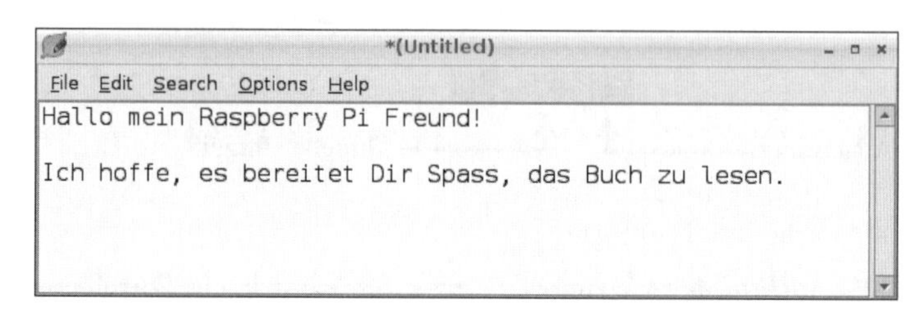

Gibt es keine einfachere Möglichkeit, ein derart häufig benötigtes Programm aufzurufen? Ich meine so ein Icon auf dem Desktop wäre doch sicherlich was Feines.

Klar, *RasPi*, das ist eine gute Idee und hier kommt die Lösung. Wähle einfach den Menüeintrag aus und klicke mit der rechten Maustaste darauf. Das *Kontextmenü* bietet dir die Option ADD TO DESKTOP an.

Abbildung 4-16 ▶ Das Icon von Leafpad dem Desktop hinzufügen

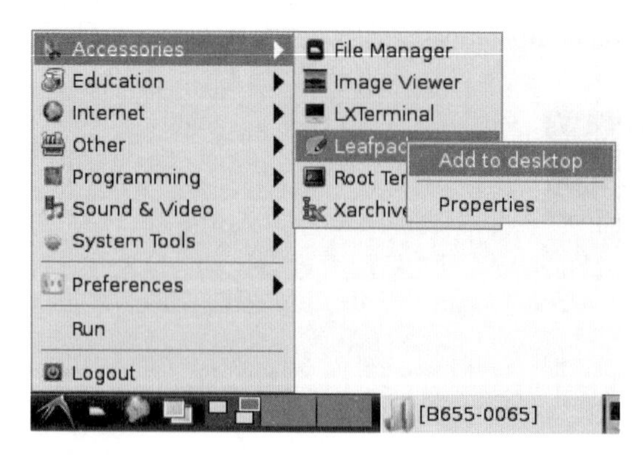

Danach findest du das entsprechende Icon dieser Anwendung auf deinem *Desktop* wieder.

Ok, da kann aber etwas nicht stimmen. Ich habe mit diesem Programm einmal versucht, die Datei */etc/sudoers* zu öffnen. Das ist aber kläglich gescheitert.

Hey, *RasPi*, trotz Fehlschlag, ein guter Punkt! du hast sicherlich die folgende Fehlermeldung erhalten:

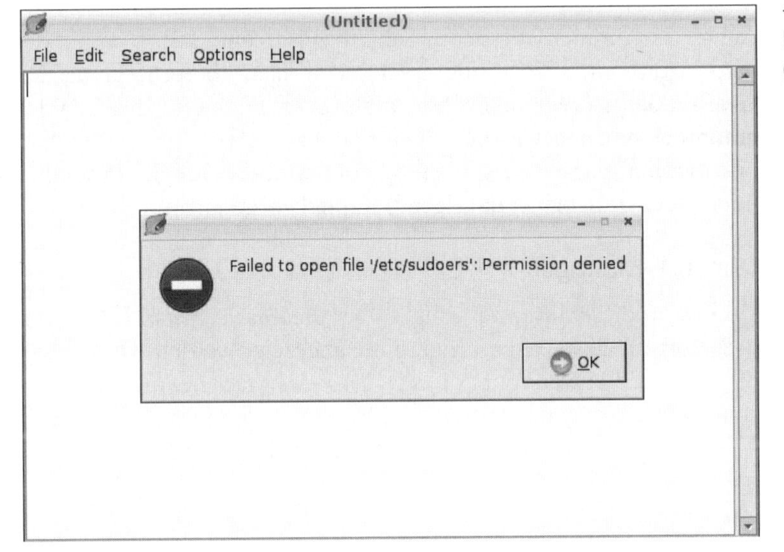

◀ Abbildung 4-17
Die Datei /etc/sudoers konnte nicht geöffnet werden.

Die Meldung *Permission denied* bedeutet übersetzt so viel wie: *Zugriff verweigert* und das ist auch richtig so. Du bist ein ganz *normaler Benutzer* auf diesem System und darfst eine so brisante Datei, die anderen Benutzern ggf. *Root-Rechte* überträgt, nicht editieren. Da du aber in eben dieser Datei als Benutzer eingetragen bist – ich hatte das ja schon erwähnt – kannst du einfach über die folgende Eingabe in einem *Terminal-Fenster* die Datei */etc/sudoers* editieren:

```
sudo leafpad
```

Ok, das habe ich ausprobiert und ich bin zuerst wieder auf die Nase gefallen. Ich habe nämlich *sudo Leafpad* eingegeben und habe gleich die Quittung bekommen. Das *Terminal-Fenster* lieferte mir die Meldung *sudo: Leafpad: command not found* zurück.

Auch das ist wieder verständlich, *RasPi*. Du hast dich bei der Eingabe des Programm-Namens sicherlich am Icon auf dem Desktop orientiert. Dort steht nämlich *Leafpad* mit einem großen *L*. Ich hatte bisher noch nicht erwähnt, dass die Eingaben in einem *Terminal-Fenster* im Hinblick auf die *Groß- / Kleinschreibung* analysiert werden. Im Fachjargon nennt man das *Case-Sensitive*. Die folgenden Eingaben sind also wirklich *nicht* gleich:

- leafpad
- Leafpad

Achte also immer auf deine Schreibweise, und selbst wenn du denkst, dass du alles richtig geschrieben hast, überprüfe auch die *Groß- / Kleinschreibung* noch einmal. Das gilt auch für diverse Programmiersprachen wie z.B. *Python*, *C* bzw. *C++*. Ich werde aber noch einmal darauf zu sprechen kommen, denn für die Programmiersprachen habe ich ein eigenes Kapitel vorgesehen.

Der Task-Manager

Du hast in diesem Kapitel einiges über die *Taskleiste* erfahren, z.B. dass dort die gestarteten Programme angezeigt werden. Du kannst dir mit einer Anwendung, die sich *Task-Manager* nennt, diese einzelnen Prozesse genauer anschauen und ggf. direkt auf sie einwirken. Gestartet wird er über den Eintrag SYSTEM TOOLS.

Abbildung 4-18 ▶ Der Task-Manager

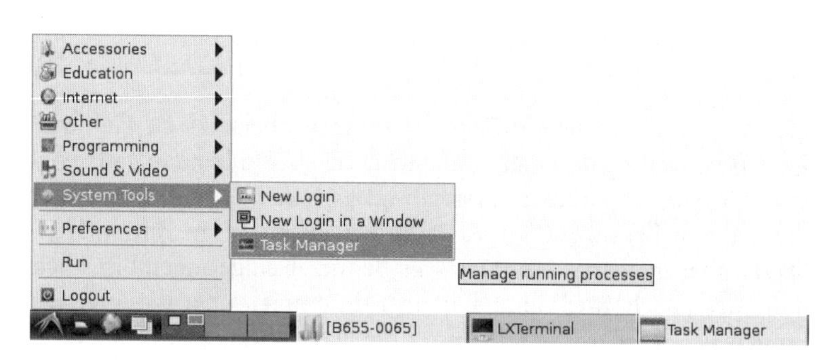

Bei der Ausgabe des *Task-Managers* werden die einzelnen Tasks, die auch *Prozesse* genannt werden, in Listenform angezeigt.

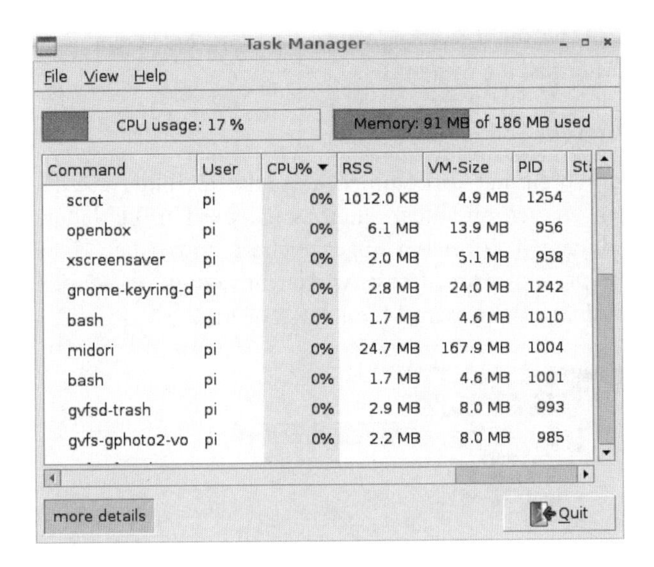

◀ Abbildung 4-19
Der Task-Manager

Es ist deutlich zu erkennen, wer User des einzelnen Prozesses ist, wie viel CPU-Leistung der Prozess gerade beansprucht und noch viele andere Informationen mehr. Im oberen Bereich wird die Gesamtauslastung der CPU angezeigt, die sich aus der Summe aller laufenden Prozesse ergibt. Rechts daneben siehst du die aktuelle Speicherauslastung. Über das *Kontextmenü* kannst du jeden einzelnen Prozess direkt ansprechen und entscheiden, was mit ihm geschehen soll. Ich habe einfach mal einen Prozess ausgewählt, um mir das Kontextmenü anzuschauen. Es kann u.U. sehr riskant sein, wenn du nicht weißt, was ein einzelner Prozess zu bedeuten hat und wofür er verantwortlich ist. Bei entsprechenden Rechten, bist du in der Lage, jeden Prozess *abzuschießen*, also zu beenden. Das kann auch bedeuten, dass du dir ggf. den Ast absägst, auf dem du gerade sitzt.

- Stop (Anhalten eines Prozesses)
- Continue *(Fortführen eines zuvor gestoppten Prozesses)*
- Term *(Terminate = Beenden eines Prozesses)*
- Kill *(Abschießen eines Prozesses, falls Term keine Wirkung zeigt.)*

- PRIORITY *(Anpassen der Ausführungs-Priorität. Spielt eine Rolle in einem Multitasking-System.)*

Der Image Viewer

Es kann sicherlich einmal vorkommen, dass du dir Bilder auf deinem System anschauen möchtest. Heutzutage werden Bilddateien in unterschiedlichsten Formaten abgespeichert und haben dabei Endungen wie *jpg*, *png* oder *tiff*, um wieder nur einige zu nennen. Du findest den *Image Viewer* im Menü ACCESSORIES.

Abbildung 4-20 ▶ Der Image Viewer

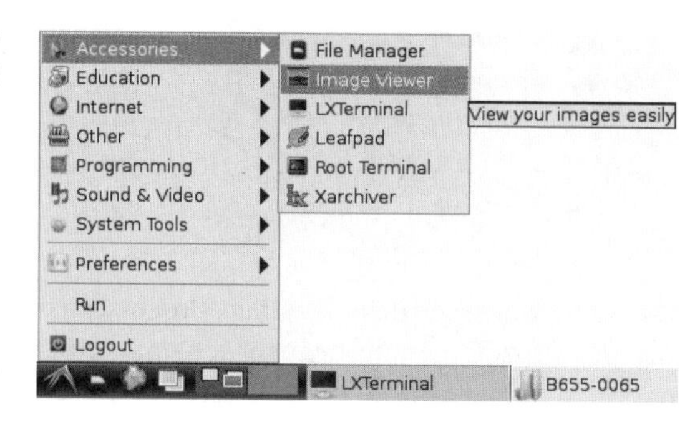

In der folgenden Abbildung siehst du einen Screenshot, den ich für das Buch erstellt habe.

Abbildung 4-21 ▶ Der Image Viewer

Kann ich damit auch meine Fotos anschauen, die ich alle auf meinem USB-Stick gespeichert habe? Wäre doch sicherlich eine coole Sache!

Natürlich kannst du das, *RasPi*. Das bringt mich zu einem Thema, das ich eigentlich erst später anschneiden wollte, doch es passt wunderbar an diese Stelle. Schau einmal her, denn ich habe an meinen *Raspberry Pi* einen passiven *USB-HUB* angeschlossen und daran die *Maus*, *Tastatur* und auch einen *USB-Stick*. Mit diesem Stick transportiere ich übrigens auch die auf dem *Raspberry Pi* erstellten Screenshots auf meinen *PC*. Das ist eine feine Sache und geht richtig schnell.

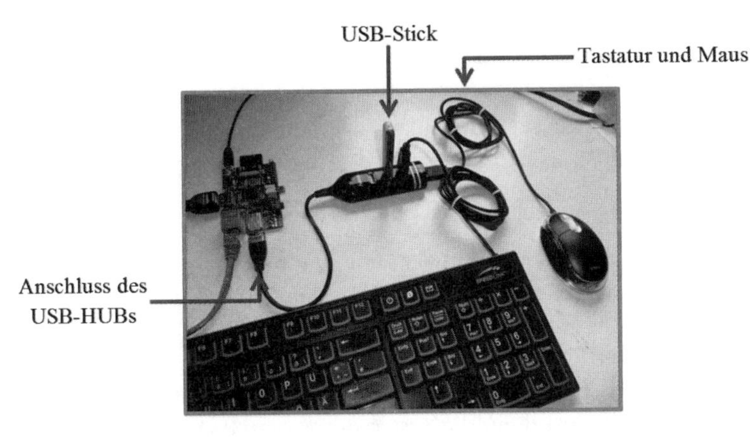

Abbildung 4-22
Der USB-Stick wird über den passiven USB-HUB angeschlossen.

Wenn du deinen *USB-Stick* mit dem *USB-HUB* verbindest, wird dies vom Betriebssystem automatisch registriert und ein *Dialog-Fenster* geöffnet, das dir anbietet, den *File-Manager* zu starten. Über diesen kannst du dann sehr komfortabel auf deinen *USB-Stick* zugreifen und den Inhalt anzeigen. Schau her:

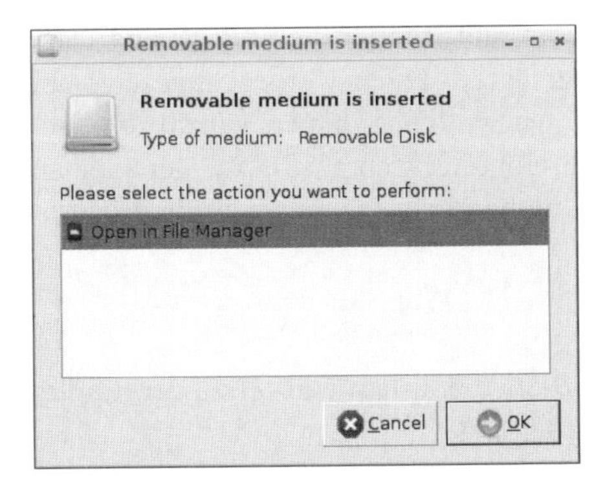

Abbildung 4-23
Nachdem der USB-Stick eingesteckt wurde, wird nach kurzer Zeit ein Dialog-Fenster angezeigt.

Das System teilt dir Folgendes mit: »*Hey, ich habe ein Speichermedium registriert, das du gerade eingesteckt hast. Ich schlage vor, dass ich den File-Manager öffne, denn das wäre in diesem Fall sicherlich sinnvoll!* Wenn du auf den Button OK *klickst*, wird die angebotene Aktion ausgeführt. Ich zeige dir an dieser Stelle einmal eine sehr interessante Möglichkeit, *das* sichtbar zu machen, was *Linux* so alles zur Laufzeit an Systemereignissen registriert. Das können Meldungen sein, die z.B. in folgende Kategorien fallen:

- Fehler
- Warnungen
- Einfache Statusmeldungen

Eine dieser *Log-Dateien* hat den folgenden Pfad bzw. Namen:

```
/var/log/messages
```

Um den Inhalt dieser Datei anzuzeigen, nutzen wir einen besonderen Mechanismus. Eine einfache Anzeige über das dir schon bekannte `cat`-*Kommando* wäre eine recht statische Angelegenheit, denn du würdest nur *das* sehen, was gerade zum Zeitpunkt der Ausführung des Befehls in der *Log-Datei* enthalten ist. Alle neu ankommenden Meldungen siehst du damit nicht, es sei denn, du führst das `cat`-*Kommando* immer wieder erneut aus. Aus diesem Grund nutzen wir das `tail`-*Kommando*. Mit diesem kannst du die letzten Zeichen einer Datei ausgeben, was ja in diesem Fall sehr sinnvoll erscheint, denn die *Systemmeldungen* bzw. *-ereignisse* werden in der *Log-Datei* naturgemäß immer *unten* angefügt. Übersetzen könnte man *tail* mit *der Rest* oder *das Ende*. Das eben genannte allein würde aber noch keinen so richtigen Vorteil gegenüber `cat` bedeuten. Das `tail`-Kommando besitzt eine Menge an Optionen, die durch die Übergabe von sogenannten *Schaltern* die Ausführung beeinflussen. Wenn wir `tail` mit dem Zusatz `-f` ausführen, wird der Inhalt kontinuierlich dargestellt, wobei die angegebene Datei geöffnet bleibt. Alle neu angefügten Zeilen werden angezeigt und *hey*... das ist genau das, was wir wollen! Schauen wir uns das nun an unserem Beispiel für den eingesteckten *USB-Stick* genauer an. Ich habe also das folgende Kommando in meinem *Terminal-Fenster* abgesetzt:

```
tail -f /var/log/messages
```

Danach habe ich meinen *USB-Stick* mit dem *USB-HUB* verbunden. Die Ausgabe sieht dann wie folgt aus:

```
LXTerminal
File Edit Tabs Help
Jun 27 09:06:08 raspberrypi kernel:
Jun 27 09:06:08 raspberrypi kernel: DEBUG:handle_hc_chhltd_intr_dma:: XactErr without NYET/NAK/ACK
Jun 27 09:06:08 raspberrypi kernel:
Jun 27 09:06:08 raspberrypi kernel: DEBUG:handle_hc_chhltd_intr_dma:: XactErr without NYET/NAK/ACK
Jun 27 09:06:08 raspberrypi kernel:
Jun 27 09:06:08 raspberrypi kernel: usb 1-1.3.3: USB disconnect, device number 13
Jun 27 09:06:08 raspberrypi kernel: sd 6:0:0:0: [sda] Unhandled error code
Jun 27 09:06:08 raspberrypi kernel: sd 6:0:0:0: [sda]  Result: hostbyte=0x01 driverbyte=0x00
Jun 27 09:06:08 raspberrypi kernel: sd 6:0:0:0: [sda] CDB: cdb[0]=0x28: 28 00 00 02 5a b8 00 00 10 00
Jun 27 09:06:38 raspberrypi kernel: usb 1-1.3.3: new high speed USB device number 14 using dwc_otg
Jun 27 09:06:39 raspberrypi kernel: usb 1-1.3.3: New USB device found, idVendor=054c, idProduct=0243
Jun 27 09:06:39 raspberrypi kernel: usb 1-1.3.3: New USB device strings: Mfr=1, Product=2, SerialNumber=3
Jun 27 09:06:39 raspberrypi kernel: usb 1-1.3.3: Product: Storage Media
Jun 27 09:06:39 raspberrypi kernel: usb 1-1.3.3: Manufacturer: Sony
Jun 27 09:06:39 raspberrypi kernel: usb 1-1.3.3: SerialNumber: 2A08042576258
Jun 27 09:06:39 raspberrypi kernel: scsi7 : usb-storage 1-1.3.3:1.0
Jun 27 09:06:40 raspberrypi kernel: scsi 7:0:0:0: Direct-Access     Sony     Storage Media    0100 PQ: 0 A
NSI: 0 CCS
Jun 27 09:06:40 raspberrypi kernel: sd 7:0:0:0: [sda] 7864320 512-byte logical blocks: (4.02 GB/3.75 GiB)
Jun 27 09:06:40 raspberrypi kernel: sd 7:0:0:0: [sda] Write Protect is off
Jun 27 09:06:40 raspberrypi kernel: sda: sda1
Jun 27 09:06:40 raspberrypi kernel: sd 7:0:0:0: [sda] Attached SCSI removable disk
```

◀ **Abbildung 4-24**
Die Ausgabe des tail-Kommandos

Ich habe *den* Teil rot umrandet, der nach dem Einstecken des *USB-Sticks* hinzugekommen ist. Was sind das für entscheidende Meldungen?

1. *New USB device found* (Es wurde ein neues USB-Gerät am System bemerkt.)
2. *Product: Storage Media* (Es wurde als Speichermedium erkannt.)
3. *Manufacturer: Sony* (Der Hersteller ist die Firma Sony.)
4. *[sda] 7864320 512-byte logical blocks: (4.02 GB/3.75 GB)* (Angabe der Speichergröße)
5. *[sda] Write Protect is off* (Der Schreibschutz ist deaktiviert.)
6. *Sda: sda1 (Hier befindet sich der USB-Stick im Dateisystem.)*

Hinsichtlich des letzten Punktes habe ich noch einmal das `df -k`-Kommando abgesetzt, um diese Angabe zu verifizieren:

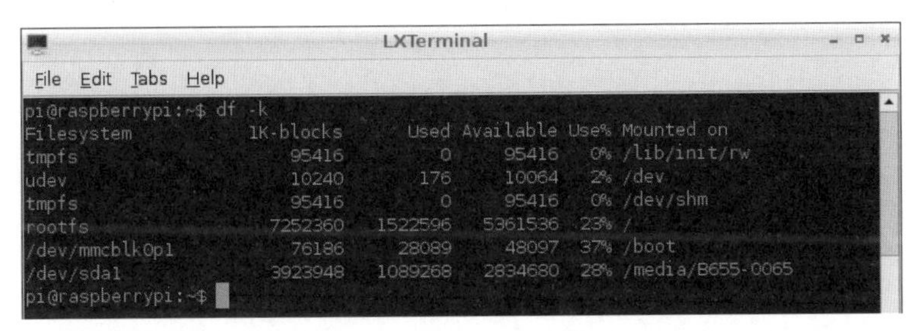
LXTerminal
File Edit Tabs Help
pi@raspberrypi:~$ df -k
Filesystem 1K-blocks Used Available Use% Mounted on
tmpfs 95416 0 95416 0% /lib/init/rw
udev 10240 176 10064 2% /dev
tmpfs 95416 0 95416 0% /dev/shm
rootfs 7252360 1522596 5361536 23% /
/dev/mmcblk0p1 76186 28089 48097 37% /boot
/dev/sda1 3923948 1089268 2834680 28% /media/B655-0065
pi@raspberrypi:~$

◀ **Abbildung 4-25**
Die Ausgabe des df-k-Kommandos

Du kannst anhand der letzten Zeile erkennen, dass der eingesteckte *USB-Stick* sich wirklich im System als */dev/sda1*-Device angemeldet hat und im Dateisystem den *Mount-Point /media/B655-0065* besitzt. Genau diese Angabe findest du auch im *File-Manager* in der Kopfzeile wieder.

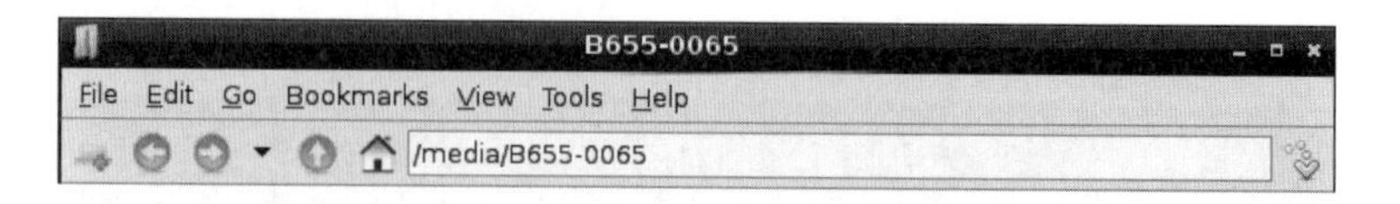

Jetzt kannst du deinen *USB-Stick* als eingebundenes Speichermedium innerhalb des *Raspberry Pi* nutzen. Eines solltest du jedoch unbedingt beachten! Wenn du eine Schreibaktion auf deinen *USB-Stick* ausführst, solltest du den Stick nach getaner Arbeit nicht einfach vom System abziehen. Es besteht die Möglichkeit, dass noch nicht alle Daten auf den Stick übertragen wurden und diese sich noch im *Cache* – einer Art Zwischenspeicher – befinden. Ohne sicheres Abmelden des *USB-Sticks* besteht die Gefahr des Datenverlustes. Nutze also z.B. den *File-Manager* zum sicheren Abmelden deines Sticks vom System.

Abbildung 4-26 ▶
Abmelden des USB-Sticks vom System

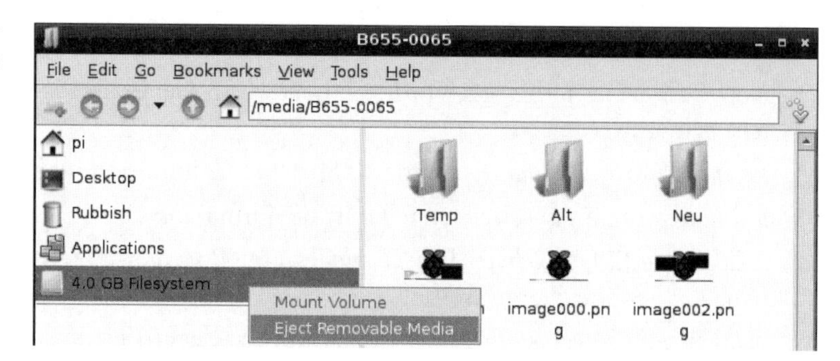

Über das *Kontext-Menü* musst du die Option EJECT REMOVABLE MEDIA auswählen. Im Anschluss daran verschwindet der Eintrag des *USB-Sticks* aus Liste auf der linken Seite. In meinem Fall ist das der mit der Bezeichnung *4.0 GB Filesystem*.

Software installieren

5

Dein Grundverständnis für die Arbeit mit deinem *Raspberry Pi* ist in meinen Augen nun auf einem solchen Level, dass du in der Lage sein solltest, eigene Software zu installieren. Auf einem *Debian-System* wird die Softwareverwaltung, die sich eigentlich *Paketverwaltung* nennt, mit der Benutzerschnittstelle *apt-get* gehandhabt. Es handelt sich dabei um ein Kommandozeilen-Tool, das jedoch sehr einfach zu bedienen ist, und als angehender *Linux-Spezialist*, der du ja nun bist, macht das Tippen der Befehle echt Spaß. Du wirst schnell erkennen, dass es nicht immer ein Programm mit einer schicken Oberfläche sein muss, um ans Ziel zu gelangen. *APT* ist übrigens die Abkürzung für *Advanced Packaging Tool*. Am Ende dieses Kapitels stelle ich noch eine alternative Paketinstallation über `wget` bzw. `dpkg` vor.

- Wie funktioniert *apt-get*?
- Wie wird ein *apt*-Paket installiert?
- Wie kann man ein *apt*-Paket wieder deinstallieren?
- Wie kann ein *apt*-Paket auf den neuesten Stand gebracht werden?
- Wie können wir mit `wget` eine Datei aus dem Internet laden?
- Wie können wir dein *Debian*-Paket mit dem `dpkg`-Kommando installieren?

Die Paketverwaltung mit apt-get

Wenn du bisher mit dem *Windows*-Betriebssystem gearbeitet hast, kennst du den normalen Vorgang einer *Software-Installation*. Du schaust dich im Internet um oder die gewünschte Software befindet sich z.B. auf einer *CD/DVD* in einer PC-Zeitschrift, die es ja zuhauf gibt. Du klickst die *exe-* bzw. *msi*-Datei an und der Installationsvorgang wird gestartet. Ist ja auch nichts daran auszusetzen und gängige Praxis. Vergleichbares gibt es natürlich ebenfalls unter *Linux*, nur dass die Installationsdateien da keine Endungen wie die o.g. aufweisen. Darauf komme ich später noch zu sprechen. Doch zuerst möchte ich auf die Möglichkeit hinweisen, Software(pakete) aus einem vordefinierten *Pool* bzw. *Repository* auszuwählen und darüber die Installation zu starten. Genau diese Strategie wird mit der oben angesprochenen *apt-get*-Benutzerschnittstelle verfolgt. Du kannst mit ihr folgende Aktionen durchführen:

- die Software aus dem Netz *herunterladen*
- die Software *installieren* und
- die Software *aktualisieren*

Es kann sein, dass bei bestimmten Pakten eine *Abhängigkeit* untereinander besteht, was bedeutet, dass das eine Paket nicht ohne das andere lauffähig ist, weil sich dort z.B. Bibliotheken befinden, die zur Laufzeit benötigt werden. Diese *Abhängigkeiten* werden erkannt und das benötige Paket gleich mit installiert. In der folgenden Abbildung ist dargestellt, wie der Installationsprozess schematisch abläuft. Natürlich steckt noch eine ganze Menge mehr dahinter, doch für den Anfang und für das Verständnis ist das vollkommen ausreichend.

Abbildung 5-1 ▶
xDie Paketinstallation über apt-get

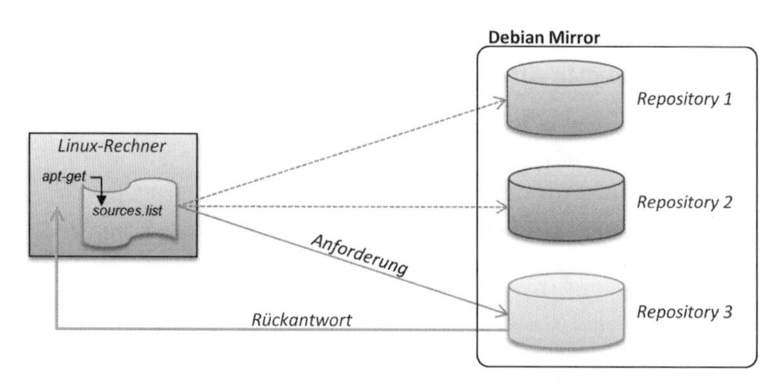

Auf deinem Rechner befindet sich im Verzeichnis */etc/apt/* die Datei *sources.list*. Sie enthält die *Repository-Informationen*, also die Informationen, an welcher Stelle die Pakete zu finden sind. Die Lokationen können dabei von ganz unterschiedlicher Art sein. In der Regel sind es Pfade irgendwo im *Netzwerk*, wobei aber auch *lokale Pfade* oder *CD-* bzw. *DVD-Laufwerke* als Quellen in Frage kommen. Wir wollen einmal sehen, wie denn der Inhalt dieser Datei auf meinem *Raspberry Pi* aussieht:

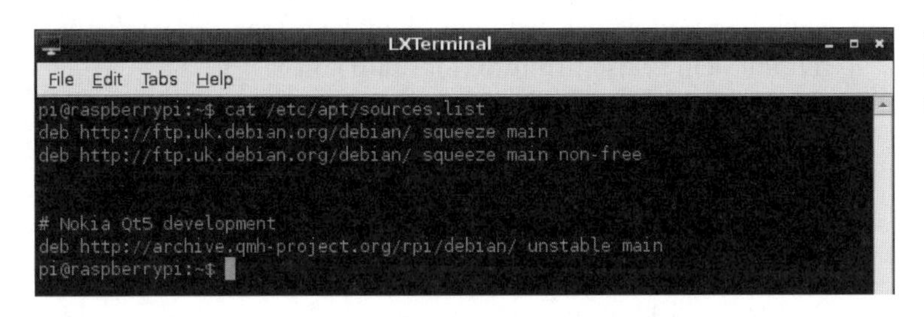

◀ **Abbildung 5-2**
Der Inhalt der Datei/etc/apt/sources.list

Die dort aufgelisteten Pfade weisen auf Repositories im Internet, von denen ich Installationspakete beziehen kann.

Paketinstallation

Zum Installieren eines Pakets verwendest du folgende Syntax:

```
sudo apt-get install <Paketname>
```

Im folgenden Beispiel wollen wir ein interessantes Tool installieren, das ich auch für die Screenshots auf meinem *Raspberry Pi* verwendet habe. Es nennt sich *scrot*. Dazu habe ich Folgendes in mein *Terminal-Fenster* eingegeben:

```
LXTerminal
File Edit Tabs Help
pi@raspberrypi:~$ sudo apt-get install scrot
Reading package lists... Done
Building dependency tree
Reading state information... Done
The following NEW packages will be installed:
  scrot
0 upgraded, 1 newly installed, 0 to remove and 39 not upgraded.
Need to get 0 B/18.7 kB of archives.
After this operation, 77.8 kB of additional disk space will be used.
Selecting previously deselected package scrot.
(Reading database ... 50054 files and directories currently installed.)
Unpacking scrot (from .../scrot_0.8-13_armel.deb) ...
Processing triggers for man-db ...
Setting up scrot (0.8-13) ...
pi@raspberrypi:~$
```

◀ **Abbildung 5-3**
Die Installation des scrot-Paketes

Um jetzt ein Bildschirmfoto zu generieren, gibst du einfach die folgende Zeile ein:

```
scrot -d 5 -c image001.png
```

Die nachfolgenden Argumente haben dabei folgende Bedeutung:

- `-d 5`: Hierbei handelt es sich um eine Verzögerung (ein Delay) von *5 Sekunden*. Es dauert also die angegebene Zeit, bis das Bildschirmfoto geschossen wird. Da hast du ggf. noch Zeit, um noch hier und da vielleicht ein Menü zu öffnen, was unbedingt mit auf dein Bildschirmfoto mit drauf soll.
- `-c`: Diese Angabe ist optional und bedeutet, dass ein Zähler (*Count-Down*) angezeigt wird, der in diesem Fall von *5* bis *0* herunterzählt. Somit hast du eine optische Kontrolle, wann das Foto erstellt wird.
- `image001.png`: Das ist der *Dateiname*, unter dem das Foto abgespeichert wird. Mögliche Endungen sind z. B. *png*, *jpg* oder *tiff*. Nähere Angaben dazu findest du im Internet.

Paket-Deinstallation

Um ein installiertes Paket wieder von deinem System zu entfernen, verwendest du die folgende Syntax:

```
sudo apt-get remove <Paketname>
```

Eine Bemerkung am Rande

Wenn du mehrere Pakete deinstallieren möchtest, kannst du deren Paketnamen durch Leerzeichen getrennt hinten anfügen. Die gleiche Syntax kannst du auch für die *Installation* von Paketen nutzen.

Paketsuche

Wenn du wissen möchtest, ob ein bestimmtes Paket zur Installation zur Verfügung steht, kannst du den internen Cache nach einem oder mehreren Begriffen durchsuchen. Die Syntax dafür lautet wie folgt:

```
sudo apt-cache search <Suchbegriff>
```

Möchtest du z. B. alle Pakete ausfindig machen, die etwas mit der Programmiersprache *Python* zu tun haben, dann gibst du folgende Befehlszeile ein. Ich habe noch eine nützliche Erweiterung hinzugefügt, weil die Ausgabe so lang ist, dass ohne diese Erweiterung die Informationen recht schnell über das *Terminal-Fenster* huschen würden und du sie daher nicht sofort lesen könntest.

```
sudo apt-cache search Python | less
```

Hinter dem Suchbegriff befindet sich ein | *Pipe-Symbol*, das die Ausgabe der ersten Anwendung an die zweite übergibt. Das Programm *less* eignet sich zum Lesen großer Datenmengen. Du kannst die Ausgabe komfortabel durchblättern. Die Navigation erfolgt über die *Cursor-Tasten*, was dir ein Vor- bzw. Rückwärtsblättern ermöglicht. Über die *Leertaste* kannst du die Ausgabe seitenweise umschlagen und über die *Taste* Q beenden.

Paketdatenbank aktualisieren

Bei der Paketverwaltung wird zur Orientierung eine lokale Datenbank auf deinem System genutzt, damit hinsichtlich der installierten Pakete bzw. deren Abhängigkeiten nicht der Überblick verlorengeht. Da sich Software im Laufe der Zeit ändert und Bugfixes bzw. Erweiterungen entwickelt werden, ist es notwendig, diese Informationen mit in die Datenbank einfließen zu lassen. Das Kommando dafür lautet folgendermaßen:

```
sudo apt-get update
```

Dann wollen wir mal sehen, was die Paketverwaltung uns so an Informationen zurückliefert.

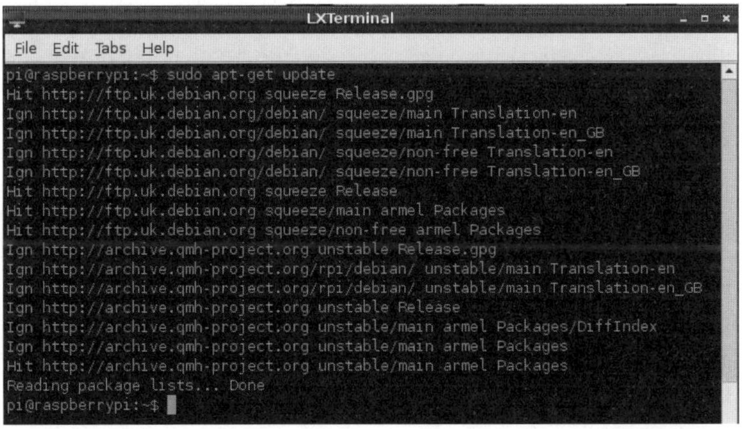

```
LXTerminal
File Edit Tabs Help
pi@raspberrypi:~$ sudo apt-get update
Hit http://ftp.uk.debian.org squeeze Release.gpg
Ign http://ftp.uk.debian.org/debian/ squeeze/main Translation-en
Ign http://ftp.uk.debian.org/debian/ squeeze/main Translation-en_GB
Ign http://ftp.uk.debian.org/debian/ squeeze/non-free Translation-en
Ign http://ftp.uk.debian.org/debian/ squeeze/non-free Translation-en_GB
Hit http://ftp.uk.debian.org squeeze Release
Hit http://ftp.uk.debian.org squeeze/main armel Packages
Hit http://ftp.uk.debian.org squeeze/non-free armel Packages
Ign http://archive.qmh-project.org unstable Release.gpg
Ign http://archive.qmh-project.org/rpi/debian/ unstable/main Translation-en
Ign http://archive.qmh-project.org/rpi/debian/ unstable/main Translation-en_GB
Ign http://archive.qmh-project.org unstable Release
Ign http://archive.qmh-project.org unstable/main armel Packages/DiffIndex
Ign http://archive.qmh-project.org unstable/main armel Packages
Hit http://archive.qmh-project.org unstable/main armel Packages
Reading package lists... Done
pi@raspberrypi:~$
```

◀ **Abbildung 5-4**
Updaten der Paketverwaltungs-Datenbank

Bei diesem Prozess werden natürlich die Informationen aus der Datei */etc/apt/sources.list* ausgewertet.

Installierte Pakete aktualisieren

Mit der Option `update` hast du lediglich die interne Datenbank mit neuesten Paketinformationen versorgt, jedoch keine schon installierten Pakete aktualisiert. Dazu wird die Option `upgrade` *verwendet*. Das entsprechende Kommando lautet wie folgt:

```
sudo apt-get upgrade
```

Mit diesem Befehl werden keine neuen Pakete installiert. Wenn sich durch neue Paketversionen Abhängigkeiten der Pakete untereinander ändern, werden aber keine etwaigen unnötigen Pakete deinstalliert.

So eine Softwareinstallation ist ja sehr komfortabel. Wenn ich da an *Windows* denke, ist das da schon ein wenig anders. Aber was mache ich denn, wenn ich eine Software auf meinem System installieren möchte, die nicht in einem der Repositories verfügbar ist, oder mir das entsprechende Repository nicht bekannt ist? Dann bin ich ja ganz schön aufgeschmissen!

Hey, *RasPi*. Klasse Einwand! Für einen solchen Fall gibt es einen weiteren Ansatz.

Das könnte wichtig für dich sein

Bevor du neue Softwarepakete über `sudo apt-get install` installierst, ist es ratsam, über `sudo apt-get update` die Datenbank zu aktualisieren, damit die Paketlisten auf dem neuesten Stand sind.

Alternative Paketinstallation

Einen Fall haben wir schon ganz zu Beginn im Kapitel *SD-Karten-Setup* behandelt und vielleicht fällt er dir jetzt wieder ein. Ich habe auf meiner virtuellen Maschine in meinem Ubuntu-Hostsystem das Debian-Image heruntergeladen. Wie habe ich das gemacht? Nun, ich bin mit meinem Internet-Browser auf die Downloadseite gewechselt und habe dort den entsprechenden Link angeklickt. Ganz einfach, nicht wahr. Hier noch einmal zum Verständnis:

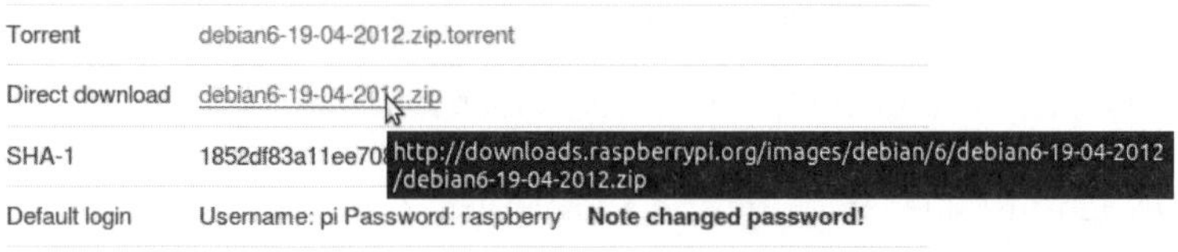

Torrent	debian6-19-04-2012.zip.torrent
Direct download	debian6-19-04-2012.zip
SHA-1	1852df83a11ee70 http://downloads.raspberrypi.org/images/debian/6/debian6-19-04-2012/debian6-19-04-2012.zip
Default login	Username: pi Password: raspberry **Note changed password!**

◀ **Abbildung 5-5**
Debian-Image auf der Download-Seite von Raspberry Pi

Ich habe den Mauszeiger einmal über dem Link des direkten Downloads verweilen lassen, so dass mir über den *Tooltip* die dahinter liegende *URL* (*Internet-Adresse*) angezeigt wurde. Wenn mir eine derartige Adresse von vornherein bekannt ist, kann ich auch einen eleganteren Weg wählen.

Dateidownload mit wget

Es gibt da ein Kommandozeilen-Tool mit dem Namen *wget*.

```
erik@erik-ubuntu: ~/Downloads
erik@erik-ubuntu:~/Downloads$ wget http://downloads.raspberrypi.org/images/debian/6/debian6-19-04-2012/debian6-19-04-2012.zip
--2012-06-28 12:51:57--  http://downloads.raspberrypi.org/images/debian/6/debian6-19-04-2012/debian6-19-04-2012.zip
Auflösen des Hostnamen »downloads.raspberrypi.org (downloads.raspberrypi.org)«... 94.136.44.110
Verbindungsaufbau zu downloads.raspberrypi.org (downloads.raspberrypi.org)|94.136.44.110|:80... verbunden.
HTTP-Anforderung gesendet, warte auf Antwort... 301 Moved Permanently
Platz: http://downloads.raspberrypi.org/download.php?file=/images/debian/6/debian6-19-04-2012/debian6-19-04-2012.zip [folge]
--2012-06-28 12:52:02--  http://downloads.raspberrypi.org/download.php?file=/images/debian/6/debian6-19-04-2
012.zip
Wiederverwendung der bestehenden Verbindung zu downloads.raspberrypi.org:80.
HTTP-Anforderung gesendet, warte auf Antwort... 200 OK
Länge: nicht spezifiziert [text/html]
In »»debian6-19-04-2012.zip«« speichern.

    [ <=>                                                   ] 15.271      --.-K/s   in 0,03s

2012-06-28 12:52:02 (427 KB/s) - »»debian6-19-04-2012.zip«« gespeichert [15271]

erik@erik-ubuntu:~/Downloads$ ls -l
insgesamt 16
-rw-rw-r-- 1 erik erik 15271 Jun 28 12:52 debian6-19-04-2012.zip
erik@erik-ubuntu:~/Downloads$
```

◀ **Abbildung 5-6**
Mit wget eine Datei aus dem Internet laden

Wie du siehst, habe ich hinter *wget* einfach die *URL* angefügt, die mir der *Tooltip* eben angezeigt hat. Ein entscheidender Vorteil ist natürlich die automatisierte Abarbeitung von verschiedenen Internetadressen mit *wget* in einem *Shell-Skript*. Die unterstützen Protokolle sind hier z.B. *ftp*, *http* und *https*. Mit `ls -l` habe ich den Erfolg des Downloads überprüft und siehe da: Die Datei ist nun vorhanden. Bei diesem Download handelte es sich ja um eine gepackte Datei mit der Endung *zip*. Kommen wir doch noch einmal zurück zur Paketinstallation. *Debian-Pakete* besitzen die Dateiendung *deb* und können auf die gleiche Weise aus dem Internet geladen werden. Wir können unsere Datei aber nicht so ohne Weiteres mit dem schon bekannten *apt-get* installieren, denn sie ist ja nun *lokal* in unserem Dateisystem gespeichert. Da wären wir auch schon beim nächsten Punkt.

Paketinstallation mit dpkg

Das dpkg-Kommando ermöglicht es uns, *Debian-Pakete*, die in *binärer Form* vorliegen, also schon kompiliert sind, mit der Endung *deb* zu installieren. Mittels der folgenden Zeile habe ich mir eine Datei heruntergeladen, die bei der Programmiersprache *Java* benötigt wird, um auf die serielle Schnittstelle zugreifen zu können. Dies soll hier lediglich als Beispiel dienen, damit du den Ablauf einmal gesehen hast:

```
wget http://ftp.us.debian.org/debian/pool/main/r/rxtx/librxtx-java_2.
2pre2-11_armel.deb
```

Im Anschluss kannst du das Paket mit der folgenden Zeile installieren:

```
sudo dpkg -i librxtx-java_2.2pre2-11_armel.deb
```

Hier ein paar nützliche Schalter für das dpkg-Kommando:

- *-i*: Installation (z.B. `sudo dpkg -i <Paketname>`)
- *-r*: Deinstallation (z.B. `sudo dpkg -r <Paketname>`)
- *-l*: Liste aller installierten Pakete (z.B. `sudo dpkg -l`)

Wir programmieren

6

Bei all den bisher vorgestellten Programmen bzw. Tools ist es dir vielleicht selbst schon einmal in den Sinn gekommen, etwas Ähnliches zu programmieren. Nun, du bist lediglich einen paar Seiten davon entfernt, dich auf diesem Feld betätigen zu können. Mit der Programmierung ist es wie mit allen Dingen im realen Leben. Wir fangen klein an und wenden uns dann komplexeren Sachverhalten zu, die auf *dem* aufbauen, was eben noch neu war. So wird dieses ehemals Neue dann immer wieder zur Grundlage für noch komplexere Vorhaben, und so weiter und so fort. Lasse dich nicht von noch so kompliziert anmutenden Anwendungen blenden oder sogar abschrecken, denn auch *die* Programmierer, die diese entwickelt haben, befanden sich schon einmal an der gleichen Stelle wie du jetzt. Aber vielleicht kennst du dich ja schon ein wenig mit der Materie aus und ich erzähle hier Mumpitz. In diesem Kapitel werden folgende Themen behandelt:

- Welche Programmiersprachen sind denn für den *Raspberry Pi* verfügbar?
- Was ist ein *Programm*?
- Was können wir mit *Python* so anstellen?
- Wir schreiben ein *Python-Skript*.
- Welche grundlegenden Programmkonstrukte gibt es bei *Python*?

Die Programmierung

Wenn du dir deinen *Raspberry Pi* so anschaust, dann ist das, was du direkt vor Augen hast, lediglich ein Stück *Hardware*. Wenn ich hier »lediglich« sage, so möchte ich dieses kleine Wunderwerk in keinster Weise herabwürdigen, sondern nur auf den Umstand hinweisen, dass *Hardware* ohne *Software* – also die Programme, die auf der Hardware ihren Dienst verrichten – nichts weiter als ein nettes Stück Technik ohne Funktion ist. *Hard-* bzw. *Software* leben in einer symbiotischen Gemeinschaft, wobei jede auf die andere angewiesen ist, und stößt der einen etwas zu, wird die andere ebenfalls in Mitleidenschaft gezogen. Auf deinem *Raspberry Pi* kannst du dich, was die Softwareentwicklung betrifft, so richtig austoben, denn es warten wirklich viele Programmiersprachen nur darauf, von dir unter die Lupe genommen zu werden.

Was ist ein Programm?

Wenn du noch in keinster Weise etwas mit *Programmierung* am Hut hattest, dann wird dich bestimmt das Folgende interessieren. Bei der *Programmierung* haben wir es im Grunde genommen mit zwei Bausteinen zu tun:

Programmbaustein 1: Der Algorithmus

Das *Programm* soll eigenständig eine bestimmte Arbeit erledigen. Aus diesem Grund wird ein sogenannter *Algorithmus* erstellt, der eine (An-)Sammlung von Einzelschritten umfasst, mittels derer die von dir gewünschte Aufgabe in einen erfolgreichen Programmablauf umgesetzt wird. Ein *Algorithmus* ist also eine *Rechenvorschrift*, die wie ein Waschzettel abgearbeitet wird.

Programmbaustein 2: Die Daten

Der *Algorithmus* nutzt zur Abarbeitung seiner Einzelschritte Werte, die ihm bei seiner Arbeit behilflich sind. Dazu nutzt er eine Technik, die es ihm ermöglicht, Werte abzuspeichern und später wieder abzurufen. Die Daten werden in sogenannten *Variablen* im Speicher abgelegt und sind dort jederzeit verfügbar. Doch dazu später mehr.

Was bedeutet Datenverarbeitung?

Unter *Datenverarbeitung* verstehen wir das Anwenden eines *Algorithmus*, der Daten abruft, über unterschiedliche Berechnungen verändert und später wieder ausgibt. Dieses Prinzip wird *EVA* genannt:

- **E**ingabe
- **V**erarbeitung
- **A**usgabe

◀ **Abbildung 6-1**
Das EVA-Prinzip

Was sind Variablen?

Ich hatte schon kurz erwähnt, dass Daten in *Variablen* abgespeichert werden. Diese spielen bei der Programmierung eine zentrale Rolle und werden in der Datenverarbeitung genutzt, um Informationen jeglicher Art zu speichern. Du kannst für den Begriff *Variable* auch *Platzhalter* verwenden, obwohl das heutzutage niemand wirklich tut. Aber diese Bezeichnung bringt es wirklich auf den Punkt. Eine *Variable* belegt innerhalb des Speichers einen bestimmten Platz und hält ihn frei. Der Computer verwaltet jedoch diesen (Arbeits-)Speicher mit seinen eigenen Methoden. All das erfolgt mittels irgendwelcher kryptischen Bezeichnungen, die sich unsereins schlecht merken kann. Aus diesem Grund kannst du Variablen mit sprechenden Namen versehen, die dann intern auf die eigentlichen Speicheradressen verweisen. Wenn ich zur ersten Programmiersprache komme, wirst du sehen, was ich damit meine und wie das Ganze funktioniert.

Mit welchen Programmiersprachen kann gearbeitet werden?

Hier einmal eine kleine Liste der Programmiersprachen, die du verwenden kannst, die aber bei weitem nicht komplett ist. Die Reihenfolge ist willkürlich gewählt – naja, bis auf die Sprache *Python*, die ich an erster Stelle anführe, weil ich persönlich sie wirklich klasse finde:

- Python
- Perl
- Shell-Skript
- Basic
- C/C++
- Pascal
- Java
- Assembler und viele weitere

Im Folgenden möchte ich dir einige der hier genannten Sprachen vorstellen, aber das kann aufgrund des begrenzten Platzes in diesem Buch nur ansatzweise geschehen. Mir dem Wissen über jede einzelne dieser Programmiersprachen könnten mehrere Bücher gefüllt werden. Darum werde ich im Anhang auch ein paar Buchtitel nennen, denn für den einen oder anderen wird dies hier sicherlich eine Initialzündung bedeuten und ein tieferes Studium einläuten.

Python

Hey, wer hätte es gedacht. Ich fange einfach mal mit der Programmiersprache *Python* an, die sehr einfach zu erlernen und zudem sehr mächtig ist. Und was soll ich sagen!? Die Sprache ist in der *Version 2.6.6* bei *Debian Squeeze* und in den *Versionen 2.7.3rc2* sowie *3.2.3rc2* bei *Debian Wheezy* vorinstalliert. Du kannst also eigentlich sofort loslegen. Hinsichtlich der etwas älteren Versionsnummern *2.x.x* solltest du dir keine Sorgen machen, denn viele aktuelle Projekte laufen noch unter *2.x.x*, und das hat seine Gründe. Einer davon ist die Tatsache, dass die *Module*, mit denen die Funktionalität von *Python* erweitert werden kann, noch nicht alle auf *3.x* portiert wurden. Die Community war zudem sichtlich irritiert, um es mal vorsichtig zu formulieren, weil es beim Versionssprung derartige Änderungen gegeben hat, dass die Abwärtskompatibilität teilweise nicht mehr gewährleistet ist. Du kannst also guten Gewissens die *Versionen 2.x.x* nutzen und bist dabei in bester Gesellschaft. Bei *Python* handelt es sich um eine sehr beliebte Sprache, die in die Kategorie *objektorientiert* fällt. Mit ihr können sowohl eigenständige Anwendungen programmiert werden als auch Skripte, z.B. zu administrativen Zwecken. *Guido von Rossum* hat *Python* Anfang der *1990er* Jahre u.a. mit dem Ziel entwickelt, eine einfach zu lernende Sprache mit reduzierter Syntax zu erhalten. Sie findet als Skriptsprache in so bekannten und beliebten Programmen wie z.B. *Blender*, *Gimp* und *OpenOffice.org* Verwendung. Genug der Vorrede. Wir werden *Python* jetzt einfach starten und ein paar erste Zeilen Code schreiben.

Der interaktive Modus

Die einfachste Art, ein paar Zeilen Code zu schreiben ist die *interaktive Methode* über die Kommandozeile. Dazu öffnest du einfach ein *Terminal-Fenster* und tippst *python* ein. Beachte auch hier wieder die *Groß-* bzw. *Kleinschreibung*.

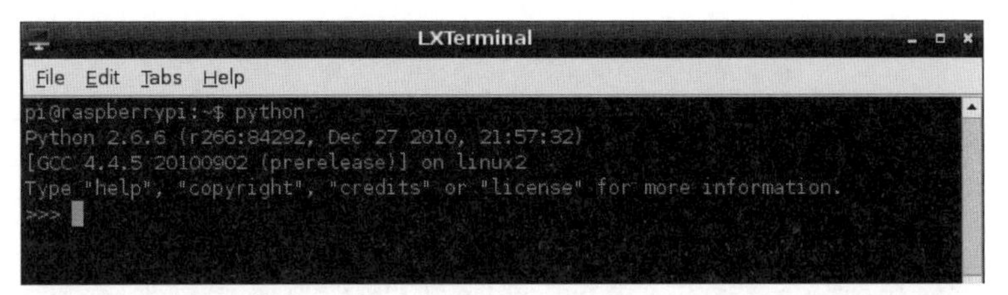

◀ **Abbildung 6-2**
Start des Python-Interpreters

Der *Python-Interpreter* meldet sich mit der Ausgabe seiner Versionsnummer *2.6.6* und weiteren Informationen, die uns aber an dieser Stelle nicht weiter interessieren sollen. Jetzt steht dir *Python* zur Verfügung und wartet auf deine Eingaben. Die führenden >>> zeigen dir an, dass du die Eingaben jetzt nicht mehr in die *Shell* eingibst, deren Prompt ja das $-Zeichen ist. Das Zeichen kann übrigens von Plattform zu Plattform variieren. Wenn wir jetzt die folgende Zeile eingeben, wird *Python* unmittelbar darauf reagieren und die Eingabe interpretieren:

```
print 'Hallo, hier spricht Python!'
```

Im Anschluss an diese Zeile bestätigst du die Eingabe mit der RETURN-Taste.

Achtung

Wenn du *Python* in der *Version 3.x* verwendest, musst du die gerade genannte Zeile wie folgt formulieren. Das ist eine der unangenehmen Anpassungen, von denen ich eingangs gesprochen habe: *print ('Hallo, hier spricht Python!')*. Du siehst, dass jetzt ein rundes Klammernpaar verwendet werden muss.

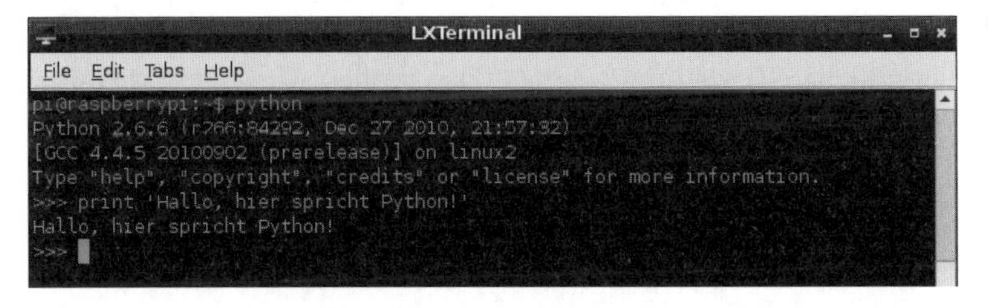

◀ **Abbildung 6-3**
Eingabe der ersten Anweisung für Python

Die `print`-Anweisung veranlasst *Python* etwas auf der *Konsole* auszugeben. Was das sein soll, ist in einfachen Anführungszeichen hinter der Anweisung angeführt. Es handelt sich also um die Ausgabe einer *Zeichenkette*.

Das könnte wichtig für dich sein

Für *die* Spezialisten, die sich schon ein wenig mit Programmierung befasst haben, hier ein Hinweis: Nach der Bestätigung der `print`-Anweisung erfolgt die Ausgabe unmittelbar in der Konsole. Der Code wird nicht durch einen Compiler in *nativen Code*, also *Maschinensprache* übersetzt, so wie das z.B. bei *C/C++* der Fall ist. Er wird *interpretiert*.

Natürlich kannst du mit *Python* auch rechnen:

Abbildung 6-4 ▶ Rechnen mit Python

```
pi@raspberrypi:~$ python
Python 2.6.6 (r266:84292, Dec 27 2010, 21:57:32)
[GCC 4.4.5 20100902 (prerelease)] on linux2
Type "help", "copyright", "credits" or "license" for more information.
>>> print 17 + 4
21
>>>
```

Du siehst hier, dass ich hinter der `print`-Anweisung keine einfachen Anführungszeichen angefügt habe, denn in diesem Fall würde nicht das Ergebnis der *Addition* berechnet, sondern *17 + 4* als Zeichenkette ausgegeben.

Auf dieselbe Weise kannst du wunderbar einzelne *Python-Kommandos* testen, denn du siehst sofort nach der Bestätigung durch die RETURN-Taste das Ergebnis.

Die Code-Eingabe in einen Texteditor

Wenn du dann später richtig programmieren möchtest, wird dein Programm sicherlich mehr als nur eine Zeile Code umfassen. Darum möchte ich dir zeigen, wie du deinen Code in einer Datei ablegst, um diese dann später aufzurufen und den enthaltenen Code auszuführen. Du kennst doch schon den auf deinem System befindlichen Texteditor *Leafpad*. Den wollen wir jetzt erst einmal verwenden, bevor ich dir eine noch bessere Lösung präsentiere.

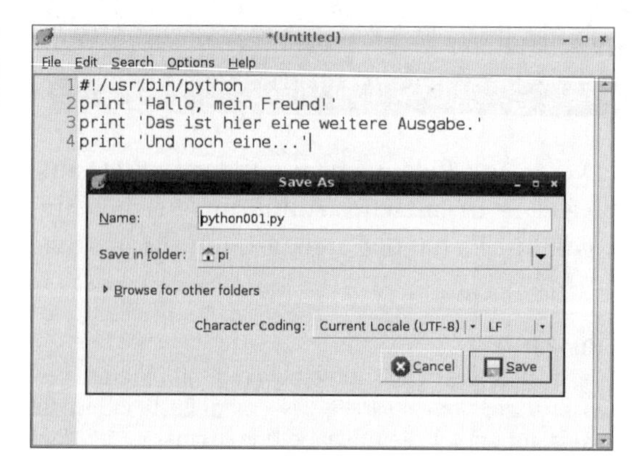

Abbildung 6-5 ▶ Eingabe von Python-Code mit Leafpad

Ich habe den folgenden Python-Code in *Leafpad* eingetippt und bin dann über das Menü FILE gegangen, um die Datei unter dem Namen *python001.py* abzuspeichern. Es ist üblich, eine *Python-Datei* mit der Endung *py* zu versehen.

> Warum werden die Python-Zeilen denn hier nicht sofort nach der Eingabe ausgeführt bzw. von *Python* interpretiert?

Ok, *RasPi*, ich sehe dein Problem. Das ist aber ganz einfach! Als wir eben auf der Kommandozeile den *Python-Interpreter* starteten, haben wir uns in der *Python-Umgebung* befunden und alles, was dort eingegeben wurde, hat sich der *Interpreter* sofort geschnappt, um es dann direkt im Anschluss auszuführen. Das ist ja seine Aufgabe. Wenn wir aber *Leafpad* starten, hat das primär in keinster Weise etwas mit *Python* zu tun. Es handelt sich vielmehr um einen reinen Texteditor, in den du auch das geniale Rezept für *Himbeermarmelade* von deiner Großmutter eintippen kannst. Es besteht seitens *Leafpad* also überhaupt keine Veranlassung, irgendetwas zu interpretieren, was du dort hineinschreibst. Warum auch? Kommen wir aber zu etwas sehr Wichtigem, das du in der *Zeile 1* siehst. Dort findet sich Folgendes:

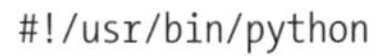

```
#!/usr/bin/python
```

Diese Zeile hat einen speziellen Namen und eine besondere Bedeutung. Sie lautet *Shebang* und beinhaltet den absoluten Pfad zum *Python-Interpreter*. Bei anderen Linux- bzw. Unix-Systemen kann dieser Pfad ggf. anders lauten, wie z.B. */usr/local/bin/python*. Nachdem diese Datei abgespeichert wurde, ist es nun an der Zeit, sie einmal auszuführen. Dazu gibst du in dem Verzeichnis, in dem das Skript abgespeichert wurde, die folgende Zeile ein:

```
./python001.py
```

> Was hat das denn nun wieder zu bedeuten? du hast ja nicht einfach nur den Skript-Namen eingegeben, sondern außerdem noch so spezielle Zeichen davor. Warum das denn? Reicht da nicht einfach der Skript-Name aus?

Das ist natürlich eine berechtigte Frage, *RasPi*. Wenn in Linux ein Skript gestartet wird, dann erfolgt das in der Regel unter der Angabe des absoluten Pfades. Dadurch wird gewährleistet, dass das entsprechende Skript von jeder Stelle im Dateisystem aus gefunden wird. Wenn du dich aber in *dem* Verzeichnis befindest, in dem auch das Skript gespeichert ist, kannst du die Sache etwas abkürzen und den u.U. sehr langen Pfadnamen weglassen. Unter Linux repräsentiert der Punkt ».« immer das aktuelle Verzeichnis. Deshalb kannst du die eben angeführte Schreibweise verwenden. Dennoch kommt es zu einem Fehler bei der Ausführung des Skriptes.

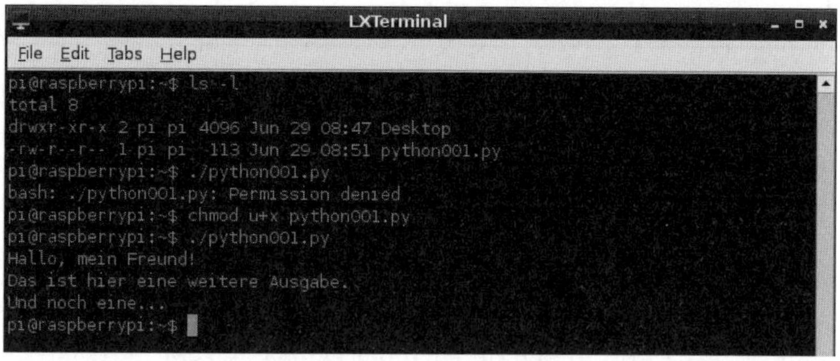

Abbildung 6-6 ▶
Ausführung des Python-Codes mit Hindernissen

```
LXTerminal
File Edit Tabs Help
pi@raspberrypi:~$ ls -l
total 8
drwxr-xr-x 2 pi pi 4096 Jun 29 08:47 Desktop
-rw-r--r-- 1 pi pi  113 Jun 29 08:51 python001.py
pi@raspberrypi:~$ ./python001.py
bash: ./python001.py: Permission denied
pi@raspberrypi:~$ chmod u+x python001.py
pi@raspberrypi:~$ ./python001.py
Hallo, mein Freund!
Das ist hier eine weitere Ausgabe.
Und noch eine...
pi@raspberrypi:~$
```

Die Fehlermeldung stammt aber jetzt nicht aus dem Python-Skript selbst, wo vielleicht ein Fehler entdeckt wurde. Sie hat eine andere Ursache. Erinnere dich bitte an die unterschiedlichen *Zugriffsrechte* bei Dateien aus dem Kapitel über die *Partitionen*. Schauen wir uns die Zeile der Python-Skriptdatei einmal genauer an.

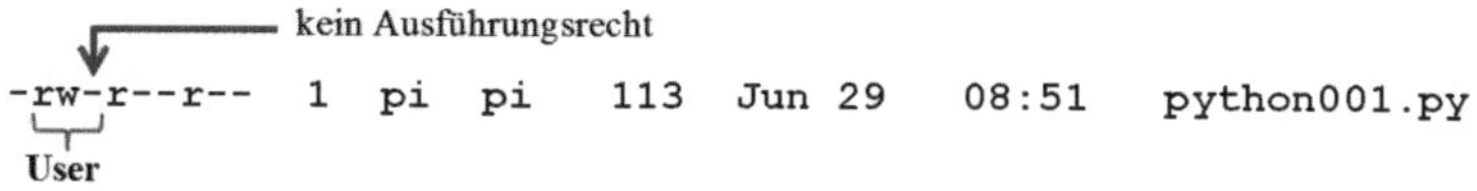

Abbildung 6-7 ▶
Es besteht kein Ausführungsrecht für die Python-Skriptdatei python001.py

```
kein Ausführungsrecht
-rw-r--r--  1  pi  pi  113  Jun 29  08:51  python001.py
User
```

Du bist in *dem* Fall der User dieser Datei und an *der* Stelle, an der sich die Berechtigung zum Ausführen dieser Datei befindet, finden wir nur ein »-«. Das bedeutet im Klartext Folgendes: Die Datei ist nicht ausführbar. Die Fehlermeldung der Shell lautet in diesem Fall *Permission denied*. Abhilfe schafft der dir ebenfalls schon bekannte chmod-Befehl. Über

```
chmod u+x python001.py
```

verleihst du dem User dieser Datei – also dir selbst – die notwendigen Ausführungsrechte. Jetzt sehen die Rechte wie folgt aus:

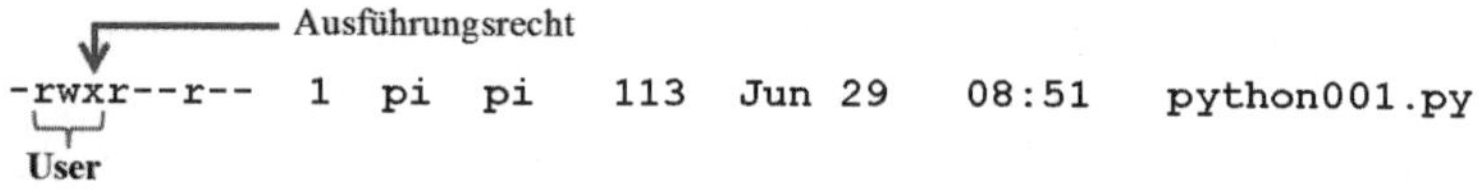

Abbildung 6-8 ▶
Jetzt ist das Ausführungsrecht für die Python-Skriptdatei python001.py gegeben.

```
Ausführungsrecht
-rwxr--r--  1  pi  pi  113  Jun 29  08:51  python001.py
User
```

Wenn du anschließend erneut die Zeile

```
./python001.py
```

eintippst, wird *Python* den Inhalt der Datei ausführen bzw. interpretieren und das Ergebnis auf der Konsole präsentieren.

Eine gute Python-Entwicklungsumgebung

Nun gibt es aber eine noch bessere und effizientere Lösung. Bisher haben wir ja den Quellcode über den *Kommando-Interpreter* im interaktiven Modus eingegeben und ausgeführt oder über ein *Textverarbeitungs-Programm* erstellt, abgespeichert und dann in einem *Terminal-Fenster* gestartet. Das ist auf die Dauer recht mühsam und zeitaufwändig. Aus diesem Grund wurde eine sogenannte *IDE* entwickelt. Eine *IDE* (*Integrated Development Environment*) ist eine *Entwicklungsumgebung*, mit der es möglich ist, Code zu schreiben und ihn gleichzeitig von dort aus auch zu starten. Und stell' dir vor, eine solche Entwicklungsumgebung ist unter Debian Squeeze schon vorinstalliert, und komm' mir jetzt nicht mit dem Spruch: »*Warum hast du das nicht gleich gesagt!*« Ihr Name lautet *Stani's Python Editor* und du kannst sie über das Menü PROGRAMMING starten.

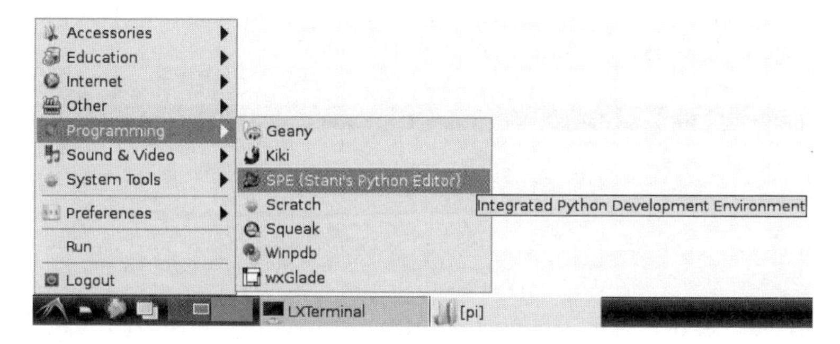

◀ Abbildung 6-9 Stani's Python Editor wird aufgerufen

Verwendest du *Debian Wheezy*, so musst du dieses Programmpaket über die folgenden Befehlszeilen nachinstallieren, was aber natürlich kein Problem darstellt.

```
sudo apt-get update
sudo apt-get install spe
```

Auf den ersten Blick sieht sie wie ein ganz normaler Texteditor aus.

Abbildung 6-10 ▶
Stani's Python Editor

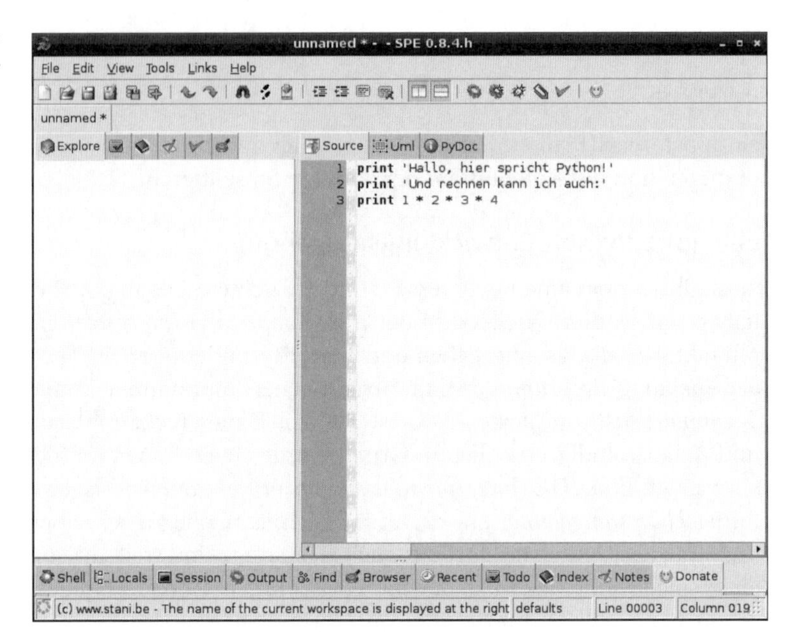

Auf der rechten Seite befindet sich das Fenster, in das du deinen Python-Code eintippen kannst. Wenn du diesen Code jetzt ausführen möchtest, wählst du entweder über das Menü *Tools* die Option RUN WITHOUT ARGUMENNTS/STOP aus oder du drückst die angezeigte Tastenkombination SHIFT+CTRL+R.

Abbildung 6-11 ▶
Starten des Python-Skripts

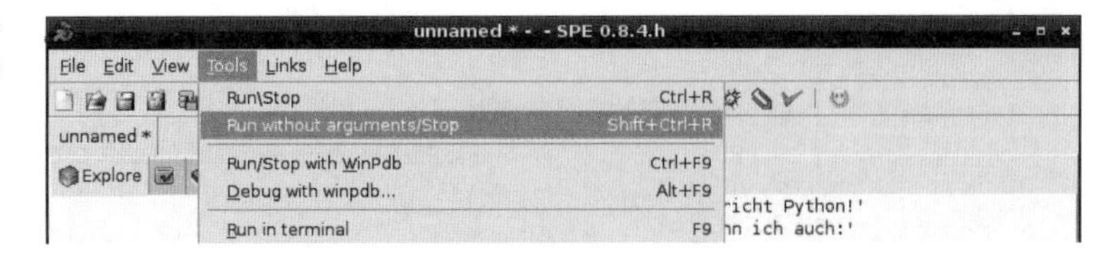

Bevor jedoch die Ausführung beginnen kann, muss der Code gespeichert werden. Es wird eine entsprechende Nachfrage angezeigt, die du auf jeden Fall mit *Yes* bestätigen solltest. Andernfalls passiert nichts weiter.

Abbildung 6-12 ▶
Soll das Python-Skript gespeichert werden?

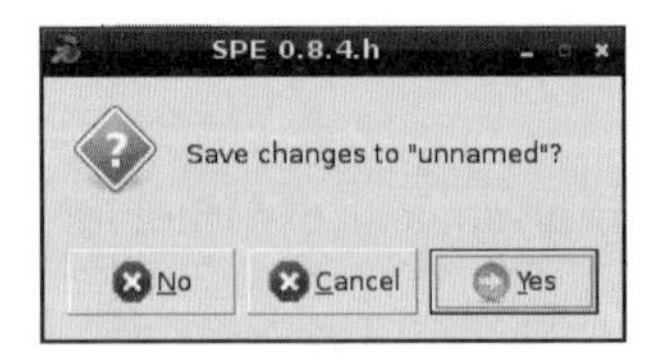

Bei entsprechender Bestätigung wirst du dann aufgefordert, einen Skript-Namen anzugeben.

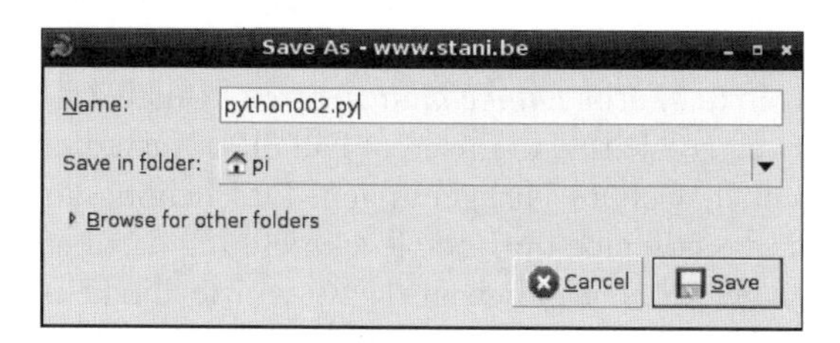

◀ **Abbildung 6-13**
Eingabe eines Namens für das Python-Skript und ggf. Anpassung des Speicherpfades

Wenn du einen Skript-Namen eingegeben hast, wird das Skript in deinem *Home*-Verzeichnis gespeichert, was standardmäßig so vorgegeben ist. Dies kann aber nach Wunsch angepasst werden. Nach einem Klick auf den Button SAVE wird dein Python-Skript gestartet. Die Ausgabe findest du im unteren Bereich der Registerkarte OUTPUT.

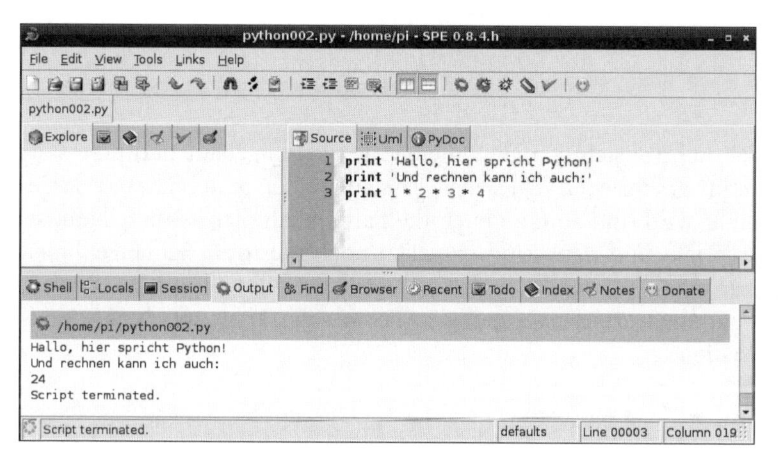

◀ **Abbildung 6-14**
Ausgabe des Python-Skriptes auf der Registerkarte Output

Die Abschlussmeldung *Script terminated* signalisiert dir, dass die Ausführung des Skriptes beendet wurde. Diese Meldung wird sowohl bei einem Skript-Lauf *ohne* als auch *bei* einem Skript-Lauf *mit* etwaigen Fehlern angezeigt.

Wenn ich mir den Code im Editor-Fenster anschaue, dann sehe ich da unterschiedliche Farben. Was hat das denn zu bedeuten?

Gut beobachtet, *RasPi*! Das ist eine wirklich gute Einrichtung einer modernen Entwicklungsumgebung, die sich *Syntax Highlighting* nennt. Eine Programmiersprache verfügt über einen bestimmten Befehlssatz, ähnlich wie der Wortschatz deiner Muttersprache, dessen du dich bedienst, um mit deinen Mitmenschen zu kommunizieren. *Diese* Wörter einer Programmiersprache, die auch *Schlüsselwörter* genannt werden, werden von der Entwicklungsumgebung farblich dargestellt. Der *print*-Befehl ist ein solches *Schlüsselwort* und wird deshalb *fett* formatiert in der Farbe *Dunkelblau* angezeigt. Auch Zeichenketten haben ihre eigene Farbe, in unserem Fall *Lila*. Nach diesem Schema gibt es noch weitere Farbgebungen. Das Schöne an dieser Einrichtung ist, dass du eine optische Rückmeldung darüber erhältst, was da von dir gerade eingegeben wird bzw. wurde. Ein Fehler im Code wird dir von der Entwicklungsumgebung mittels Schlangenlinien unterhalb des betroffenen Bereiches angezeigt.

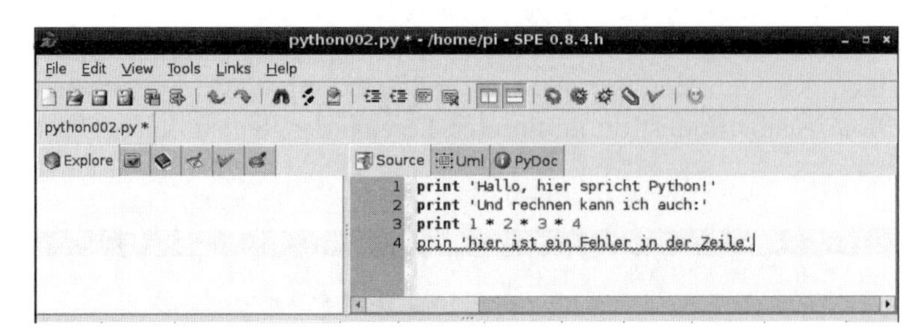

Abbildung 6-15 ▶ Ein Fehler im Python-Skript wurde erkannt.

Ich habe absichtlich einmal einen Fehler eingebaut und `prin` statt `print` geschrieben. Du siehst, dass zum einen `prin` nicht fett dargestellt wird und zum anderen die Farbe auch nicht Dunkelblau ist. Ach ja... und dann sind natürlich noch die roten Schlangenlinien darunter. Wenn du trotzdem versuchst, das Skript zu starten, bekommst du die Quittung in Form einer Fehlermeldung seitens *Python*.

```
/home/pi/python002.py
File "/home/pi/python002.py", line 4
prin 'hier ist ein Fehler in der Zeile'
^
SyntaxError: invalid syntax
Script terminated.
```

Abbildung 6-16 ▶ Hier die entsprechende Fehlermeldung

Der Hinweis *invalid syntax* deutet darauf hin, dass etwas programmiert wurde, das *Python* nicht versteht, also nicht Teil des Wortschatzes dieser Sprache ist.

Hinsichtlich der Entwicklungsumgebung und deren Funktionalität möchte ich auf die Online-Hilfe verweisen, denn sie ist derart umfangreich, dass eine umfassende Erläuterung den Rahmen dieses Buches sprengen würde. Im Folgenden möchte ich ein wenig auf die Programmierung mit *Python* eingeben, damit du eine ungefähre Vorstellung bekommst, was Programmieren bedeutet.

Wir programmieren mit Python

Wo soll ich beginnen? Diese Frage habe ich mir gestellt, denn es ist ein derart umfangreiches Themengebiet, das ich lediglich an der Oberfläche kratzen kann und das ist schon zu viel versprochen.

Zeichenketten

Was eine Zeichenkette ist, dass hast du schon anhand der Ausgabe auf der Konsole in Verbindung mit der *print*-Anweisung gesehen. Zeichenketten können in einfachen oder auch doppelten Hochkommata eingeschlossen werden. Folgende Schreibweisen sind also völlig legitim:

```
print 'Ich bin eine Zeichenkette'
print "Und ich ebenfalls"
```

Eine solche *Zeichenkette* wird auch *String* genannt, wobei der komplette *String* als *String-Literal* bezeichnet wird. Wenn du mehrere Strings miteinander verbinden möchtest, so dass sie wie ein einziger String angezeigt werden, kannst du das »+«-Zeichen zum *Konkatinieren*, also *Verbinden,* verwenden.

```
print 'Ich bin eine Zeichenkette,' + ' die hier noch weiter geht'
```

Kommentare

In *Python* und auch anderen Programmiersprachen gibt es sogenannte *Kommentare*. Sie dienen dazu, einen Freitext zu platzieren, der vom Python-Interpreter ignoriert wird. Für diesen ist das dann ganz so, als sei er überhaupt nicht vorhanden. Warum aber dann das Ganze? Nun, ein *Kommentar* dient als Gedankenstütze. Es können beispielsweise bestimmte knifflige Programmierpassagen mit erläuternden Hinweisen versehen werden, so dass der Programmierer auch nach längerer Zeit noch weiß, was er dort wie und warum getan hat. Das kann auch für andere Programmierer hilfreich sein, die den Code nicht entwickelt haben. Ein Kommentar wird mit einem Rautenzeichen »#« eingeleitet und alles, was dann bis zum Zeilenende folgt, wird vom Interpreter ignoriert.

```
Source | Uml | PyDoc
1  # Ich bin eine Kommentarzeile und Python ist egal, was hier steht.
2  print 'Hallo mein Freund, ' # print 'wie gehts Dir?'
```

◀ **Abbildung 6-17**
Kommentare

Zeile 1 wird komplett als Kommentarzeile angesehen, wogegen in *Zeile 2* alles bis zum Auftreten des Rautezeichens interpretiert wird.

Der Passus *print 'wie geht's Dir?'* wird nicht ausgeführt, auch dann nicht, wenn er legalen ausführbaren Code enthält. Kommentare werden in der Entwicklungsumgebung in der Farbe *Grün* dargestellt und sind somit auch sofort zu erkennen.

Zahlen

Um mit einer Programmiersprache Berechnungen durchführen zu können, müssen unterschiedliche *Zahlen-Literale* vorhanden sein. Es gibt da z.B. *Ganzzahlen* oder auch *Fließkommazahlen*. In der folgenden Abbildung siehst du ein paar entsprechende Beispiele. Wie du damit rechnen kannst, zeige ich dir im Anschluss.

Abbildung 6-18 ▶
Einige Beispiele für Zahlen-Literale

Source | Uml | PyDoc

```
1 print 1234  # positive Ganzzahl
2 print -17   # negative Ganzzahl
3 print 1.19  # Fliesskommazahl
4 print 2.6E3 # Exponentialschreibweise
5 print 0xFF  # Hexadezimale Zahl
```

Ganzzahlen haben keinen Nachkommaanteil und werden auch als *Integer-Zahlen* bezeichnet. Im Gegensatz dazu haben *Fließkommazahlen* einen Dezimalpunkt, wie du das z.B. in Zeile *3* und *4* siehst. Es gibt in *Python* noch weitere Zahlen-Literale, die aber nicht Thema dieses Buches sein werden.

Operatoren

Damit du mit Zahlen auch Berechnungen durchführen kannst, sind zahlreiche *Operatoren* vorhanden, von denen ein paar wichtige in der folgenden Tabelle angeführt sind:

Tabelle 6-1 ▶
Operatoren

Operator	Bedeutung
+	Addition (z.B. *print 17 + 4*)
-	Subtraktion (z.B. *print 34 – 2*)
*	Multiplikation (z.B. *print 5 * 3*)
/	Division (z.B. *print 3 / 4*)
**	Potenzierung (z.B. *print 2 ** 4*)

Ich habe jetzt ein paar Experimente mit den Operatoren durchgeführt und bin auf ein Problem gestoßen. Bei der Division zweier Zahlen kommt immer das Ergebnis *0* heraus. Meine einfache Operation lautet *print 3 / 4*. Was mache ich denn da nur falsch?

Gut, dass das jetzt passiert! Das hat einen ganz plausiblen Grund. Du verwendest bei der Division zwei Zahlen-Literale vom Typ *Ganzzahl*. Wenn du nun diese Division startest, dann ist das Ergebnis ebenfalls vom Typ *Ganzzahl*. Die Berechnung *3 / 4* ergibt normalerweise *0,75*. Wenn bei dem Ergebnis aber keine Fließkommazahl gespeichert werden kann, lautet es eben aber nur *0*. Du musst folgenden Trick anwenden. Schreibe

```
print 3.0 / 4
```

und du wirst sehen, dass jetzt das korrekte Ergebnis angezeigt wird. Wenn eine Zahl ein *Fließkomma-Literal* ist, wird die zweite ebenfalls in dieses Format konvertiert und das Ergebnis stimmt.

Variable

Was *Variablen* sind, das hast du in diesem Kapitel in der Theorie schon mitbekommen. Jetzt ist es an der Zeit, ein paar praktische Erfahrungen mit ihnen zu sammeln.

```
Source | Uml | PyDoc
1  a = 17 # Variable a mit dem Wert 17 initialisiert
2  b = 4  # Variable b mit dem Wert 4 initialisiert
3  t = 'Hier kommen die Ergebnisse:' # Variable t mit einem Text initialisiert
4
5  # Diverse Berechnungen durchfuehren
6  print 'a = ', a
7  print 'b = ', b
8  print t
9  print 'a + b = ', a + b
10 print 'a - b = ', a - b
11 print 'a * b = ', a * b
```

◀ **Abbildung 6-19**
Arbeiten mit Variablen

In den Zeilen *1* und *2* werden die Variablen *a* und *b* mit den angegebenen Werten initialisiert. Dazu wird der *Zuweisungsoperator* »=« verwendet. Auf die gleiche Weise wird der Variablen *t* eine Zeichenkette zugewiesen.

```
/home/pi/pythontest001.py
a =  17
b =  4
Hier kommen die Ergebnisse:
a + b =  21
a - b =  13
a * b =  68
Script terminated.
```

◀ **Abbildung 6-20**
Ausgabe der Berechnungen mit Variablen

Natürlich könntest du auch ohne Variablen arbeiten und überall dort, wo *a* bzw. *b* steht, die Werte *17* bzw. *4* einsetzen. Das hätte aber einen entscheidenden Nachteil. Stell dir einmal vor, du möchtest die Berechnungen mit anderen Werten durchführen. Was würde das dann für eine Tipparbeit nach sich ziehen. Alle Werte müssten durch die neuen ersetzt werden. Das wäre einerseits mit viel Aufwand verbunden und andererseits recht fehleranfällig. Bei der Nutzung von Variablen musst du die Anpassungen lediglich an zwei Stellen vornehmen und schon rechnet das Programm mit den neuen Werten.

Achtung

In anderen professionellen Programmiersprachen wie z.B. *C/C++* ist es erforderlich, bei der Verwendung einer Variablen dieser einen *Datentyp* zuzuweisen. Ein *Datentyp* legt fest, welcher Inhalt der betreffenden Variablen zugewiesen werden darf. Wenn z.B. eine Variable in *C/C++* den Datentyp *int* für *Ganzzahlen* hat, können ihr keine *Zeichenketten* zugewiesen werden. *Python* ist diesbezüglich sehr flexibel und verlangt bei der Initialisierung einer Variablen keinen Datentyp. Wie aber funktioniert denn das überhaupt? Ganz einfach! Anhand der Initialisierung mit einem *Literal* erkennt *Python* den *Datentyp*. Wir werden uns das gleich an ein paar Beispielen ansehen.

Ich werde in den folgenden Beispielen verschiedenen Variablen einfach unterschiedliche *Literale* zuweisen und dann den Datentyp mit Hilfe einer Funktion ausgeben lassen.

Abbildung 6-21 ▶
Initialisierung von Variablen unterschiedlichen Datentyps

```
Source | Uml | PyDoc
1  # Variablen-Initialisierungen
2  a = 10
3  b = 17.4
4  c = 'Hallo Python'
5
6  # Typenausgabe der Variablen
7  print type(a)
8  print type(b)
9  print type(c)
```

In den Zeilen *2*, *3* und *4* werden den Variablen *Literale* zugewiesen, anhand derer *Python* genau erkennt, um welchen Datentyp es sich handelt. Ich nutze für die Anzeige der Datentypen die interne Funktion `type()`. Erkennst Du, um welche Datentypen es sich handelt?

Abbildung 6-22 ▶
Anzeige der Datentypen

```
/home/pi/pythontest002.py
<type 'int'>
<type 'float'>
<type 'str'>
Script terminated.
```

- *int*: Ganzzahl (*Integer*)
- *float*: Fließkomma (*Floating Point*)
- *str*: Zeichenkette (*String*)

Schleifen

In der Programmierung ist es an der Tagesordnung, dass bestimmte Rechenvorgänge immer und immer wiederholt werden müssen. Damit man da aber nicht ständig den gleichen Code hintereinander schreiben muss, gib es sogenannte Schleifen.

Die for-Schleife

Die *for*-Schleife ist eine davon. Wenn du z.B. die Zahlen von *0* bis *5* ausgeben möchtest, kannst du das über den folgenden Code bewerkstelligen:

```
1 for i in range(6):
2     print i
3 print 'Schleifenende'
```

◀ **Abbildung 6-23**
Eine for-Schleife

Der Code sieht auf den ersten Blick vielleicht etwas merkwürdig aus und bedarf einiger Erklärungen. Aber zuerst möchte ich dich mal mit der Ausgabe konfrontieren, die wie folgt aussieht:

```
/home/pi/pythontest001.py
0
1
2
3
4
5
Schleifenende
Script terminated.
```

◀ **Abbildung 6-24**
Das Ergebnis der for-Schleife

Bei der Programmiersprache *Python* gibt es hinsichtlich der *Blockbildung*, auf die ich sofort näher eingehen werde, eine Besonderheit. Eine *for*-Schleife verfügt über einen *Schleifenkopf* und einen *Schleifenkörper*. Der *Kopf* legt fest, *wie oft* die Schleife durchlaufen werden soll, was hier über eine Funktion mit dem Namen *range()* festgelegt wird. *Range* bedeutet *Bereich,* und der wird von Beginn (*0*) bis zum Ende (*6-Mal*) durchlaufen. Der *Körper* beinhaltet *das*, was ausgeführt werden soll. In anderen Programmiersprachen, wie z.B. *C/C++*, wird diese Blockbildung mit einem geschweiften Klammerpaar gekennzeichnet, also { ... }. Alles, was sich innerhalb dieser Klammern befindet, gehört zu einem Block und wird dementsprechend zusammenhängend ausgeführt. Bei *Python* wird eine solche Blockbildung über das *Einrücken* mittels Tabulator realisiert. Schau her:

Abbildung 6-25 ▶
Blockbildung über das Einrücken in der for-Schleife

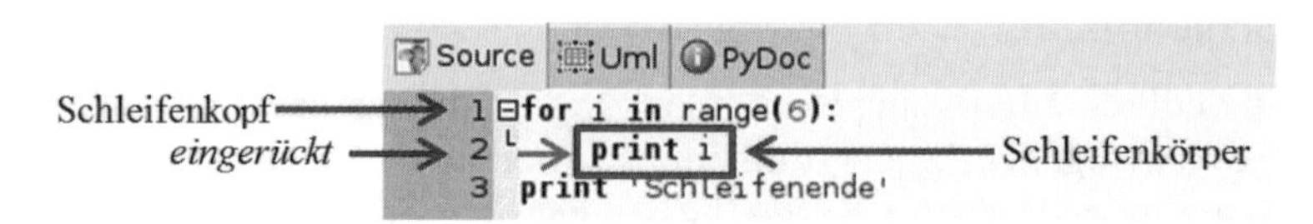

Die eingerückte print-Anweisung in *Zeile 2* ist Teil des Blocks und gehört zum *Schleifenkörper*. Sie wird 6 Mal ausgeführt. Die Variable *i* durchläuft nacheinander die Werte von *0* bis *5*. Die nachfolgende print-Anweisung in *Zeile 3* hingegen ist nicht mehr eingerückt und wird dementsprechend auch nur einmalig ausgeführt. Wenn mehrere Anweisungen Teil der *for*-Schleife sein sollen, musst du diese ebenfalls einrücken.

Abbildung 6-26 ▶
Zeile 3 gehört jetzt ebenfalls zum Block der for-Schleife

```
Source  Uml  PyDoc
1 for i in range(6):
2     print i
3     print 'Ich spreche aus der for-Schleife zu Dir!'
4 print 'Schleifenende'
```

Zeile *3* ist nun ebenfalls eingerückt und wird ebenfalls 5 Mal aufgerufen.

Das könnte wichtig für dich sein

Die Entwicklungsumgebung zeigt dir die Blockbildung sehr schön an, indem sie vor die betreffenden Zeilen eine *Umklammerung* setzt. Die Kopfzeile bekommt zudem noch ein *Einklapp-Symbol [-]*, um den gesamten Block auf Wunsch bei einem Klick auf das Symbol zu minimieren. Das ist manchmal bei recht großen Blöcken sinnvoll, wenn es darum geht, einen Fehler zu suchen und den nicht benötigten bzw. schon überprüften Code auszublenden.

Die while-Schleife

Eine while-Schleife beinhaltet im Schleifenkopf eine *Bedingung*. Die Schleife wird so lange durchlaufen, wie diese Bedingung erfüllt, also *wahr* (*True*) ist.

Abbildung 6-27 ▶
Die while-Schleife

```
Source  Uml  PyDoc
1 ende = 10 # Summierungsgrenze
2 summe = 0 # Enthaelt die Summe der Additionen
3 i = 1
4 while i <= ende:
5     summe = summe + i
6     i = i + 1
7 print "Die Aufsummierung von 1 bis %d ist: %d" % (ende, summe)
```

Das vorliegende *Python-Skript* summiert die Zahlen von *1* bis *10* auf und gibt das Ergebnis am Ende aus. Im Gegensatz zur `for`-Schleife, bei der zu Beginn feststeht, wie oft die Schleife durchlaufen werden soll, weist die `while`-Schleife (*Zeile 4*) eine Bedingung im *Schleifen-Kopf* auf. Innerhalb der Schleife muss es theoretisch einen Mechanismus geben, der dafür sorgt, dass irgendwann einmal der Schleifendurchlauf abgebrochen wird.

Dies erfolgt über die Anpassung der Variablen im *Schleifen-Körper (Zeile 6)*. Andernfalls hättest du es mit einer *Endlosschleife* zu tun, die nur durch einen Skript-Abbruch (STRG-C) beendet werden kann.

Funktionen

In der Programmierung gibt es ein Programmkonstrukt, das äußerst nützlich ist. Stelle dir einmal vor, dass du an verschiedenen Programmstellen immer wieder die gleichen Operationen ausführen möchtest, z.B. dass immer der gleiche Text ausgegeben werden soll. Dann kannst du natürlich hingehen und immer wieder diesen Text an *der* Stelle im Programmcode platzieren, an der er gebraucht wird. Muss das nur *ein* oder *zwei* Mal erfolgen, dann ist das ja vielleicht noch ok, bei zahlreicheren Wiederholungen ist diese Vorgehensweise aber sicherlich sehr umständlich. Du musst ja immer das Gleiche an verschiedenen Stellen eingeben.

Aus diesem Grund wurden *Funktionen* entwickelt. Eine *Funktion* kapselt durch eine Blockbildung einen bestimmten Programmcode, der dann später aufgerufen werden kann. Damit das aber funktioniert, muss jede *Funktion* mit einem eindeutigen Namen versehen werden. Wenn du dann später diese Funktion mit ihrem Namen aufrufst, wird der in ihr definierte Code ausgeführt, ganz so, als wenn du ihn an der Stelle des Funktionsaufrufes platziert hättest. Kommen wir zu einem weiteren Beispiel. Nehmen wir einmal an, dass du die Summe zweier Zahlen berechnen möchtest. Eine Funktion kann mehrere Argumente entgegennehmen, mit denen sie dann die Berechnung durchführt. Wir schauen uns das am besten einmal ein einem Programmbeispiel an. Zuerst erfolgt ein Funktionsaufruf ohne Argumente und dann mit zwei Argumenten.

Abbildung 6-28 ▶
Funktionsaufrufe

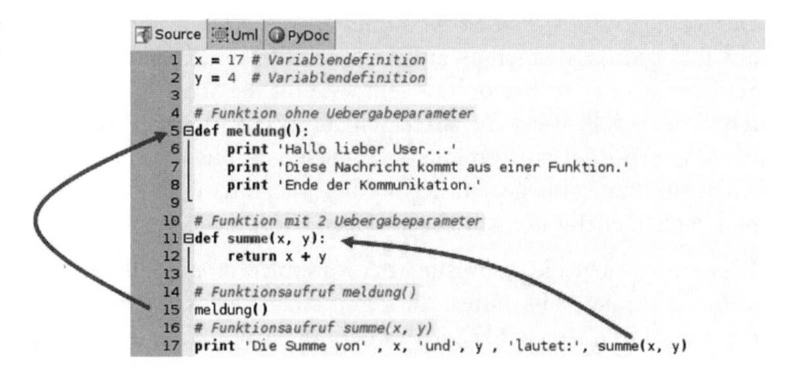

Die Ausgabe dieses Python-Skriptes sieht folgendermaßen aus:

Abbildung 6-29 ▶
Ergebnis der Funktionsaufrufe

```
/home/pi/funktionen.py
Hallo lieber User...
Diese Nachricht kommt aus einer Funktion.
Ende der Kommunikation.
Die Summe von 17 und 4 lautet: 21
Script terminated.
```

Sehen wir uns dazu die *Funktionsdefinition* im Detail an. Eine *Funktion* besteht ähnlich wie eine Schleifendefinition aus einem *Funktionskopf* und einem *Funktionskörper- bzw. rumpf*. Sie wird über das Schlüsselwort def angelegt.

```
def <Funktionsname>([arg1], [arg2], [argN]):
    <Anweisung(en)>
    [return <wert>]
```

Im *Funktionskopf* wird die *Funktion* mit def eingeleitet. Danach folgt der Funktionsname. Wenn keine Argumente übergeben werden, folgt ein rundes Klammernpaar mit einem abschließenden Doppelpunkt. Anschließend folgt der eingerückte *Funktionskörper*, der den Code beinhaltet, der bei einem Funktionsaufruf ausgeführt werden soll. Wenn wir der Funktion zur weiteren Berechnung ein paar Werte (*Argumente*) übergeben möchten, müssen diese innerhalb des runden Klammernpaares angegeben werden. Sie werden dort *Parameter* genannt. Soll z.B. ein berechnetes Ergebnis an den Aufrufer zurückgeliefert werden, so wird die return-Anweisung eingesetzt, die die Ausführung des Codes der Funktion unmittelbar beendet. Eine Funktion muss vor ihrem Aufruf definiert werden, was bedeutet, dass sie erst existiert, wenn die def-Anweisung erreicht wurde.

Funktionsdefinition ohne Parameter

Funktionskopf

```
def meldung():
    print 'Hallo lieber User...'
    print 'Diese Nachricht kommt aus einer Funktion.'
    print 'Ende der Kommunikation.'
```

Funktionskörper

◀ **Abbildung 6-30**
Funktionsdefinition (ohne Parameter)

Sehen wir uns im Gegensatz dazu eine Funktion an, die zwei Übergabewerte (*Argumente*) entgegennehmen kann.

Funktionsdefinition mit Parameter

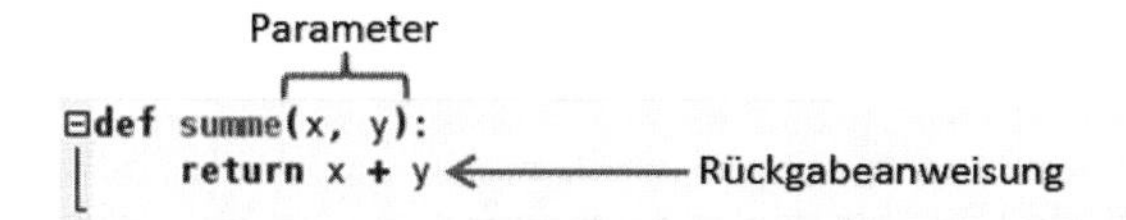
Parameter
def summe(x, y):
return x + y
Rückgabeanweisung

◀ **Abbildung 6-31**
Funktionsdefinition (mit Parameter)

> Kannst du mir bitte noch einmal erklären, wie die Werte an die Funktion übergeben werden. Das habe ich noch nicht so ganz verstanden.

Das ist ganz einfach, *RasPi*. Schau her:

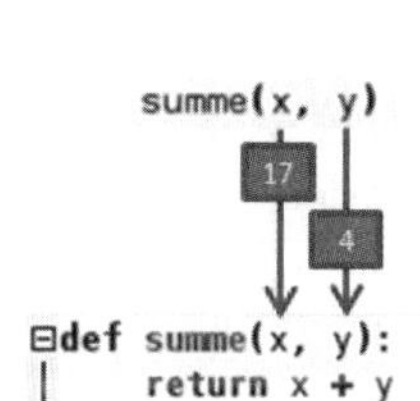
summe(x, y)
17
4
def summe(x, y):
return x + y

◀ **Abbildung 6-32**
Übergabe der Werte an eine Funktion

Die Argumente werden in genau der angegebenen Reihenfolge an die Parameter übergeben.

> Etwas kommt mir aber dennoch komisch vor. Du hast in deinem Programm ganz zu Beginn die beiden Variablen x und y definiert. Diese übergibst du dann in der Funktion summe wieder an dieselben Variablen x und y. Das finde ich schon recht merkwürdig.

Stimmt, *RasPi*, das hätte ich besser anders machen sollen, nehme es aber zum Anlass, etwas Wichtiges zu erläutern. Variablen, die innerhalb einer Funktion deklariert werden, nennen sich *lokale Variablen*. Sie sind nur *innerhalb* der Funktion gültig. Das bedeutet, dass sie nur dann sichtbar bzw. existent sind, wenn die entsprechende Funktion aufgerufen wird. Es handelt sich also bei den Variablen x und y innerhalb der Funktion summe um eigenständige Variablen, die unabhängig von den *globalen Variablen* x und *y* existieren. *Globale Variablen*, wie die zu Beginn des Codes definierten, sind im gesamten Python-Skript verfügbar. Ich denke, dass es für dich verständlicher ist, wenn ich die Funktion wie folgt definiere:

Abbildung 6-33 ▶ Übergabe der Werte an eine Funktion

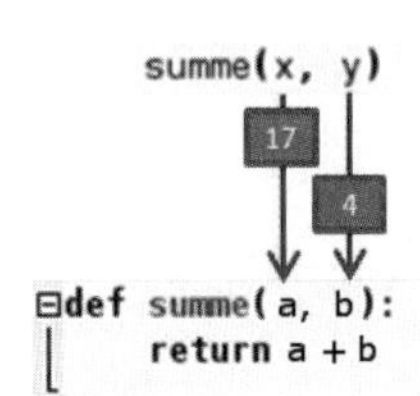


```
def summe(a, b):
    return a + b
```

Jetzt enthält die lokale Variable a eine Kopie der globalen Variablen x und die lokale Variable b eine Kopie der globalen Variablen y.

Wir nutzen das Modul pygame

Die Funktionalität von *Python* ist über sogenannte Module erweiterbar, und bevor wir das Rad an dieser Stelle neu erfinden, möchte ich dir ein sehr interessantes Modul vorstellen. Es nennt sich *pygame* und ermöglicht die Entwicklung von Spielen. Du kannst mit einfachen Kommandos nette grafische Effekte erzielen. Das Python-Skript, das ich dir jetzt zeige, mag dich auf den ersten Blick ein wenig erschlagen, doch ich werde es Schritt für Schritt mit dir durchgehen, damit du nicht auf der Strecke bleibst.

Abbildung 6-34 ▶ Das pygame-Skript

```
1  import pygame # Modul importieren
2
3  WINDOWWIDTH = 300   # Fensterbreite definieren
4  WINDOWHEIGHT = 250  # Fensterhoehe definieren
5
6  RECTX1 = 10        # X-Position Rechteck 1
7  RECTY1 = 50        # Y-Position Rechteck 1
8  RECTWIDTH1 = 100   # Breite Rechteck 1
9  RECTHEIGHT1 = 50   # Hoehe Rechteck 1
10
11 RECTX2 = 130       # X-Position Rechteck 2
12 RECTY2 = 90        # Y-Position Rechteck 2
13 RECTWIDTH2 = 80    # Breite Rechteck 2
14 RECTHEIGHT2 = 150  # Hoehe Rechteck 2
15
16 pygame.init() # pygame initialisieren
17 window = pygame.display.set_mode((WINDOWWIDTH, WINDOWHEIGHT)) # Breite bzw. Hoehe des Ausgabefensters
18 color1 = pygame.Color("green") # Farbe 1 definieren
19 color2 = pygame.Color("red")   # Farbe 2 definieren
20
21 while True: # Endlosschleife
22     # Recteck anzeigen
23     pygame.draw.rect(window, color1, (RECTX1, RECTY1, RECTWIDTH1, RECTHEIGHT1))
24     # Ellipse anzeigen
25     pygame.draw.ellipse(window, color2, (RECTX2, RECTY2, RECTWIDTH2, RECTHEIGHT2))
26     pygame.display.flip() # Refresh des ganzen Fensters
```

Bevor ich mit den Erläuterungen beginne, zeige ich dir vorab schon mal, was quasi *hinten rauskommt:*

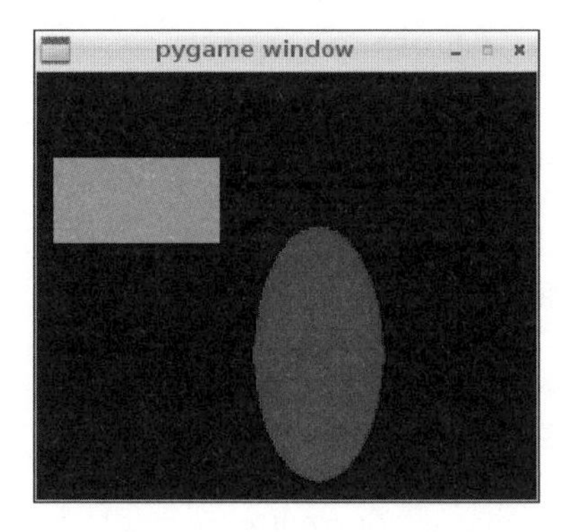

◀ **Abbildung 6-35**
Das Ausgabe-Fenster des pygame-Skriptes

Das könnte wichtig für dich sein

Normalerweise müssen *Python-Module* bei Bedarf nachinstalliert werden. Bei *Debian Squeeze* ist dieses Modul jedoch schon vorinstalliert. Du brauchst dich also darum nicht zu kümmern.

Die erste Zeile dient dazu, das *pygame*-Modul im weiteren Skript überhaupt nutzen zu können. Hier ist die `import`-Anweisung, gefolgt vom *Modul-Namen erforderlich*. Zwischen den *Zeilen 3* und *14* werden sehr viele Variablen mit Werten initialisiert, die später benötigt werden. Um die grafischen Elemente anzeigen zu können, wird ein *Ausgabe-Fenster* benötigt, das quasi als *Container* dient. Ein solches Fenster hat natürlich einige Eigenschaften bzw. Dimensionen, z.B folgende:

- Breite
- Höhe

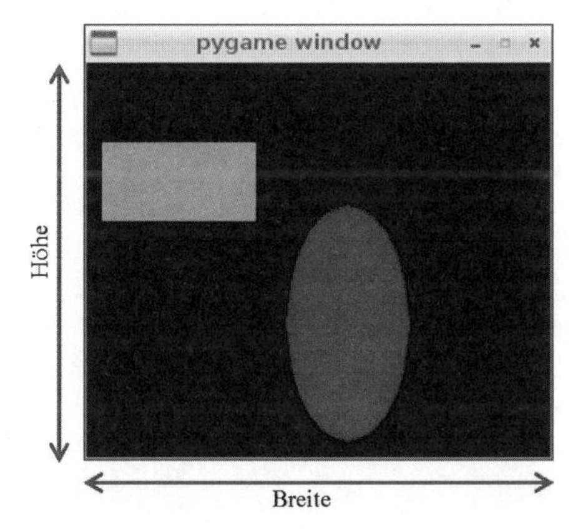

◀ **Abbildung 6-36**
Breite und Höhe des Ausgabe-Fenster

Für die spätere Erzeugung dieses Fensters sind die folgenden Variablen vorgesehen:

```
3  WINDOWWIDTH = 300    # Fensterbreite definieren
4  WINDOWHEIGHT = 250   # Fensterhoehe definieren
```

Sie kommen in der *Zeile 17* zur Anwendung, in der das Fenster definiert wird:

```
17  window = pygame.display.set_mode((WINDOWWIDTH, WINDOWHEIGHT))
```

Jetzt haben wir zwar das Pferd von hinten aufgezäumt, doch es war mir wichtig, dir die Basis für die grafischen Elemente zu zeigen. Kommen wir also zu dem *grünen Rechteck* bzw. der *roten Ellipse*. Ihre Positionen bzw. ihre Dimensionen werden mittels der folgenden Zeilen definiert:

```
 6  RECTX1 = 10          # X-Position Rechteck 1
 7  RECTY1 = 50          # Y-Position Rechteck 1
 8  RECTWIDTH1 = 100     # Breite Rechteck 1
 9  RECTHEIGHT1 = 50     # Hoehe Rechteck 1
10
11  RECTX2 = 130         # X-Position Rechteck 2
12  RECTY2 = 90          # Y-Position Rechteck 2
13  RECTWIDTH2 = 80      # Breite Rechteck 2
14  RECTHEIGHT2 = 150    # Hoehe Rechteck 2
```

Die Definitionen für das *Rechteck* habe ich ja noch verstanden. Doch bei der zweiten Figur handelt es sich doch nicht um ein Rechteck, sondern um eine *Ellipse*. Wie soll ich das denn verstehen?

Eine *Ellipse* in ihren Ausmaßen zu definieren, ist nicht so einfach. Aus diesem Grund hat man sich Folgendes ausgedacht: Jede *Ellipse* passt genau in ein *Rechteck* hinein, das sie umschreibt. Schau her:

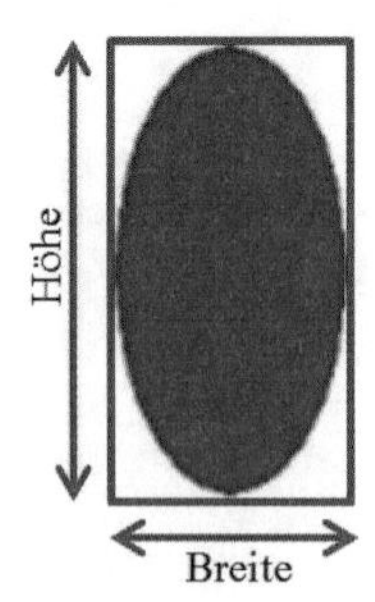

Abbildung 6-37 ▶ Das Rechteck umschreibt die Ellipse

Jetzt können wir also mit den folgenden Zeilen sowohl das *Rechteck* als auch die *Ellipse* zeichnen. Dabei müssen wir jedoch etwas beachten. Wenn ein Python-Skript gestartet wird und bei der letzten Code-Zeile ankommt, wird es beendet. Wir wenden daher einen Trick an und legen die Zeichen-Routinen in einer Endlosschleife ab, die wir mit einer *while*-Schleife konstruiert haben. Du erinnerst dich: Diese Schleife wird so lange durchlaufen, wie die *Bedingung* im Schleifen-Kopf *wahr* (*True*) ist. Damit die grafischen Objekte in unterschiedlichen Farben dargestellt werden, wurden zuvor zwei *Farb-Variablen* definiert.

```
18 color1 = pygame.Color("green") # Farbe 1 definieren
19 color2 = pygame.Color("red")   # Farbe 2 definieren
```

Diese werden in den *Zeilen* 23 und 25 zum Zeichnen des *Rechtecks* bzw. der *Ellipse* angewendet.

```
21 while True: # Endlosschleife
22     # Recteck anzeigen
23     pygame.draw.rect(window, color1, (RECTX1, RECTY1, RECTWIDTH1, RECTHEIGHT1))
24     # Ellipse anzeigen
25     pygame.draw.ellipse(window, color2, (RECTX2, RECTY2, RECTWIDTH2, RECTHEIGHT2))
26     pygame.display.flip() # Refresh des ganzen Fensters
```

In *Zeile 26* erfolgt ein Refresh des gesamten Fensters und die Schleife wird erneut durchlaufen.

Programmieren in C

7

Was wäre das Betriebssystem *Linux* ohne die Programmiersprache *C*? Eben überhaupt nicht existent! In diesem Kapitel möchte ich dir diese Programmiersprache etwas näherbringen. Das ist kein leichtes Unterfangen, denn du weißt, dass der Rahmen dieses Buch beschränkt ist. Ich werde aber dennoch mein Bestes geben, damit du ein Gefühl für die Sprache bekommst. *C* ist auf fast allen Betriebssystemen verfügbar und zählt zu den prozeduralen Programmiersprachen. Sie wurde im Zeitraum von *1969* bis *1973* von *Dennis Ritchie* entwickelt und war für die Programmierung des damals neuen *Unix*-Betriebssystems gedacht. Der *C-Compiler*, den wir hier nutzen, ist der *gcc*, der standardmäßig auf *Debian Squeeze* installiert ist. Es gibt also diesbezüglich keine Probleme mit einer eventuell erforderlichen zusätzlichen Paketinstallation. Das gilt auch für die Entwicklungsumgebung. Der Editor *Geany* ist unter *Debian Squeeze* vorinstalliert und ermöglicht eine komfortable Programmierung in *C*. Er beherrscht *Syntax Highlighting* und der *C-Code* kann direkt aus der Oberfläche heraus kompiliert werden, so dass dir das Ergebnis unmittelbar in einem *Terminal-Fenster* angezeigt wird. Einfacher geht's nun wirklich nicht. Verwendest du *Debian Wheezy*, so musst du dieses Programmpaket über die folgenden Befehlszeilen nachinstallieren, was aber natürlich kein Problem darstellt.

```
sudo apt-get update
sudo apt-get install spe
```

Die Themen in diesem Kapitel werden folgende sein:

- Die Einrichtung des *Geany-Editors*
- Das erste *C-Programm*

- Wie wird *kompiliert?*
- Wie starten wir das *C-Programm?*
- Wir modifizieren das *C-Programm.*
- *Wie wird eine Funktion in C definiert?*
- *Was ist eine* `for`*-Schleife?*

Programmieren in C

Ok, dann schaffen wir uns erst einmal eine Grundlage, um richtig starten zu können. Der *Geany-Editor* wird über `Programming|Geany` aufgerufen.

Abbildung 7-1 ▶ Starten von Geany

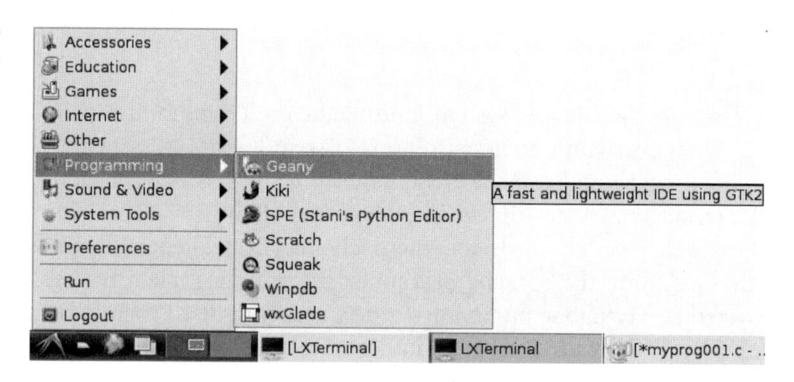

Nach der Auswahl öffnet sich nach kurzer Zeit – ja, auf dem *Raspberry Pi* braucht man manchmal schon etwas Geduld – der *Geany-Editor* in folgendem Gewand:

Abbildung 7-2 ▶ Der Geany-Editor

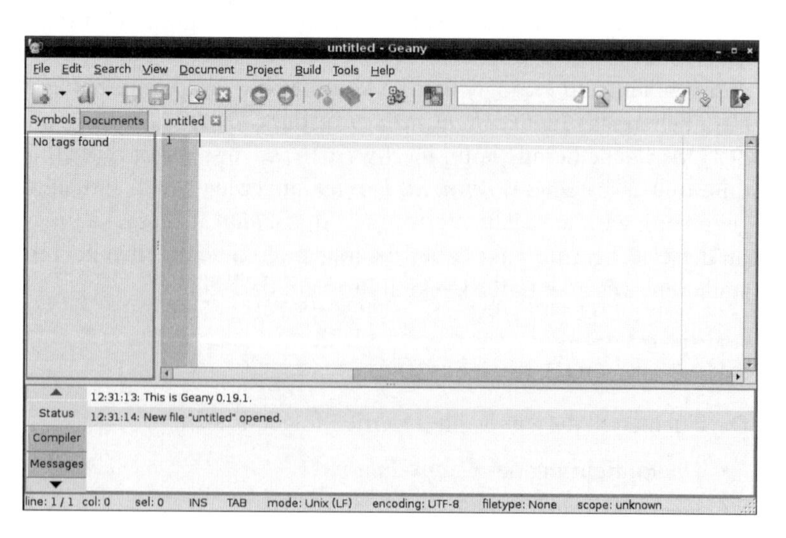

Bevor wir jedoch durchstarten können, müssen wir eine klitzekleine Anpassung bei *Debian Squeeze* vornehmen, da sich sonst nach dem Kompilieren bzw. Starten des Programms das Ausgabe-Fenster nicht öffnet. In den Programmeinstellungen ist für das zu öffnende *Terminal-Fenster* ein für das *LXDE* falscher Eintrag hinterlegt. Öffne daher über `Edit|Preferences` ein Dialogfenster mit den Grundeinstellungen des *Geany-Editors*.

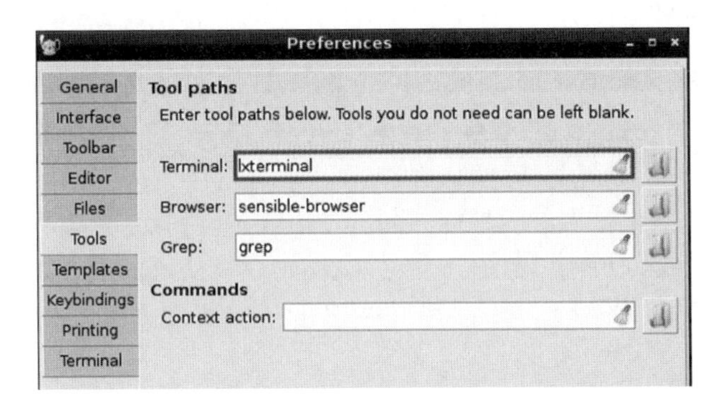

◀ **Abbildung 7-3**
Die »Preferences« des Geany-Editors

Auf der linken Seite befinden sich zahlreiche Registerkarten, von denen du nun *Tools* auswählst. Dann musst du im rot markierten Textbereich den Eintrag `xterm` in `lxterminal` ändern. Nach Bestätigung über die Schaltfläche OK kann es eigentlich schon losgehen. *Geany* bietet standardmäßig für diverse Programmiersprachen vorgefertigte *Templates* an. Dabei handelt es sich um fertigen Quellcode, der als Ausgangsbasis für die jeweils ausgewählte Programmiersprache dient. Für unsere Zwecke wählen wir natürlich das folgende *Template* aus:

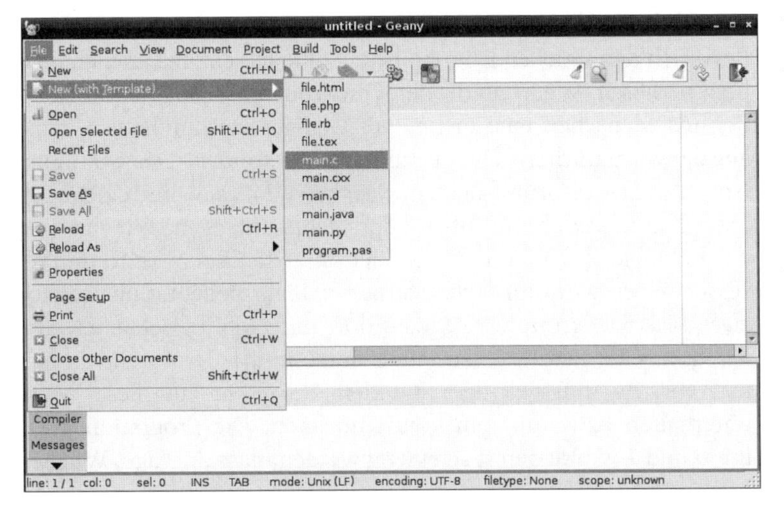

◀ **Abbildung 7-4**
Die Auswahl des geeigneten Templates für die Programmiersprache C

Warum hast du denn gerade diesen Eintrag ausgewählt?

Ok, *RasPi*, das konntest du natürlich noch nicht wissen. Ein *C-Programm* bzw. die Quelldatei wird immer mit der Endung *.c* abgespeichert. Aus diesem Grund habe ich hier den Eintrag *main.c* selektiert. Anschließend wird das *Template* geladen und im *Geany-Editor* angezeigt.

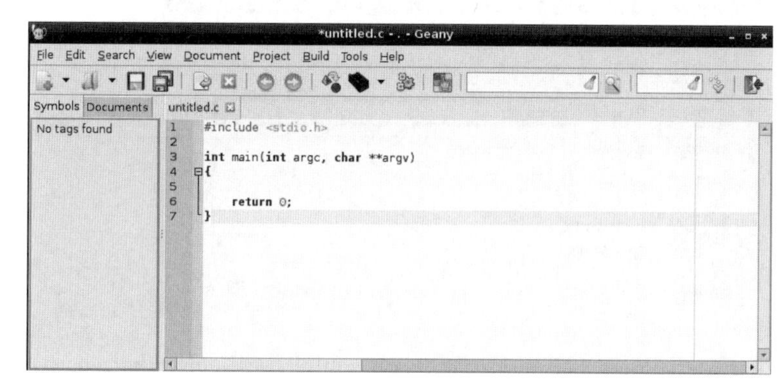

Abbildung 7-5 ▶ Das Template für die Programmiersprache C

Das *Template* beinhaltet im Kopfbereich noch zahlreiche Kommentare, die ich aus Platzgründen hier gelöscht habe, da sie uns nicht interessieren. Wir haben es hier mit einem voll funktionstüchtigen *C-Programm* zu tun, das kompiliert und gestartet werden kann. Gehen wir also die einzelnen Schritte einmal durch.

Quellcode kompilieren bzw. Programm starten

Bevor ich den Quellcode kompiliere, sollte ich ein paar Zeilen hierüber verlieren. Wenn du dir den Quellcode anschaust, dann hat er für uns Menschen eine mehr oder weniger verständliche Syntax, auf die wir natürlich gleich noch eingehen werden. Der Computer bzw. der Prozessor auf deinem *Raspberry Pi* kann mit einem solchen *Kauderwelsch* nun überhaupt nichts anfangen. Für ihn sind das böhmische Dörfer, denn auf der untersten Ebene, also im Prozessor selbst, wird nur *binär* gearbeitet. *Binär* bedeutet übersetzt *je zwei*, was wiederum besagt, dass dort mit zwei logischen Zuständen gearbeitet wird. Die Zustände sind *0* und *1*. Jetzt stelle dir einmal vor, du müsstest dich mit dem Prozessor auf diese Weise unterhalten bzw. mit ihm kommunizieren. Die Programmierung mit *0* und *1* würde derart schwierig werden, dass du Tage, Wochen oder Monate damit beschäftigt wärest, dem Prozessor mitzuteilen, was er denn für dich machen soll. Aus diesem Grund wurden die *Compiler* entwickelt, die den für den Menschen verständlichen Quellcode in eine *native Sprache* übersetzen. Diese Sprache wird *Maschinensprache* genannt und ist nur für *den* Prozessor, für den sie generiert wurde, verständlich. Der *gcc-Compiler*, der auf deinem *Raspberry Pi* seinen Dienst verrichtet, übersetzt den Quellcode für eine *ARM-Architektur* in Maschinensprache. Der gleiche *gcc-Compiler*, der z.B. auf einem *Windows-Betriebssystem* läuft, übersetzt den Quellcode für eine *Intel-Architektur*.

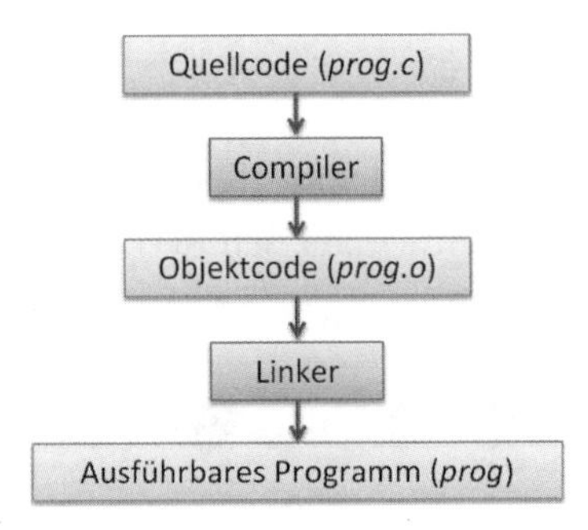

◀ **Abbildung 7-6**
Phasen der Programmerstellung

Die Ausgangssituation ist das Vorliegen eines Programms in Form von *Quellcode*. Der Compiler übersetzt diesen Quellcode in einen noch nicht direkt ausführbaren *Objektcode*. Bei größeren C-Projekten existieren in der Regel mehrere *Quellcode-Dateien*, die allesamt durch die Kompilierung eine Übersetzung in einen eigenen Objektcode erfahren. Diese quasi lose vorliegenden Objekt-Dateien müssen durch einen separaten Vorgang zu einer Einheit, einem *ausführbaren Programm* verknüpft werden. Diese Aufgabe übernimmt der *Linker*, der alle Dateien mit der Endung *.o* zusammenfügt. Ich schlage vor, dass wir die einzelnen Phasen einfach einmal durchspielen, wobei der eigentliche Quellcode hier erst einmal keine Rolle spielt. Dazu kommen wir später.

Phase 1: Quellcode erstellen und abspeichern

Nachdem der Quellcode erstellt wurde (in unserem Fall über das Template), muss er abgespeichert werden. Ich habe dazu den SPEICHERN-*Button* verwendet und den Namen *myprog001.c* gewählt.

Durch diesen Vorgang wird die Quelldatei im Dateisystem abgelegt. Wir überprüfen das mit dem *Filemanager*. Ich habe zur Ablage der C-Programme das Unterverzeichnis *c_programme* angelegt.

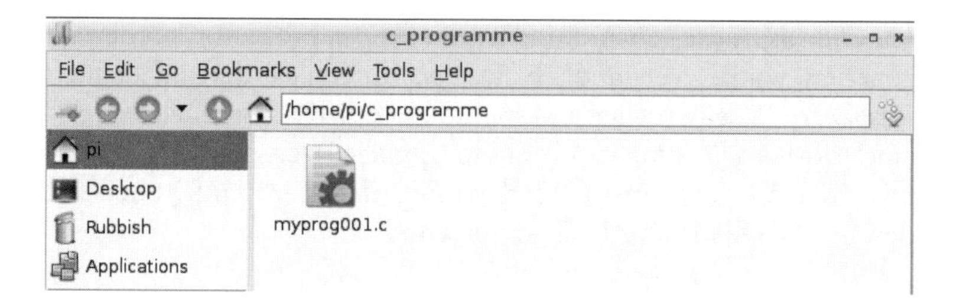

Phase 2: Den Quellcode kompilieren

Nun ist es an der Zeit, den *Quellcode* zu kompilieren, damit daraus der *Objektcode* generiert wird. Dazu klicken wir auf den KOMPILIEREN-*Button*.

Jetzt wird die Objektdatei mit der Endung .o angelegt. Ein Blick in den *Filemanager* sollte das bestätigen.

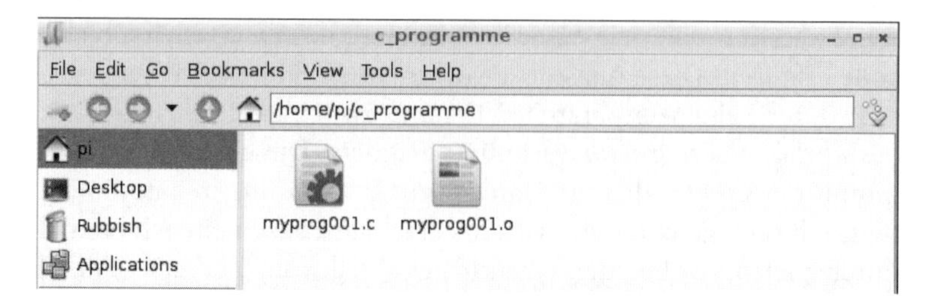

Phase 3: Die ausführbare Datei generieren

Jetzt schieben wir dem *Linker* die Arbeit zu, der aus der Objektdatei (es können auch mehrere sein), eine *ausführbare Datei* generiert. Dazu klicken wir auf den BUILD-*Button*.

Jetzt liegt eine Datei vor, die das wiederspiegelt, was wir in unserer Hochsprache, also in *C*, formuliert haben, und die nun für den Prozessor lesbar ist.

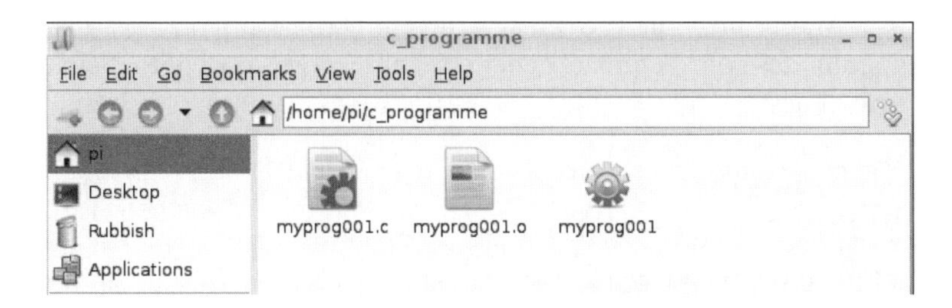

Die Datei *myprog001,* ohne eine Endung, repräsentiert die ausführbare Datei, die den *Maschinencode* enthält.

Phase 4: Ausführen der erstellten Datei

Diese Phase gehört eigentlich nicht mehr zum Erstellungsprozess und zeigt lediglich das Ausführen der Datei über den *Geany-Editor*. Benutze dazu den AUSFÜHREN-*Button*.

Jetzt öffnet sich das *Terminal-Fenster* mit dem Inhalt, den das *C-Programm* gewünscht hat. Wir haben aber noch keine direkte Ausgabe angefordert, so dass wir lediglich mit ein paar Statusmeldungen versorgt werden.

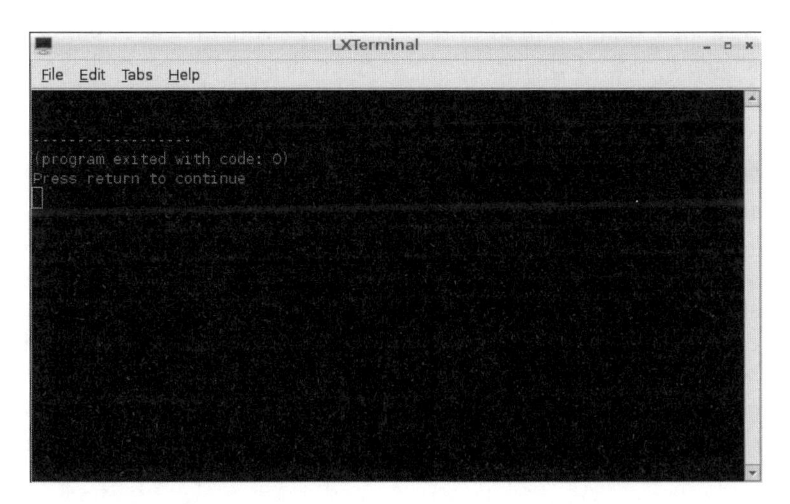

◀ Abbildung 7-7
Terminal-Fenster des gestarteten C-Programms

Der Quellcode im Detail

Da nicht wirklich etwas Interessantes in unserem Ausgabefenster geschieht, wollen wir das jetzt ändern. Doch zuvor muss ich ein paar Worte über die *C-Syntax* verlieren. Dazu werde ich das Programm, das vom Template generiert wurde, etwas erweitern. Schau einmal her:

Abbildung 7-8 ▶
Unser erstes richtiges C-Programm

```
myprog001.c
1  #include <stdio.h>
2
3  int main(int argc, char **argv)
4  {
5      // Das ist eine Kommentar-Zeile
6      printf("Das ist ein C-Programmm.\n\n");
7      int a = 17;
8      int b = 4;
9      printf("Das Ergebnis von %d + %d = %d", a, b, a + b);
10     return 0;
11 }
```

Gehen wir das Programm nun Zeile für Zeile durch.

Zeile 1

Bei der `#include`-Anweisung handelt es sich um eine sogenannte *Präprozessor*-Anweisung. Durch den Kompiliervorgang wird der *Präprozessor* gestartet und ersetzt die angegebene Datei *stdio.h* durch deren Inhalt. Das ist an dieser Stelle erforderlich, denn die `printf`-Anweisung, die in den *Zeilen 6* und *9* zur Anwendung kommt, wird in der Header-Datei *stdio.h* definiert. Eine *Header-Datei* ist immer mit der Endung *.h* versehen. Sie ist hier in spitzen Klammern eingeschlossen, daher handelt es sich um eine *Standard-Bibliothek*. Eine *Präprozessor*-Anweisung wird im Gegensatz zu allen folgenden Befehlen nicht mit einem *Semikolon* angeschlossen. Das *Semikolon* kennzeichnet das Ende eines einzelnen Befehls.

Zeile 3

Jedes *C-Programm* muss über einen definierten *Einsprungpunkt* verfügen, damit bei der späteren Programmausführung auch eindeutig klar ist, wo die Programmausführung beginnen soll. Aus diesem Grund gibt es in *C* und auch in *C++* eine Funktion, die mit einem fest definierten Namen versehen wurde. Sie nennt sich *main()*, was übersetzt so viel wie *Haupt*-Funktion bedeutet. Hier geht's also los. Jede Funktion in *C* bzw. *C++* ist durch ein geschweiftes *Klammernpaar* gekennzeichnet. Dadurch wird eine

Blockbildung ermöglicht, so wie du das schon bei den eingerückten Zeilen in *Python* gesehen hast. Alles, was sich zwischen den geschweiften Klammern befindet, wird als ein zusammenhängender Block angesehen und als Einheit beim Aufruf der Funktion ausgeführt.

```
int main(int argc, char **argv)
{
    // Ich gehöre zur main-Funktion
    // und ich übrigens auch...
}
```

Jede Funktion besitzt zusätzlich noch zwei weitere Aspekte:

- einen Rückgabewert
- keinen, einen oder mehrere Übergabeargumente

Ich hatte schon ein paar Worte über unterschiedliche Datentypen wie z.B. *Ganzzahl*, *Fließkommazahl* oder *Zeichenketten* verloren, um nur einige zu nennen. Der *Datentyp* des *Rückgabewertes* einer Funktion wird unmittelbar vor dem Funktionsnamen angeführt und ist hier mit *int* für *Integer,* also *Ganzzahl,* angegeben. Hinsichtlich der *Übergabeparameter*, die sich in den runden Klammern nach dem Funktionsnamen befinden können und bei uns keine Rolle spielen werden, verweise ich auf das Internet bzw. die einschlägige Literatur.

Zeile 4

Zeile 4 sagt Folgendes: *Hey, hier beginnt die Blockbildung der main-Funktion. Alles, was jetzt vor der schließenden Klammer kommt, gehört zu main.*

Zeile 5

Du hast in *Python* bereits *Kommentarzeilen* kennengelernt. In *C* bzw. *C++ werden solche Kommentarzeilen* mit zwei *Schrägstrichen //* eingeleitet.

Zeile 6

Hier wird eine Bibliotheksfunktion aufgerufen, die sich *printf* nennt. Sie wird dem Compiler über die `Include`-Anweisung quasi bekannt gemacht und kann deswegen an dieser Stelle aufgerufen werden. Die nachfolgende Zeichenkette, die in doppelten Hochkommata eingeschlossen ist, wird auf der *Console* bzw. im *Termi-*

nal-Fenster ausgegeben. Am Ende der Zeichenkette befindet sich eine *Escape-Sequenz* \n, die zweimal hintereinander angeführt ist. Sie bewirkt einen zweifachen Zeilenvorschub.

Zeilen 7 und 8

In diesen beiden Zeilen werden zwei Variablen von Datentyp *int* (*Ganzzahl*) deklariert und dann mit den angegebenen Werten initialisiert. Auf diese Variablen wird im weiteren Programmablauf zugegriffen.

Zeile 9

In dieser Zeile wird es schon etwas kniffliger und ich muss die Sache ein wenig klarer darstellen. Die `printf`-Funktion enthält innerhalb der Zeichenkette gewisse Platzhalter, die mit `%d` gekennzeichnet sind. Das `d` besagt, dass es sich um eine *Dezimalzahl* handelt.

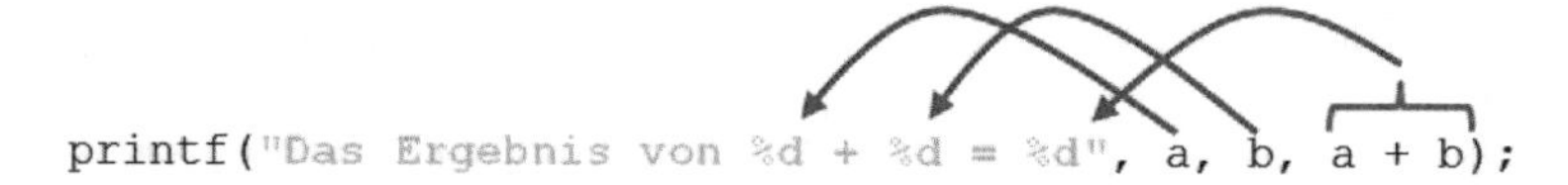

Die durch mehrere Kommata separierten Angaben werden bei der Ausgabe auf die Console in der angegebenen Reihenfolge in die Zeichenkette hineinkopiert und ersetzen die Platzhalter. Die Ausgabe des Programms sieht in dem Fall folgendermaßen aus:

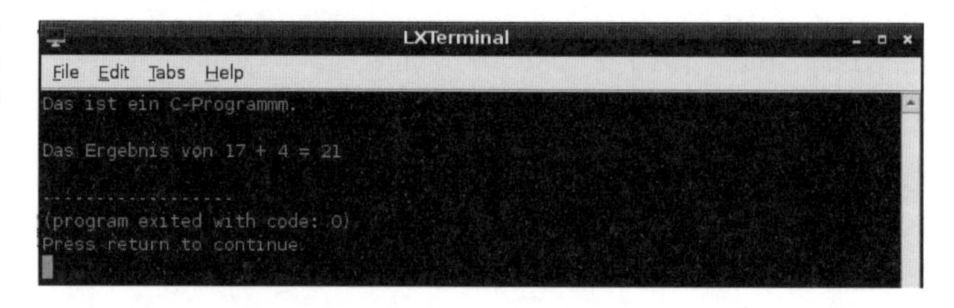

Abbildung 7-9 ▶ Die Ausgabe des C-Programms in einem Terminal-Fenster

Was unterhalb der gestrichelten Linie steht, wird durch die folgende Zeile erklärt.

Zeile 10

Jede Funktion, die über einen Rückgabetyp verfügt, muss einen Wert zurückliefern. Dies geschieht mittels der `return`-Anweisung. Um welchen Wert es sich dabei handelt, wird dahinter angefügt. In C/C++-Programmen ist es üblich, dass eine fehlerfrei ausgeführte

Funktion den Wert *0* an den Aufrufer zurückliefert. Aus diesem Grund steht hier `return 0`, was im *Terminal-Fenster* durch die Nachricht *program exited with code: 0* angezeigt wird.

Zeile 11

Diese Zeile zeigt durch die schließende geschweifte Klammer das Ende der *Blockbildung* der *main*-Funktion an. Die Ausführung ist hiermit beendet.

Wir schreiben unsere eigenen Funktionen

Natürlich kann ich hier in keinster Weise auf alle Sprachelemente von *C* eingehen, doch ich sollte es – genau wie vorher bei *Python* – auch hier nicht versäumen, auf die Definition von *Funktionen* einzugehen. Der Einfachheit halber lege ich bei der zu erstellenden Funktion die gleiche Funktionalität zugrunde. Sie soll die Summe zweier Zahlen bilden und das Ergebnis an den Aufrufer zurückliefern. Hier der Code:

```
1  #include <stdio.h>
2
3  int summe(int, int); // Prototypendefinition
4
5  int main(int argc, char **argv)
6  {
7      // Das ist eine Kommentar-Zeile
8      printf("Das ist ein C-Programmm.\n\n");
9      int a = 17;
10     int b = 4;
11     printf("Das Ergebnis von %d + %d = %d", a, b, summe(a, b));
12     return 0;
13 }
14
15 // Berechnung der Summe zweier Ganzzahlen
16 int summe(int a, int b)
17 {
18     return a + b;
19 }
```

◀ **Abbildung 7-10**
Die Definitionen einer Funktion in einem C-Programm

Bevor eine *Funktion* in *C* verwendet werden kann, muss ein sogenannter *Prototyp* ganz zu Beginn des Programms erstellt werden. Dadurch erhält der Compiler vorab schon einmal ein paar Informationen über *die* Funktion, die wir später im Programm verwenden möchten. Es wird hier zwischen *Funktionsdeklaration* und *Funktionsdefinition* unterschieden. Die Angabe des *Prototypens* entspricht der *Funktionsdeklaration* und liefert lediglich folgende Informationen:

- Funktions-Rückgabedatentyp

- Funktionsname
- Funktionssignatur

An dieser Stelle erfolgt noch keine Auskodierung der eigentlichen Aufgabe der Funktion.

Abbildung 7-11 ▶
Die Bestandteile des Prototypen in einem C-Programm

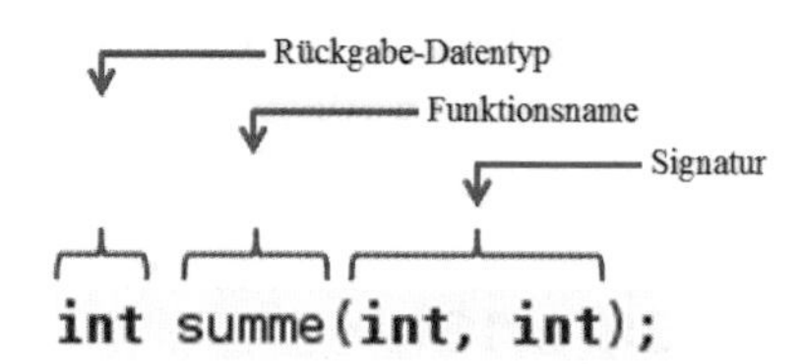

Hast du da nicht etwas vergessen? Wenn ich mir die *Signatur* anschaue und dann einen Blick auf die eigentliche *Funktion* werfe, dann fällt mir auf, dass in der Signatur die Variablennamen fehlen. Hast du die vergessen?

Richtig, *RasPi*! Das ist aber korrekt so. Bei einem Prototypen kannst du die Variablennamen weglassen. Den Compiler interessieren sie an dieser Stelle *noch* nicht. Alles, was zur *Funktionsdefinition* gehört, erfolgt später im Code, in unserem Beispiel in den Zeilen *16* bis *19:*

Abbildung 7-12 ▶
Die Funktionsdefinition in einem C-Programm

```
15    // Berechnung der Summe zweier Ganzzahlen
16    int summe(int a, int b)
17    {
18        return a + b;
19    }
```

Auch hier findest du in *Zeile 18* die dir schon bekannte return-Anweisung, die, vergleichbar mit der in *Python*, das Ergebnis an den Aufrufer zurückliefert.

Warum müssen denn hier an so vielen Stellen die Datentypen angegeben werden? Das war doch bei *Python* nicht der Fall!

Du hast da vollkommen Recht, *RasPi*! Aber hier haben wir es mit einer ganz anderen Programmiersprache zu tun, die auch schon einige Jahre auf dem Buckel hat. Das soll keine Abwertung von *C* sein, doch es wird halt hier anders gehandhabt. Aber auch in der professionellen Programmiersprache *C#* ist es notwendig, verwendete Variablen vor ihrem Gebrauch zu deklarieren. Das Kürzel *int* steht für *Integer* und besagt, dass wir es hier mit *Ganzzahlen* zu tun haben. Ich hatte das schon bei der `main`-Funktion angesprochen. Für weitergehende Programmierung in *C* muss ich dich leider auf die Fachliteratur im *Anhang* verweisen.

Wir programmieren eine Schleife

Wenn immer wiederkehrende Operationen ausgeführt werden sollen, bei denen z.B. der Inhalt einer Variablen kontinuierlich verändert wird, ist eine *Schleife* das richtige Programmkonstrukt. Du hast die `for`- bzw. `while`-Schleife schon in der Programmiersprache *Python* kennengelernt. Nun möchte ich dir die `for`-Schleife in der Programmiersprache *C* näherbringen.

```
1  #include <stdio.h>
2
3  int main(int argc, char **argv)
4  {
5      int i;
6      for(i = 0; i < 5; i++)
7      {
8          printf("Die Variable i hat den Wert %d\n", i);
9      }
10     return 0;
11 }
```

◀ Abbildung 7-13
Die for-Schleife in einem C-Programm

Bei einer `for`-Schleife steht die Wiederholungsanzahl vor dem Eintritt in die Schleife schon fest. Bei der Variablen, die im Schleifenkopf verwendet wird, handelt es sich in der Regel um eine sogenannte *Laufvariable*, deren Inhalt innerhalb des Schleifenkopfes verändert wird. Zudem ist dort die Bedingung definiert, die festlegt, wie oft die Schleife durchlaufen werden soll:

```
for(init; test; update)
{
   // Anweisung(en)
}
```

Zusammengefasst handelt es sich um drei Bestandteile:

- *init*: (Initialisierungselement, das die Laufvariable initialisiert.)
- *test*: (Testelement bzw. Bedingung für den Schleifenabbruch)
- *update*: (Veränderung der Laufvariablen, damit es irgendwann einmal über die definierte Bedingung zum Schleifenabbruch kommt.)

Das kurze Programm gibt Folgendes im *Terminal-Fenster* aus:

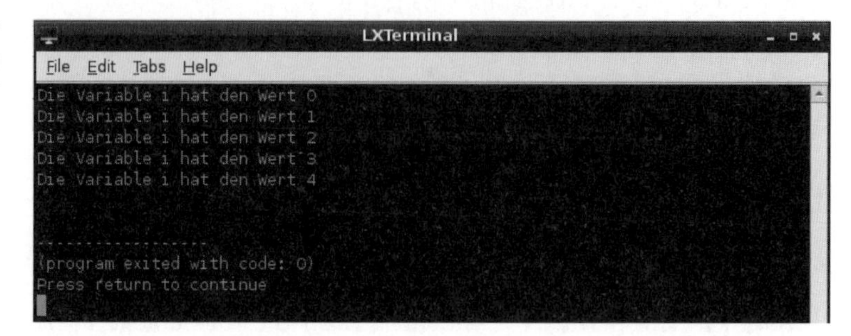

Abbildung 7-14 ▶
Ausgabe der for-Schleife in einem Terminal-Fenster

Du siehst, dass die Schleife abgebrochen wird, sobald der Wert der Laufvariablen größer als *4* ist.

Den Arduino an den Raspberry Pi anschließen

8

Dann will ich mal zu einem Thema kommen, das mir sehr am Herzen liegt. Das liegt nicht nur daran, dass ich dazu ein eigenes Buch geschrieben habe – wie manche jetzt vielleicht munkeln werden. Nein, im Ernst: Das *Raspberry Pi*-Board verfügt natürlich noch über ein paar Erweiterungsmöglichkeiten über die *GPIO-Schnittstelle*, auf die ich auch noch zu sprechen kommen werde. Eine schöne Erweiterung besteht aber auch im direkten Anschluss eines *Arduino*-Boards an das *Raspberry Pi*-Board. Zudem lernst du dann einiges über die Programmierung eines Mikrocontrollers.

◀ **Abbildung 8-1**
Das Arduino Uno-Board

Ich habe schon viele Stimmen im Internet gehört, von denen die einen sagen, dass das *Raspberry Pi*-Board besser sei und die anderen das *Arduino*-Board bevorzugen. Ich kann mich dem nicht anschließen, denn ich vertrete die Meinung, dass beide zusammen ein gutes Team bilden. Die Menschen neigen immer dazu, Dinge zu polarisieren. Das eine ist gut und das andere ist schlecht. Der eine gefällt mir und der andere überhaupt nicht. In diesem Kapitel werden wir uns mit den folgenden Themen befassen:

- Was ist ein Arduino-Board?
- Welche Hardware-Voraussetzungen für das Anschließen bestehen?
- Welche Software muss zusätzlich installiert werden?
- Wir schreiben ein erstes Programm, das eine LED blinken lässt.
- Wie sieht der Schaltplan dazu aus?
- Wir bauen die Schaltung auf.
- Vorschau auf weitere Schaltungen

Der Arduino

In der oben gezeigten Abbildung kannst du natürlich nicht wirklich erkennen, welche geringen Ausmaße das *Arduino-Mikrocontroller-Board* aufweist, nämlich noch geringere als das *Raspberry Pi-Board.* Es ist wirklich sehr handlich und hat die folgenden Maße:

- Breite: ca. 7 cm
- Länge: ca. 5 cm

Das bedeutet, dass er locker in eine Hand passt und wirklich kompakt ist. Wir erkennen auf der Platine die unterschiedlichsten Bauteile, auf die wir noch im Detail eingehen werden. Der größte Mitspieler, der uns direkt ins Auge fällt, ist der Mikrocontroller selbst. Er ist vom Typ *ATmega328*. Über die Jahre wurden die unterschiedlichsten *Arduino-Boards* entwickelt, die mit abweichender Hardware bestückt sind. Ich habe mich für das Board mit der Bezeichnung *Arduino Uno* entschieden, das im Moment *das* aktuellste ist. Es existieren noch eine Reihe weiterer Boards, die uns aber an dieser Stelle nicht interessieren sollen. In der folgenden

Abbildung siehst du das *Raspberry Pi-Board* und das *Arduino*-Board im direkten Größenvergleich:

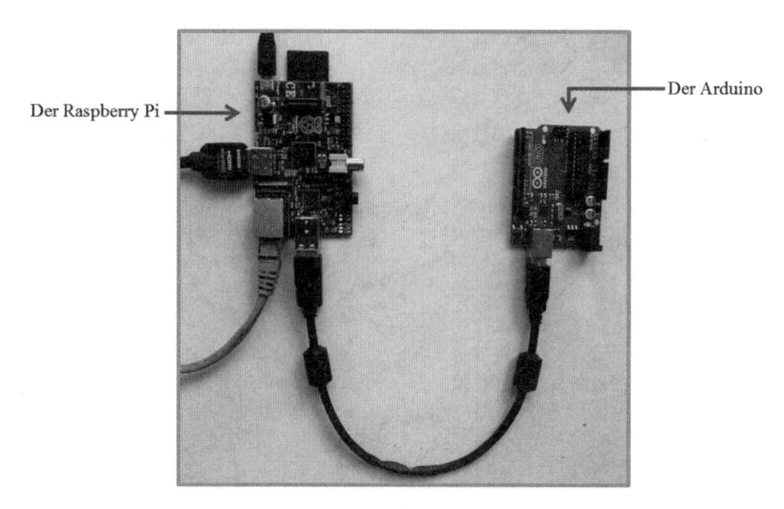

◀ Abbildung 8-2
Das Raspberry Pi- und das Arduino Uno-Board

Schauen wir uns also das Arduino-Board einmal aus der Nähe an:

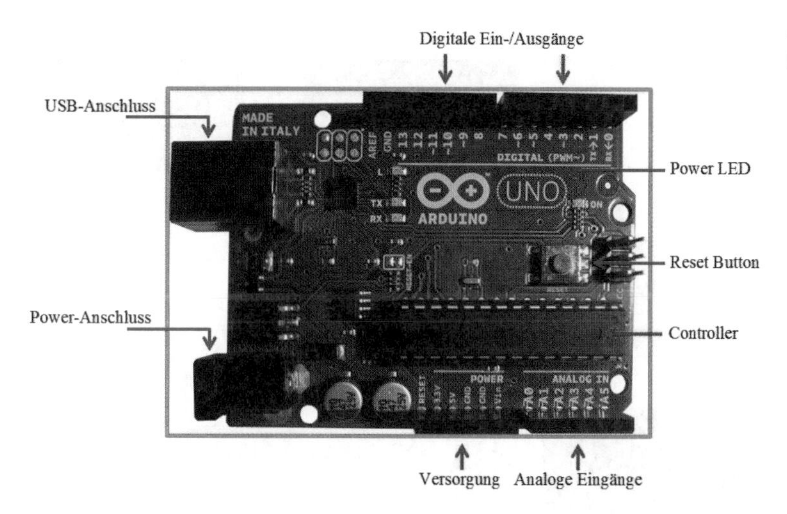

◀ Abbildung 8-3
Das Arduino Uno-Board im Detail

> Verfügt denn der *Arduino* auch über vergleichbare Komponenten wie das *Raspberry Pi*-Board? Also ich meine über eine *Recheneinheit*, einen *Speicher* und eine Möglichkeit, einen *Bildschirm* anzuschließen?

Das ist eine berechtigte Frage, *RasPi*! Das *Arduino*-Board verfügt natürlich über einen Speicher, denn der Mikrocontroller muss ja irgendwo das Programm, das sich übrigens *Sketch* nennt, ablegen. Und natürlich weist der Mikrocontroller eine Recheneinheit auf. Wie sollte er auch sonst Berechnungen durchführen? Leider verfügt das *Arduino*-Board von Hause aus nicht über die Möglichkeit, einen Bildschirm anzuschließen, was aber auch primär nicht notwendig ist, denn es handelt sich hierbei nicht um einen Mini-Computer, wie den *Raspberry Pi*. Wir haben es mit einem *Mikrocontroller-Board* zu tun, das z.B. Messwerte erfassen kann, sie auswertet und dann vielleicht angeschlossene Verbraucher wie *Leuchtdioden*, *Motoren*, *Relais* usw. ansteuert. Dazu ist ein *Bildschirm* nicht erforderlich.

Das könnte wichtig für dich sein

Das *Arduino*-Board verfügt jedoch über eine interessante Möglichkeit, Erweiterungsplatinen, auch *Shields* genannt, aufzunehmen. Auf diese Weise kann seine Funktionalität fast beliebig erweitert werden. Ich werde darauf noch zu sprechen kommen.

Werfen wir kurz einen Blick auf das *Blockschaltbild* des Arduino-Mikrocontrollers:

Abbildung 8-4 ▶ Das Blockschaltbild des Arduino-Mikrocontrollers

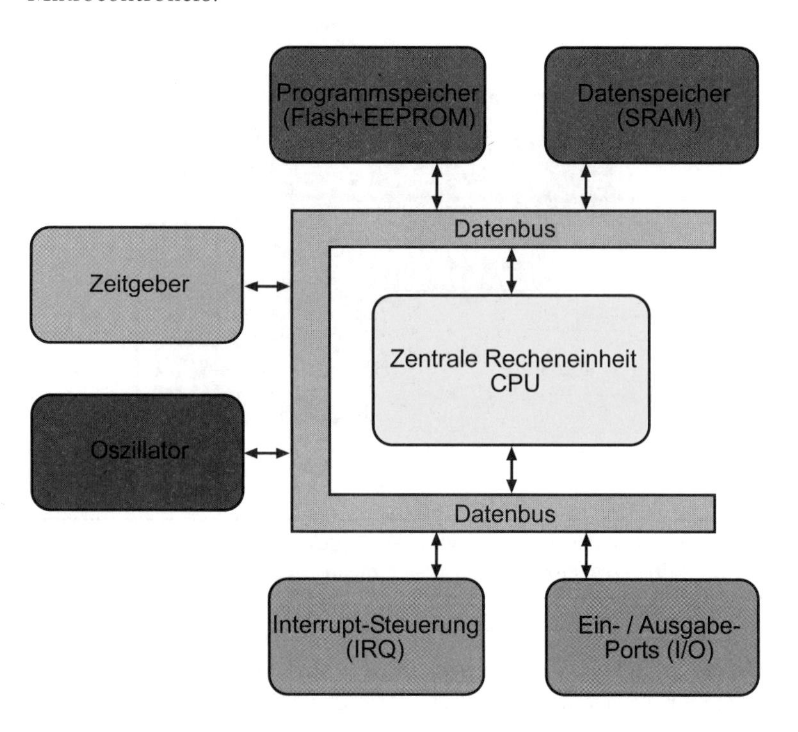

Hierauf erkennst du die wichtigen Bestandteile des Mikrocontrollers:

- Recheneinheit (CPU)
- Datenspeicher
- Programmspeicher
- Oszillator
- Ein- / Ausgabe-Ports
- Interruptsteuerung
- Zeitgeber
- Datenbus

Wenn du detailliertere Informationen zum Aufbau und zur Programmierung des *Arduino*-Boards haben möchtest, schlage ich dir das Buch *Die elektronische Welt mit Arduino entdecken* (der Link befindet sich im Anhang) vor, das ebenfalls von mir geschrieben wurde. Bevor wir aber weiter ins Detail gehen, möchte ich hier ein paar Eckdaten des Boards anführen:

- Mikrocontroller ATmega*328*
- *5V* Betriebsspannung
- *14* digitale Ein- bzw. Ausgänge (*6* als PWM-Ausgänge schaltbar)
- *6* analoge Eingänge (Auflösung *10* Bit)
- *32* KByte Flash Speicher (vom Bootloader werden *0.5* KByte belegt)
- *2* KByte SRAM
- *1* KByte EEPROM
- *16* MHz Taktfrequenz
- USB-Schnittstelle

> Du hast eben gesagt, dass das *Arduino*-Board nicht über einen Anschluss verfügt, an dem ich einen Bildschirm anschließen kann. Wie soll das denn funktionieren? Ich muss doch in irgendeiner Weise mit dem Board kommunizieren.

Ok, *RasPi*, das funktioniert folgendermaßen. Du musst eine Entwicklungsumgebung, die speziell für den *Arduino* entwickelt wurde, installieren. Da führt kein Weg dran vorbei. Über diese kannst du dann eine Verbindung zum Arduino aufnehmen. Sie ist quasi die Schnittstelle, über die du ihn programmieren kannst. Diese Entwicklungsumgebung sieht wie folgt aus:

Abbildung 8-5 ▶
Die Arduino-Entwicklungsumgebung

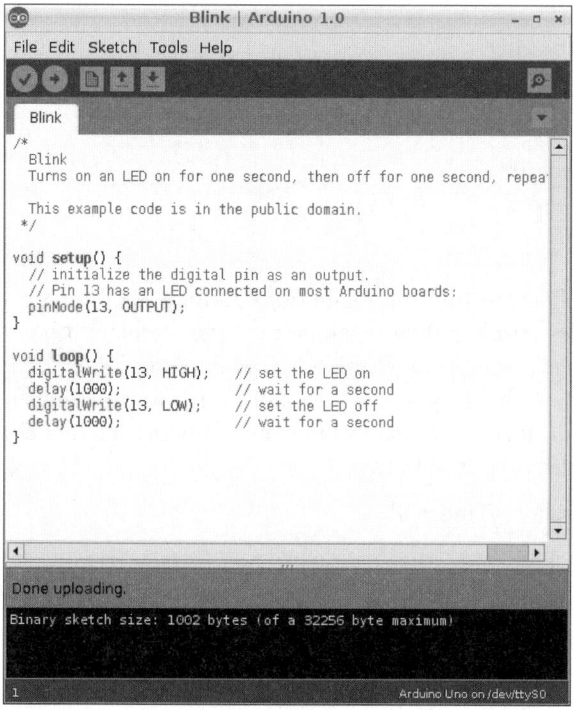

Ich habe schon einmal einen *Sketch* geladen, damit du siehst, dass es auch hier ein *Syntax Highlighting* gibt und wie so ein *Sketch* aufgebaut ist. Das sagt dir am Anfang vielleicht noch nicht viel, doch ich werde gleich näher darauf eingehen. Lasse dir nur so viel gesagt sein, dass dieser Sketch eine am *Pin 13* angeschlossene LED blinken lässt. Wie das funktioniert und wie die elektronische Beschaltung aussieht, wirst du gleich sehen. Doch zuvor müssen wir uns der Softwareinstallation widmen, die etwas knifflig ist. Des Weiteren kommt es auf den richtigen Anschluss der Hardware an, da ansonsten das Board nicht angesprochen werden kann.

Die Softwareinstallation unter Debian Squeeze

Damit du die Entwicklungsumgebung *1.0* des Arduino betreiben kannst, müssen einige Grundvoraussetzungen erfüllt sein. Die Umgebung ist mit der Programmiersprache *Java* entwickelt worden, so dass dieses Softwarepaket installiert werden muss. Es ist dabei ausreichend, die sogenannte *Laufzeitumgebung* (*Java Runtime Environment, JRE*) auszuwählen, mit der einer *Virtuelle Maschine* (*Java VM*) bereitgestellt wird. Sie ist für die Ausführung des Java-Codes zuständig. Dann benötigen wir natürlich die *Arduino-Entwicklungsumgebung*, die dir das Programmieren des *Arduino*-Boards ermöglicht. Damit das aber wiederum funktioniert, sind weitere Komponenten erforderlich. Die Kommunikation erfolgt über die serielle Schnittstelle, wozu eine spezielle Java-Bibliothek benötigt wird, die sich *librxtx-java* nennt. Jetzt sind wir also soweit, dass die Kommunikation mit dem *Arduino*-Board schon einmal theoretisch funktionieren würde. Zur Programmierung des *Arduino*-Boards sind weitere Bibliotheken erforderlich, die sich avr-libc (*AVR-Libraries*) nennen und speziell für die *ARM-Architektur* benötigt werden. Auf diesem Wege werden der *AVR GCC-Compiler* (*GNU Compiler Collection*) und weitere Tools installiert. Zum Programmieren der AVR-Mikrocontroller via serielle Schnittstelle wird das Programm *avrdude* verwendet. Es gibt Versionen für *Windows*, *Linux* und *Mac OS*. Alle erforderlichen Aktionen werden in einem *Terminal-Fenster* im *HOME*-Verzeichnis des *pi-Users* durchgeführt, davon einige über den *normaler Benutzer* und andere über den *Root-Benutzer* mittels des sudo-Zusatzes.

Apt-Get-Vorbereitung

Damit die *apt-get*-Paketverwaltung und auch alle schon installierten Pakete auf dem neuesten Stand sind, ist es notwendig, die folgenden beiden Kommandos abzusetzen:

```
sudo apt-get update
sudo apt-get upgrade
```

Die Java Laufzeitumgebung bzw. das Java-Entwicklungspaket

```
sudo apt-get install openjdk-6-jre
```

oder für die komplette Installation inklusive Java-Compiler

```
sudo apt-get install openjdk-6-jdk
```

Du musst dich für *eine* von beiden Möglichkeiten entscheiden. Wenn du die zweite Variante wählst, verfügst du über die komplette Java-Entwicklungsumgebung, die die Laufzeitumgebung (*JRE*) natürlich beinhaltet. Dazu wird naturgemäß etwas mehr Speicherplatz benötigt, doch für spätere Programmieranwendungen (*Java*, *Processing* etc.), die ggf. statt der *JRE* das *JDK* benötigen, bist du dann bestens gewappnet. Die Entscheidung überlasse ich dir.

Die Arduino-Entwicklungsumgebung

Da der Prozessor auf deinem *Raspberry Pi*-Board vom Typ *64-Bit* ist, muss auch die *Arduino*-Entwicklungsumgebung in *64-Bit* heruntergeladen werden. Dies geschieht mittels der folgenden Zeile:

```
wget http://arduino.googlecode.com/files/arduino-1.0-linux64.tgz
```

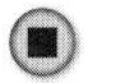

Achtung

Es existiert zwar schon die *Arduino-Version 1.0.1*, doch wir nutzen die *Version 1.0*, was für *Debian Squeeze* ok ist.

Im Anschluss muss die gepackte Datei entpackt werden:

```
tar zxvf arduino-1.0-linux64.tgz
```

Die Java-Bibliothek librxtx-java

```
sudo apt-get install librxtx-java
```

Die AVR-Bibliothek avr-libc

```
sudo apt-get install avr-libc
```

Das Programmierprogramm avrdude

```
sudo apt-get install avrdude
```

Nun sind alle notwendigen Softwarepakete installiert. Es müssen jedoch noch einige Anpassungen vorgenommen werden, die zum erfolgreichen Start der Entwicklungsumgebung erforderlich sind.

Austausch von Bibliotheken

Als du die *Arduino-Entwicklungsumgebung* heruntergeladen hast, handelte es sich dabei um eine Version, die für einen *x64*-Prozessor (*Intel*) vorkompiliert war. Das konntest du am Zusatz *linux64* erkennen. In diesem Paket befinden sich jetzt zwei Dateien, die auf dem *Raspberry Pi* mit der *ARM-Architektur* nicht lauffähig sind und für die serielle Kommunikation verantwortlich sind. Sie müssen ausgetauscht werden. Es handelt sich dabei um diese Dateien:

- librxtx.so
- RXTXcomm.jar

Gib also in dein *Terminal-Fenster* die folgenden Kommandos ein:

```
cd arduino-1.0
cp /usr/lib/jni/librxtxSerial.so lib
cp /usr/share/java/RXTXcomm.jar lib
```

Auch die im *Arduino-Paket* standardmäßig vorhandene *avrdude*-Datei muss gegen die *ARM-Version* ausgetauscht werden. Zusätzlich wird noch die entsprechende Konfigurationsdatei *avrdude.conf* benötigt:

```
cp /usr/bin/avrdude hardware/tools/avrdude
cp /etc/avrdude.conf hardware/tools/avrdude.conf
```

Das Kopierkommando `cp` kopiert dabei die erforderlichen Dateien an die angegebenen Zielpositionen und überschreibt die schon vorhandenen Dateien.

Anschluss des Arduino UNO an den Raspberry Pi

Jetzt ist es an der Zeit, dein *Arduino Uno* mit dem *Raspberry Pi* zu verbinden, und da tauchen auch schon die nächsten Probleme auf. Das *Raspberry Pi*-Board (*Modell B*) verfügt ja über zwei USB-Anschlüsse, die aber möglicherweise von dir schon von *Maus* und *Tastatur* belegt sind. Kein Problem, denkst du, und verwendest einfach einen *USB-HUB* (*passiv* oder *aktiv*). Das scheint auch auf den ersten Blick zu funktionieren und das *Arduino*-Board wird mit Spannung versorgt, so dass die auf dem Board befindliche Power-LED leuchtet. Doch der Schein trügt in den meisten Fällen. Die zur Verfügung stehende Leistung reicht nicht aus. Die Kommunikation zwischen *Arduino*- und *Raspberry Pi*-Board erfolgt über die serielle Schnittstelle. Das ist auf den ersten Blick vielleicht verwirrend, denn du hast deinen *Arduino* ja über den *USB-Anschluss* verbunden. Intern wird jedoch mit der seriellen Schnittstelle *TTY* gearbeitet. Nach dem Start der Entwicklungsumgebung musst du diesen Port auswählen, was aber nicht möglich ist, da diese Option *ausgegraut, also deaktiviert* ist. Du siehst das in der folgenden Abbildung.

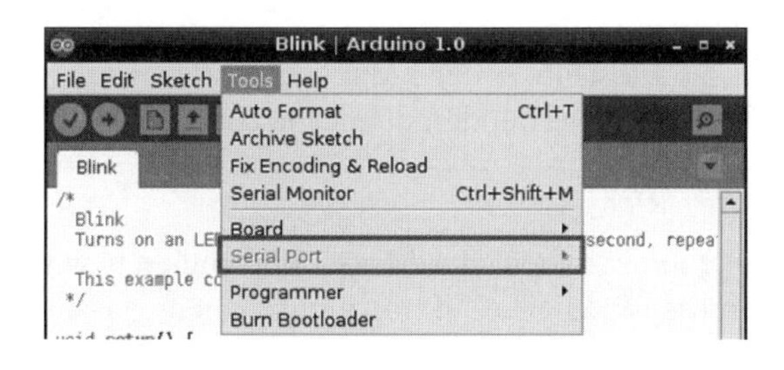

◀ Abbildung 8-6
Der serielle Port kann nicht ausgewählt werden

Die Lösung besteht im Verbinden von *Maus* und *Tastatur* über eine Funkverbindung mit dem *Raspberry Pi*-Board und dem direkten Anschließen des *Arduino-Boards* an den anderen freien USB-Anschluss, wie ich dir das zu Beginn des Kapitels gezeigt habe. Gehe also wie folgt vor. Schließe *Maus* und *Tastatur* über eine Funkverbindung an das *Raspberry Pi*-Board an. Öffne dann ein *Terminal-Fenster* und gib die folgende Zeile ein:

```
tail -f /var/log/messages
```

Auf diese Weise wirst du darüber informiert, wie das *Arduino-Board* von deinem System erkannt wird. Du benötigst ja einen Hinweis, wie das Board anzusprechen ist.

```
Jul  4 10:12:17 raspberrypi kernel: usb 1-1.2: USB disconnect, device number 5
Jul  4 10:12:27 raspberrypi kernel: usb 1-1.2: new full speed USB device number 6 using dwc_otg
Jul  4 10:12:27 raspberrypi kernel: usb 1-1.2: New USB device found, idVendor=2341, idProduct=0043
Jul  4 10:12:27 raspberrypi kernel: usb 1-1.2: New USB device strings: Mfr=1, Product=2, SerialNumber=220
Jul  4 10:12:27 raspberrypi kernel: usb 1-1.2: Manufacturer: Arduino (www.arduino.cc)
Jul  4 10:12:27 raspberrypi kernel: usb 1-1.2: SerialNumber: 74937303936351417OA1
Jul  4 10:12:27 raspberrypi kernel: cdc_acm 1-1.2:1.0: ttyACM0: USB ACM device
```

Abbildung 8-7 ▶ Die Ausgabe von /var/log/messages nach dem Anschließen des Arduino

In der letzten Zeile versteckt sich dieser ersehnte Hinweis zu dem seriellen Port, über den der *Arduino* anzusprechen ist. Dort ist *ttyACM0* zu lesen. Und schon haben wir es mit dem nächsten Problem zu tun. Trotz dieser korrekten Angabe kann die Entwicklungsumgebung diesen Port nicht erkennen, weil er nicht den Konventionen für einen korrekten Port entspricht. Wir müssen uns also anders behelfen und diesem Port quasi einen neuen Namen geben, so dass er erkannt wird. Du kannst ihn dazu aber nicht einfach umbenennen. Es gibt in *Linux* eine Möglichkeit, einen sogenannten *Link* zu vergeben. Du musst ein neues *TTY*-Device anlegen, das einen neuen Namen hat und auf das alte Device verweist. Führe einen Test auf den bestehenden Link durch, in dem du das folgende Kommando eingibst:

```
pi@raspberrypi:~$ ls -l /dev/ttyACM0
crw-rw---- 1 root dialout 166, 0 Jul  4 10:54 /dev/ttyACM0
```

Du siehst, dass das *List*-Kommando einen Eintrag zurückliefert. An der rot markierten Stelle kannst du erkennen, wie viele Verweise auf diese Datei vorhanden sind. Sie selbst gibt es nur *1 Mal*. Nun wollen wir den besagten Link einrichten. Dazu verwendest du die folgende Zeile:

```
sudo ln /dev/ttyACM0 /dev/ttyS0
```

Das `ln`-Kommando generiert einen *Hard-Link*. Kontrollieren wir jetzt noch einmal den ursprünglichen Eintrag und schauen, was als Ergebnis herauskommt.

```
pi@raspberrypi:~$ ls -l /dev/ttyACM0
crw-rw---- 2 root dialout 166, 0 Jul  4 10:54 /dev/ttyACM0
```

Jetzt steht an der markierten Stelle eine 2. Unsere Aktion, einen *Link* auf diesen Eintrag einzurichten, hat also funktioniert. Nun kannst du die Arduino-Entwicklungsumgebung starten. Gib dazu im *Terminal-Fenster* in deinem *HOME*-Verzeichnis Folgendes ein:

```
cd arduino-1.0
./arduino
```

Nach einiger Zeit sollte sich die Entwicklungsumgebung zu erkennen geben. Nun endlich kannst du über TOOLS|SERIAL PORT den erforderlichen Port auswählen.

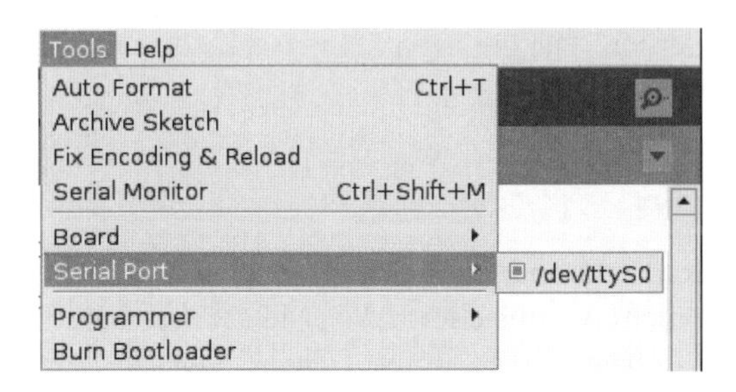

◀ **Abbildung 8-8**
Auswahl des seriellen Ports

Standardmäßig ist das *Arduino Uno*-Board selektiert, was du aber noch einmal über TOOLS|BOARD überprüfen kannst. Jetzt ist alles für die Arbeit – ich meine den Spaß – mit dem *Arduino Board* vorbereitet.

Die Spannungsversorgung des *Arduino-Boards* erfolgt entweder über den USB-Anschluss, über den auch die Daten fließen, oder über den Power-Anschluss. Du solltest niemals beide Anschlüsse zur gleichen Zeit nutzen.

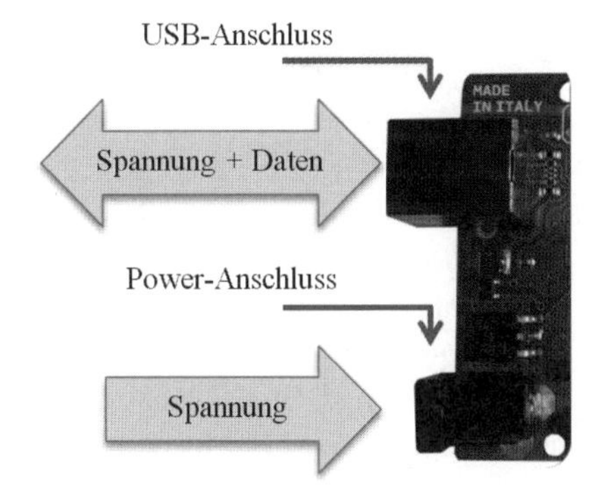

◀ **Abbildung 8-9**
Die Spannungsversorgung des Arduino-Boards

Ist der *Arduino* erst einmal programmiert, kannst du ihn natürlich *standalone* betreiben und nur über den Power-Anschluss mit Spannung versorgen. Auf diese Weise wird eine Art von Unabhängigkeit erreicht, denn es ist dann keine Kabelverbindung mehr mit dem *Raspberry Pi vorhanden*, die den *Arduino* z.B. bei einem Einsatz als Robotersteuerung in seiner Bewegungsfreiheit einschränken würde.

Die Softwareinstallation unter Debian Wheezy

Wenn du dich für *Debian-Wheezy* entschieden hast, kannst du von der aktuellsten *Arduino-Entwicklungsumgebung 1.0.1* profitieren, die sogar als komplettes Softwarepaket über den Paketmanager zu beziehen ist. Alle o.g. Schritte zur Nutzung deines Arduino-Boards sind dann nicht erforderlich. Die einzigen Schritte, die du ausführen musst, sind die folgenden:

```
sudo apt-get update
sudo apt-get install arduino
```

Die Update-Prozedur kann schon einige Zeit in Anspruch nehmen. Lasse dich deswegen nicht verunsichern. Was leider bei beiden Arduino-Versionen (*1.0 bzw. 1.0.1*) unter *Debian Squeeze* bzw. *Debian Wheezy* zum jetzigen Zeitpunkt immer noch Probleme bereitet, ist der Zugriff auf die serielle Schnittstelle, der nämlich sehr hakt. Hoffentlich wird das in den folgenden Versionen behoben, so dass der Zugriff reibungsloser funktioniert.

Der erste Sketch

Damit die Kommunikation mit dem *Arduino*-Board auch erfolgreich verläuft, mussten sich die Entwickler auf eine Sprachbasis einigen. Nur, wenn alle Beteiligten die gleiche Sprache sprechen, kann es zur Verständigung untereinander kommen und ein Informationsfluss entstehen. Wenn du ins Ausland fährst und nicht die Landessprache beherrschst, musst du dich bzw. der Andere sich in irgendeiner Form anpassen. Die Art und Weise ist dabei egal. Das kann entweder durch Laute oder auch mit Händen und Füßen sein. Habt ihr eine Basis gefunden, kann's losgehen. Bei unserem Mikrocontroller ist das nicht anders. Du hast ja schon erste Programmiererfahrungen mit der Sprache *Python* gemacht. Wir müssen jetzt jedoch zwischen zwei Ebenen unterscheiden. Der Mikrocontroller versteht auf seiner Interpretationsebene nur Maschinensprache, auch *Nativer Code* genannt, die für den Menschen nur sehr schwer zu verstehen ist, da es sich lediglich um Zahlenwerte handelt. Wir sind es aufgrund unserer Kommunikationsform gewohnt, mit Worten bzw. Sätzen sprachlich zu interagieren. Das ist also reine Gewohnheitssache. Würden wir uns von Geburt an mittels Zahlenwerte mitteilen, wäre das auch ok. Jedenfalls gibt es aufgrund dieses Sprachdilemmas mit dem Mikrocontroller gewisse Schwierigkeiten, verständlich mit ihm zu kommunizieren. Deshalb ist eine *Entwicklungsumgebung* geschaffen worden, die Befehle über eine sogenannte *Hochsprache* – das ist eine Sprache, die eine abstrakte Form, ähnlich der unseren, aufweist – entgegennimmt. Doch wir stecken dann wieder in einer Sackgasse, denn der Mikrocontroller versteht diese Sprache leider nicht. Es fehlt so etwas wie ein Übersetzter, der als Verbindungsglied zwischen Entwicklungsumgebung und Mikrocontroller fungiert und dolmetscht. Aus diesem Grund wurde der sogenannter *Compiler entwickelt*. Das ist ein Programm, das ein in einer Hochsprache geschriebenes Programm in die Zielsprache des Empfängers (hier unsere *CPU* des Mikrocontrollers) umwandelt.

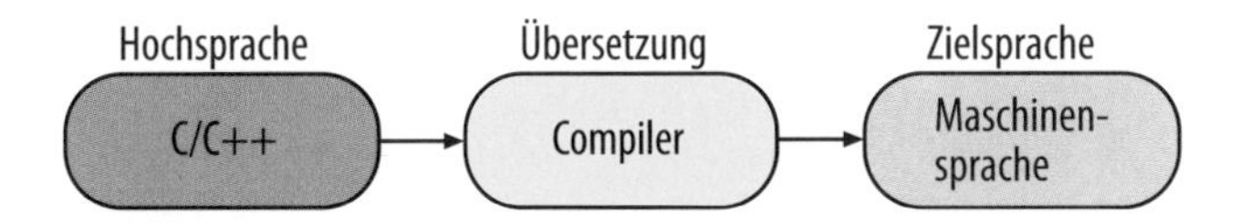

◀ **Abbildung 8-10**
Der Compiler als Dolmetscher

Da fast alle Programmiersprachen sich des englischen Wortschatzes bedienen, kommen wir nicht umhin, auch diese Hürde nehmen zu müssen. Bei *Python* war das nicht anders. Wir benötigen also wieder einen Übersetzer, doch ich denke, dass das Schul-Englisch hier sicher weiterhelfen wird. Die Instruktionen, also die Befehle, die die Entwicklungsumgebung *versteht*, sind recht kurz gehalten und gleichen denen in der Militärsprache, die in knappen Anweisungen beschreiben, was zu tun ist.

Kommen wir doch wieder zurück zu unserem ersten *Sketch*. Bevor es aber losgeht, sollte ich noch ein paar Worte über den grundsätzlichen Aufbau, die Struktur des *Sketches* verlieren. Wenn du einen *Sketch* für dein Arduino-Board schreiben möchtest, dann sind bestimmte Dinge unbedingt zu beachten. Damit der *Sketch* lauffähig ist, benötigt er zwei programmtechnische Konstrukte, die in dieselbe Kategorie fallen. Es handelt sich um sogenannte *Funktionen*, die quasi den Sketch-Rahmen bilden. Doch schauen wir uns zuerst einmal an, was eine *Funktion* überhaupt ist. Bisher hast du in

Python vereinzelte Befehle kennengelernt, die für sich alleine stehen und nicht unbedingt einen Bezug zueinander haben. Es ist aber möglich, mehrere Befehle zu einer logischen Einheit zusammenzufassen und ihnen einen aussagekräftigen Namen zu geben. Dann rufst du den Funktionsnamen wie einen einzelnen Befehl auf und alle in ihr enthaltenen Befehle werden als Einheit ausgeführt. Stellen wir vorab eine Überlegung an, wie ein Sketchablauf vonstattengehen kann. Angenommen, du möchtest eine Wanderung machen und bestimmte Dinge mit auf den Weg nehmen, dann packst du zu Beginn einmalig deinen Rucksack mit den benötigten Sachen und wanderst los. Während deiner Tour greifst du immer mal wieder in den Rucksack, um dich zu stärken, oder auch die Karte zu Rate zu ziehen, ob du dich noch auf dem richtigen Weg befindest. Im übertragenen Sinne läuft es genau so in einem *Sketch* ab. Da wird beim Start einmalig etwas ausgeführt, um z.B. Variablen zu initialisieren, die später verwendet werden sollen. Im Anschluss werden in einer Endlosschleife bestimmte Befehle immer und immer wieder ausgeführt, die den Sketch am Leben erhalten. Werfen wir einen Blick auf die Struktur des Sketches, wobei ich die grundlegenden Bereiche in 3 Blöcke unterteilt habe.

Abbildung 8-11 ▶
Die grundlegende Sketch-Struktur

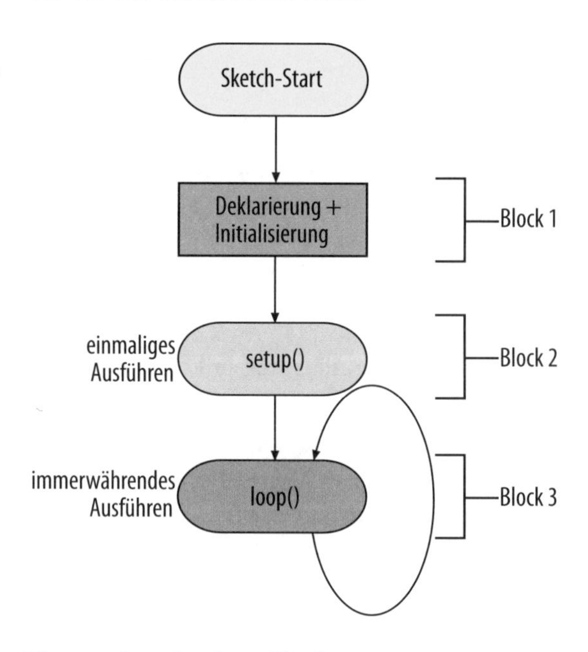

Nun zu den einzelnen Blöcken:

Block 1: die Deklarierung und Initialisierung

In diesem ersten Block werden z.B. – falls notwendig – externe Bibliotheken über die #include-Anweisung eingebunden. Des Weiteren ist dies der geeignete Platz für die Deklaration *globaler Variablen*, die innerhalb des kompletten Sketches sichtbar sind und verwendet werden können. Die *Deklaration* legt fest, welchen *Datentyp* die Variable aufweist. Eine *Initialisierung* versieht die Variable mit einem Wert.

Block 2: die setup-Funktion

In der setup-Funktion werden meistens die einzelnen Pins des Mikrocontrollers programmiert. Dabei wird festgelegt, welche als Ein- bzw. Ausgänge arbeiten sollen. An manchen werden z.B. Sensoren wie Taster oder temperaturempfindliche Widerstände angeschlossen, die Signale von außen an einen Eingang leiten. Andere wiederum leiten Signale an Ausgänge weiter, um z.B. einen *Motor*, einen *Servo* oder eine *Leuchtdiode* anzusteuern.

Block 3: die loop-Funktion

Bei der loop-Funktion handelt es sich um eine Endlosschleife, in der die Logik untergebracht ist, um kontinuierlich Sensoren abzufragen oder Aktoren anzusteuern. Beide Funktion, loop() und setup(), bilden zusammen mit ihrem Namen einen *Ausführungsblock*. Die geschweiften Klammerpaare {} dienen als Begrenzungselemente, damit ersichtlich wird, wo die Funktionsdefinition beginnt und wo sie endet. Ich zeige dir am besten einmal die leeren Funktionsrümpfe, die einen lauffähigen *Sketch* darstellen. Es passiert zwar nicht viel, doch es handelt sich um einen vollwertigen *Sketch*.

```
void setup(){
  // eine oder mehrere Anweisungen
  // ...
}

void loop(){
  // eine oder mehrere Anweisungen
  // ...
}
```

Diese beiden Funktionen hast du schon im Beispielsketch *Blink* zu Anfang des Kapitels gesehen. Ich denke, wir nehmen uns die einzelnen Funktionen einmal vor und schauen, was darin so passiert.

Was passiert in der setup-Funktion?

```
void setup() {
  // initialize the digital pin as an output.
  // Pin 13 has an LED connected on most Arduino boards:
  pinMode(13, OUTPUT);
}
```

In der setup-Funktion finden sich in den ersten beiden Zeilen *Kommentare*. Die hast du auch schon in *Python* gesehen. Doch anstelle des Rautenzeichens # wird hier der doppelte Schrägstrich // verwendet, da wir es ja mit *C/C++* zu tun haben. Die wichtige Zeile ist folgende:

```
pinMode(13, OUTPUT);
```

Bevor ich erläutere, was dieser Befehl bewirkt, muss ich erwähnen, dass jeder Befehl in *C/C++* mit einem *Semikolon* abgeschlossen werden muss. Zurück zu `pinMode`. Jeder digitale Pin des Mikrocontrollers kann sowohl als *Ein-* oder *Ausgang* programmiert werden. Da wir in unserem Beispiel eine Leuchtdiode an einem *digitalen Pin* betreiben wollen, muss dieser Pin als *Ausgang* fungieren. Zudem müssen wir natürlich dem Mikrocontroller mitteilen, an welchem Pin denn diese Leuchtdiode angeschlossen werden soll. Mit diesen Daten können wir dann den Befehl `pinMode` versorgen. Durch diesen Befehl wird der Mikrocontroller so programmiert, dass ein ganz bestimmter Pin entweder als *Ein-* oder *Ausgang* definiert wird. Das erste Argument gibt den Pin an, das zweite die Richtung, in der der Pin betrieben werden soll. Hier wird das Schlüsselwort `OUTPUT` verwendet, was Ausgang bedeutet.

Abbildung 8-12 ▶ Der Befehl pinMode

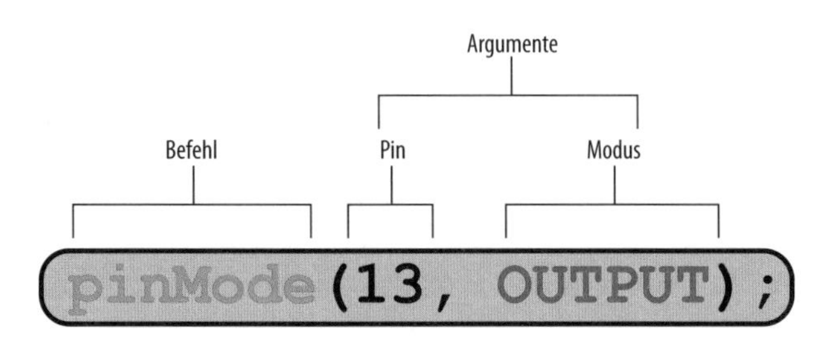

Dieser Befehl muss lediglich *einmalig* ausgeführt werden, dann kennt der Mikrocontroller den *Pin* und die *Richtung*. Deshalb wurde diese Anweisung auch innerhalb der setup-Funktion platziert.

Was passiert in der loop-Funktion?

Kommen wir zu dem Teil des Codes, der *kontinuierlich* ausgeführt werden muss und deshalb in der `loop`-Funktion sein Zuhause gefunden hat:

```
void loop() {
  digitalWrite(13, HIGH);      // set the LED on
  delay(1000);                 // wait for a second
  digitalWrite(13, LOW);       // set the LED off
  delay(1000);                 // wait for a second
}
```

Hier kommt schon eine größere Anzahl an Code-Zeilen zusammen, deren Bedeutungen jedoch recht schnell erklärt sind. Was soll mit dem Code erreicht werden? Ganz einfach! Eine angeschlossene Leuchtdiode soll in bestimmten Zeitabständen blinken. Dazu lassen wir einen Spannungspegel zwischen einem minimalen und einem maximalen Wert wechseln. Der minimale Wert beträgt *0 Volt* und der maximale *5 Volt*. Spannungstechnisch entsprechen *0 Volt* einem *LOW-Pegel* und *5 Volt* einem *HIGH-Pegel*. Diese unterschiedlichen Pegel wurden als Bestandteil des Namen der entsprechenden Argumente übernommen, die dann einem Befehl als Argument zu übergeben werden. Zum Ändern eines Spannungspegels an einem digitalen Ausgang wird der Befehl `digitalWrite` verwendet. Er nimmt zwei Argumente entgegen.

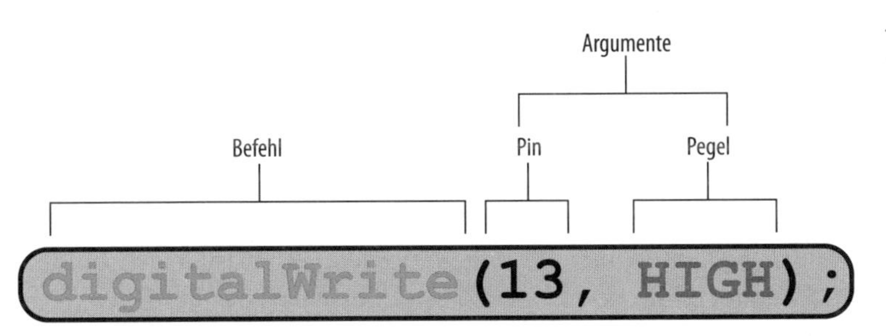

◀ Abbildung 8-13
Der Befehl digitalWrite

Wenn zwischen *HIGH*- und *LOW*-Pegel in bestimmten Zeitabständen gewechselt wird, blinkt die Leuchtdiode. Damit der Wechsel aber nicht so schnell erfolgt, wird zwischen *HIGH*- bzw. *LOW*-Pegel eine *Pause* eingelegt. Diese Pause wird mit dem Befehl *delay* definiert.

Abbildung 8-14 ▶
Der Befehl delay

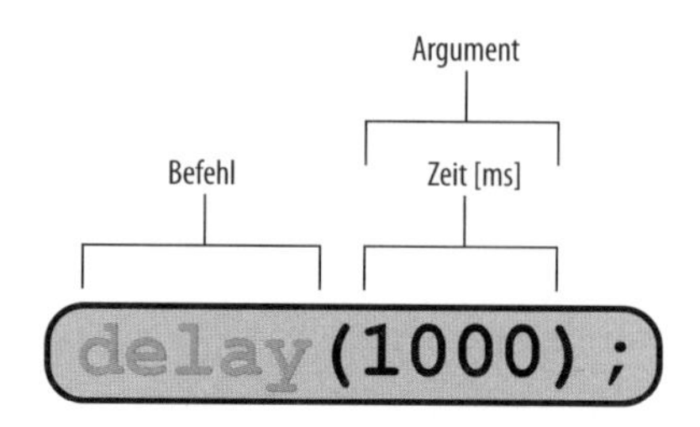

Die Entwicklungsumgebung

Das wäre es vorerst einmal. Jetzt kannst du den Sketch zum Arduino-Board übertragen. Ich denke, ich sollte dir nun die verschiedenen Icons in der Kopfleiste der Entwicklungsumgebung und deren Bedeutung erläutern.

Icon 1

Das Icon hat die Aufgabe, den im Editor befindlichen Sketch auf seine Syntax hin zu überprüfen (*Verify* bedeutet übersetzt *prüfen*) und zu übersetzten. Beim Start der Überprüfung (*Kompilierung*) wird ein horizontaler Balken angezeigt, der Aufschluss über den Fortschritt gibt.

Wenn kein Fehler festgestellt wurde, wird der Vorgang mit der Meldung *Done Compiling* abgeschlossen. Im Ausgabefenster findest du einen Hinweis über den Speicherbedarf des aktuellen Sketches.

Icon 2

Über dieses Symbol wird der erfolgreich kompilierte Sketch auf das Arduino-Board in den Mikrocontroller übertragen. Beim sogenannten *Upload* des Sketches passieren folgende Dinge, die du visuell beobachten kannst. Auf dem Board befinden sich nämlich einige kleine Leuchtdioden, die Aufschluss über bestimmte Aktivitäten geben.

LED L: Ist mit Pin *13* verbunden und leuchtet kurz bei Beginn der Übertragung

LED TX: Sendeleitung der seriellen Schnittstelle des Boards (blinkt bei Übertragung)

LED RX: Empfangsleitung der seriellen Schnittstelle des Boards (blinkt bei Übertragung)

Die Sendeleitung (TX) ist hardwaremäßig mit dem digitalen Pin *1* und die Empfangsleitung (RX) mit dem digitalen Pin *0* verbunden.

Icon 3

Dieses Symbol verwendest du, um einen neuen Sketch anzulegen. Denke aber daran, dass die Entwicklungsumgebung immer nur *einen* Sketch zur selben Zeit verwalten kann. Wenn du einen neuen Sketch startest, musst du den alten vorher unbedingt speichern. Andernfalls verlierst du sämtliche Informationen.

Icon 4

Alle Sketche werden in einem *Sketchbook* abgelegt, das sich im Verzeichnis */home/pi/sketchbook* befindet. Über dieses Symbol kannst du einen gespeicherten Sketch von der Festplatte in die Entwicklungsumgebung laden. Auch die zahlreich vorhandenen Beispiel-Sketche, die die Entwicklungsumgebung von Hause aus mitbringt, sind hierüber erreichbar. Schau sie dir an, denn du kannst einiges von ihnen lernen.

Icon 5

Über das *Speichern-Symbol* sicherst du deinen Sketch auf einem Datenträger. Standardmäßig erfolgt die Speicherung im eben genannten *Sketchbook*-Verzeichnis.

Icon 6

Über dieses Icon kann der *serielle Monitor* geöffnet werden. Es wird ein Dialog angezeigt, der einem *Terminal-Fenster* ähnelt.

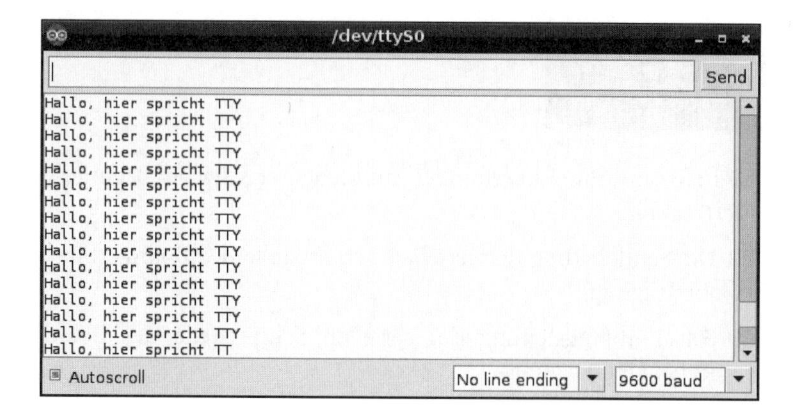

In der oberen Zeile kannst du Befehle eingeben, die an das Board verschickt werden, wenn du den Send-Button drückst. Im mittleren Bereich werden die Daten angezeigt, die das Board über die serielle Schnittstelle versendet. Auf diese Weise können bestimmte Werte angezeigt werden, für die du dich interessierst. Im unteren Abschnitt kannst du auf der rechten Seite über eine Auswahlliste die Übertragungsgeschwindigkeit (*Baud*) einstellen, die mit dem Wert korrespondieren muss, den du beim Programmieren des Sketches verwendet hast. Stimmen diese Werte nicht überein, dann kann es zu keiner Kommunikation kommen.

Die Schaltung

Der Schaltungsaufbau ist verhältnismäßig einfach und es werden lediglich ein Vorwiderstand von *330 Ohm*, eine *Standard-Leuchtdiode* (z.B. Rot, Grün, Gelb etc.) und ein *Steckbrett* mit ein paar Kabeln benötigt.

Abbildung 8-15 ▶ Der Schaltplan zur Ansteuerung der Leuchtdiode

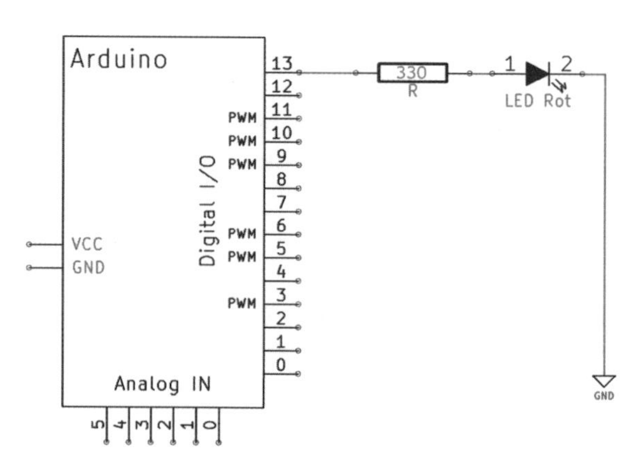

Sehen wir uns dazu den realen Schaltungsaufbau einmal aus der Nähe an.

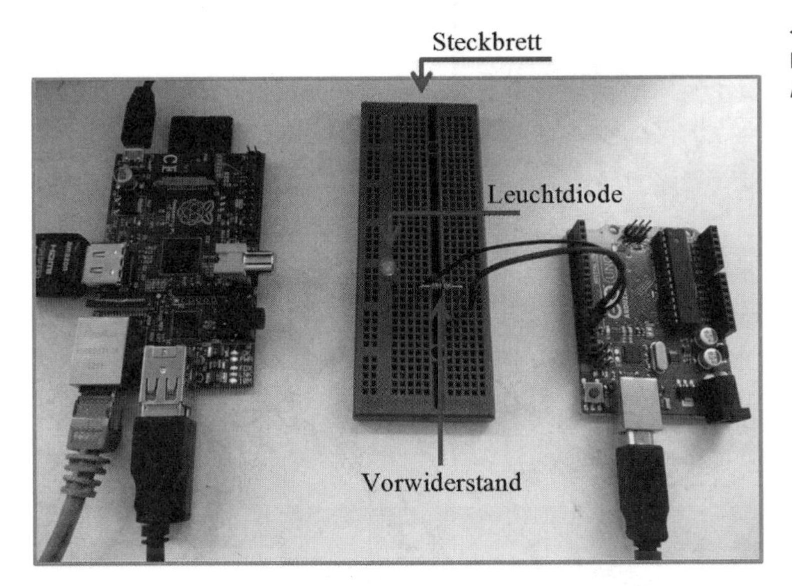

◀ **Abbildung 8-16**
Der Schaltungsaufbau zur Ansteuerung der Leuchtdiode

Wir wollen uns den zeitlichen Verlauf einmal näher anschauen. Ich habe dazu ein Impulsdiagramm aufgenommen, das den Wechsel zwischen *HIGH*- und *LOW*-Pegel wunderbar wiedergibt. Die LED blinkt im Rhythmus von 2 Sekunden.

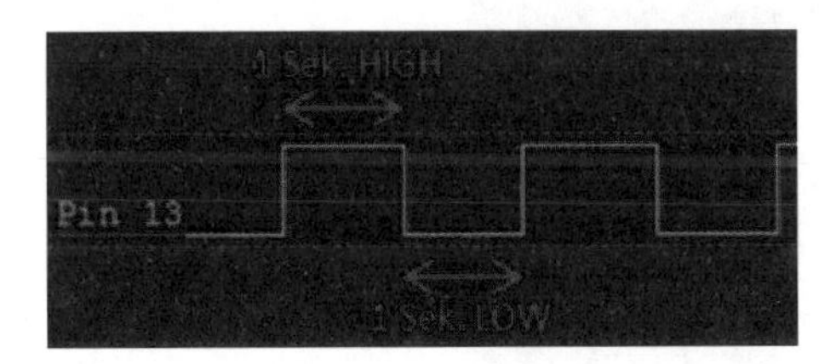

◀ **Abbildung 8-17**
Der zeitliche Verlauf in einem Impulsdiagramm

Wenn ich es genau nehmen würde, dann wäre diese Schaltung nicht notwendig gewesen, denn auf dem *Arduino-Board* befindet sich schon eine kleine Leuchtdiode, die mit *Pin 13* verbunden ist. Dennoch ist es interessant, zu sehen, mit welchen Mitteln du eine Schaltung zusammenbauen kannst. Da das hier aber kein Buch über die Programmierung des Arduino-Boards werden soll, zeige ich zum Abschluss einfach noch ein paar interessante Projekte.

Abbildung 8-18 ▶
Der Arduino-Aufbau für eine Würfelschaltung

Abbildung 8-19 ▶
Der Arduino-Aufbau für eine Reaktionsschaltung über Ampelphasen

Raspberry goes Retro

9

Was wäre die Computerwelt ohne die Möglichkeit, plattformfremde Anwendungen zum Leben zu erwecken. Es existieren Unmengen an Emulatoren, um z.B. einen *Gameboy*, eine *Playstation*, einen *Apple II* oder einen *Commodore C64* zu reaktivieren, ohne, dass du über die entsprechende Hardware verfügen musst. Die von mir genannten Systeme sind nur ein Bruchteil von dem, was heutzutage an Emulatoren zur Verfügung steht. Bleiben wir doch einfach beim auch heute noch so beliebten *C64*, der übrigens in diesem Jahr, also *2012*, sein *30* jähriges Jubiläum feiert. Es ist schon einerseits verwunderlich und andererseits sehr erfreulich, dass dieser Heimcomputer einfach nicht tot zu kriegen ist und sich sogar noch Entwickler finden, die neue Programme bzw. Spiele für ihn entwickeln. Es gibt sogar Hardware, die es ermöglicht, z.B. eine *SD-Karte* anzuschließen, die als virtuelles *Floppy-Laufwerk* erkannt wird. Für den *Raspberry Pi* ist ein Emulator mit dem Namen *VICE* verfügbar, den wir uns jetzt einmal anschauen wollen. Leider befindet sich der *Raspberry Pi* hinsichtlich der Tonausgabe noch in der Entwicklungsphase, so dass der Sound bei *Debian Squeeze* standardmäßig erst einmal deaktiviert ist und wir ihn manuell aktivieren müssen. Wenn du dich für *Debian Wheezy* entschieden hast, dann ist der Sound von Beginn an aktiviert. Doch es ist allemal interessant, zu sehen, wie der *VICE-Emulator* seinen Dienst verrichtet. Leider wirst du nicht umhin kommen, an den unterschiedlichsten Stellschrauben zu drehen, damit nachher auch alles funktioniert. Da ist ein wenig Pionierarbeit gefragt, aber im Internet finden sich bestimmt in nächster Zeit hier und da ein paar Tipps und Tricks, damit alles etwas runder läuft. Des Weiteren schauen wir uns die

ScummVM an, mit der es möglich ist, alte *Lukas Arts*-Spiele laufen zu lassen.

Abbildung 9-1 ▶
Der C64 wie er leibt und lebt (Aus meiner Retro-Sammlung)

Der VICE-Emulator

Bevor wir mit der Installation des *VICE-Emulators* beginnen, sollten wir einen Blick auf die schon angesprochene Soundausgabe werfen, die es unter *Debian Squeeze* zu aktivieren gilt. Andernfalls kannst du die *C64-Spiele* zwar bewundern, doch leider ohne die passende Untermalung mit den wunderbaren *C64-Sounds*, deren Qualität einfach legendär ist.

Die Soundaktivierung

Nachdem du dich an deinem *Raspberry Pi* erfolgreich angemeldet hast, startest du bitte noch *nicht* über `startx` die grafische Umgebung. Gib die folgenden Zeilen ein:

```
sudo apt-get install alsa-utils
sudo modprobe snd_bcm2835
aplay /usr/share/sounds/alsa/Front_Center.wav
```

Damit erreichst du Folgendes:

- Installation der Dienstprogramme zur Konfiguration bzw. Nutzung von *ALSA* (*Advanced Linux Sound Architecture*). Es handelt sich dabei um das am meisten benutzte Soundsystem unter Linux.
- Die Hinzufügung eines Moduls zum Kernel

- das Testen der hoffentlich erfolgreichen Soundaktivierung über *aplay* und einen angefügten Soundfile im Verzeichnis */usr/share/sounds/alsa/*, in dem sich noch weitere Sounddateien befinden. Bei aplay handelt es sich um ein Kommandozeilen-Tool für den *ALSA-Soundkartentreiber*.

Die VICE-Installation

Hier ein kurzer Ausblick auf die *C64-Emulation*, deren Bildschirm genauso aussieht, wie der eines echten *C64-Heimcomputers*. Der *C64* ist standardmäßig mit *64 KByte* Arbeitsspeicher ausgestattet, was für die damaligen Verhältnisse recht üppig war und bei weitem *das* übertraf, was die Konkurrenz zu diesem Zeitpunkt zu bieten hatte. Er konnte sofort nach dem Einschalten in Basic programmiert werden, und wenn dir das Spaß bereitet, kannst du damit auch sofort loslegen.

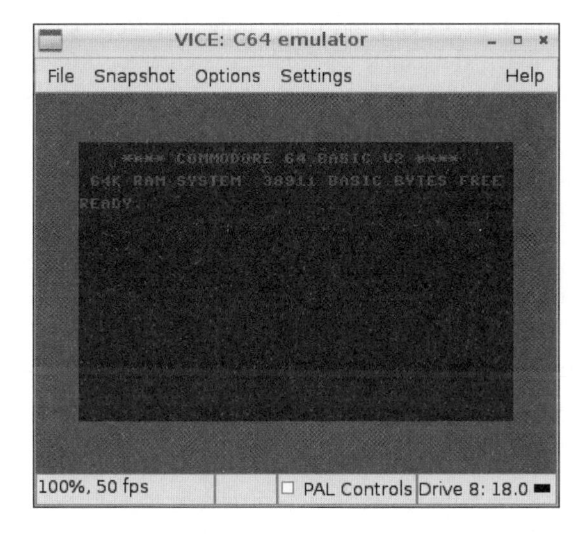

Abbildung 9-2
Der C64 im VICE-Emulator

Schritt 1: Das Repository für apt-get anpassen

Damit du über *apt-get* auf die richtigen Ressourcen zugreifen kannst, die für das *VICE-Paket* erforderlich sind, musst du die Datei */etc/apt/sources.list* anpassen. Füge der Zeile

```
deb http://ftp.uk.debian.org/debian/ squeeze main
```

am Ende einfach noch contrib hinzu. Mache diese Anpassung nach der Installation des Paketes wieder rückgängig.

Schritt 2: Updaten der internen apt-get-Datenbank

Über das dir schon bekannte Kommando

```
sudo apt-get update
```

bringst du die interne Datenbank von *apt-get* auf den neuesten Stand.

Schritt 3: Installation des VICE-Paketes

Nun kannst du endlich die erforderliche Installation des *VICE-Emulators* starten. Gib dazu die folgende Zeile ein:

```
sudo apt-get install vice
```

Schritt 4: Beschaffung der ROM-Dateien

Der *C64* weist in seinem internen Festspeicher, also dem *ROM* (*Read Only Memory*), quasi das *Betriebssystem auf*, damit der Computer betrieben werden kann. Diese *ROM-Dateien* sind für den Betrieb des *VICE-Emulators* zwingend notwendig. Die Rechtsprechung besagt, dass jeder, der einen *C64* besitzt, sich diese *ROM-Files* aus dem Internet herunterladen kann. Das geschieht mittels der folgende Zeile:

```
wget http://www.zimmers.net/anonftp/pub/cbm/crossplatform/emulators/
VICE/old/vice-1.5-roms.tar.gz
```

Das `wget`-Kommando sollte dir ja schon bekannt sein. Er lädt eine Datei unter Angabe der entsprechenden Adresse aus dem Internet herunter. Anschließend muss diese gepackte Datei noch entpackt werden. Dazu wird folgende Zeile genutzt:

```
tar xvfz- vice-1.5-roms.tar.gz
```

An dieser Stelle sollte ich wohl ein paar Worte über das `tar`-Kommando verlieren. Es dient zum packen bzw. entpacken von Dateien, ganz ähnlich, wie du es vielleicht schon vom Programm *7-Zip* her kennst, das ebenfalls Archive erstellen bzw. entpacken kann. Die unterschiedlichen Schalter des `tar`-Kommandos haben folgende Bedeutung:

- x : Extrahiert Dateien aus einem Archive
- v: Gibt Zusatzinformationen aus (Verbose)
- f: Verwendet die angegebene Datei zum Lesen bzw. Schreiben des Archives
- z: Komprimiert die Daten beim *Schreiben* bzw. dekomprimiert sie beim *Lesen* mit dem Programm *gzip*

Schritt 5: Kopieren der ROM-Dateien nach VICE

Nachdem du die *ROM-Dateien* jetzt beschafft und entpackt hast, befinden sie sich zunächst einmal in *dem* Verzeichnis, in das du sie heruntergeladen hast. Das ist in der Regel dein *HOME*-Verzeichnis. Nun musst du sie von dort aus in Richtung *VICE-Emulator* kopieren, damit sie beim Start von *VICE* auch genutzt werden. Andernfalls schlägt der Start fehl. Nach dem Kopiervorgang kannst du sie getrost aus deinem *HOME*-Verzeichnis löschen. Gib die folgende Zeile ein:

```
sudo cp -a vice-1.5-roms/data/* /usr/lib/vice
```

Das cp-Kommando kopiert die angegebenen Dateien in das Zielverzeichnis */usr/lib/vice*.

Schritt 6: Starten von VICE

Nun ist alles soweit vorbereitet, dass du den *VICE-Emulator* starten kannst. Gib dazu in deinem *Terminal-Fenster* einfach das folgende, unscheinbare Kommando ein:

```
x64
```

Eigene Programme schreiben

Jetzt reagiert der *VICE-Emulator* genau so, als wenn du vor einem realen *C64-Heimcomputer* sitzen würdest. Du benötigst weder einen externen *Kassettenrekorder* noch ein *Floppylaufwerk*, um die Programme oder Daten zu verwalten. All das wird über den Emulator simuliert. Natürlich kann ich aus Platzgründen hier nicht im Detail auf die Programmierung des *C64* eingehen, doch ein kurzes Programm kann nicht schaden. Der *C64* verfügte nicht nur über ein eigenes Betriebssystem, sondern auch über einen *Basic-Interpreter*, der in den *ROM*-Speicher fest eingebrannt war. Das Motto lautete: *Auspacken, Einschalten und Loslegen*. Das soll heute erst einmal einer nachmachen.

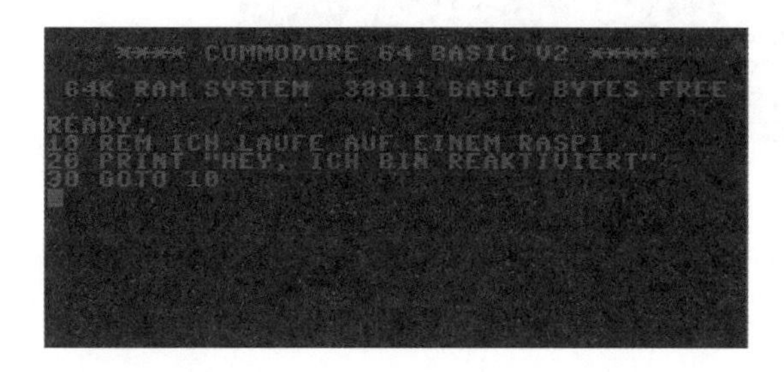

◀ **Abbildung 9-3**
Der C64 mit dem ersten Basic-Programm

Anno Dazumal wurde auf den meisten Heimcomputern die Programmiersprache *Basic* verwendet, um Programme zu schreiben. Dabei hatte jede Programmzeile eine sogenannte *Zeilennummer*, die nach dem Start des Programms dafür genutzt wurde, den Code in der vorgegebenen und aufsteigenden Reihenfolge abzuarbeiten. Meistens begann man bei Zeilennummer *10* und arbeitete dann in *10er*-Schritten weiter. So blieb immer noch ein wenig Platz, um ggf. Zeilen einzufügen, die dann z.B. zwischen der Zeile mit der Nummer *10* und der Zeile mit der Nummer *20* Platz hatten. Das kurze Programm, das du hier in der Abbildung siehst, besteht aus *3* Zeilen, wobei die erste in *Zeile 10* eine Kommentarzeile ist, die mit *REM* (*Remark*) beginnt. In Zeile *20* wird dann eine Zeichenkette auf dem Bildschirm ausgegeben. Dafür wird der PRINT-Befehl verwendet. Da diese Zeichenkette immer und immer wieder ausgegeben werden soll, habe ich eine Sprunganweisung über den GOTO-Befehl verwendet. GOTO bedeutet so viel wie *Gehe zu Zeilennummer XY*. In diesem Beispiel springt die Programmausführung zurück zu Zeilennummer *10* und fährt dort mit der Ausführung fort. Du hast es also mit einer Endlosschleife zu tun. Das Programm wird mit dem RUN-Befehl gestartet.

Abbildung 9-4 ▶ Starten des Basic-Programms

Im Anschluss geht's sofort los:

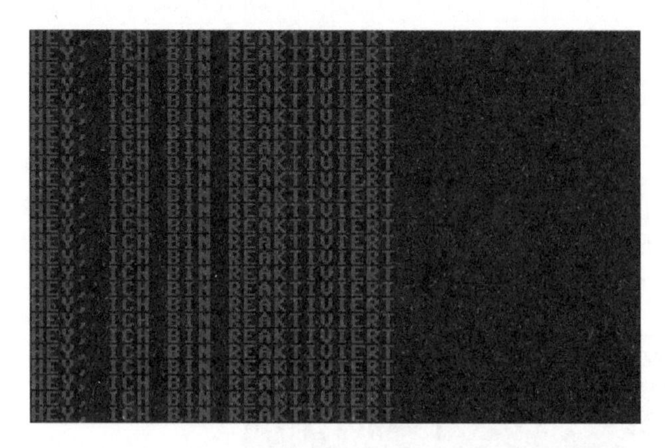

Abbildung 9-5 ▶ Das Basic-Programm in einer Endlosschleife

Wie kommst du jedoch da wieder raus? Ganz einfach! Drücke einfach die ESCAPE-*Taste* und die Programmausführung wird auf der Stelle unterbrochen.

◀ **Abbildung 9-6**
Das Basic-Programm wurde unterbrochen.

Wenn du eine Zeile editieren möchtest, gib sie einfach unter der entsprechenden Zeilennummer erneut ein. Die Anzeige des eingetippten Programms erfolgt über den `LIST`-Befehl. Wenn du den Programmspeicher leeren möchtest, verwendest du dazu den `NEW`-Befehl.

Für den *C64* sind sogar Hochsprachen wie z.B. *Fortran*, *Pascal* und *Power C* verfügbar. Und natürlich kannst du ihn auch in *Assembler* programmieren. Beim Prozessor handelt es sich um den *8-Bit* Prozessor *6510*, der eine Weiterentwicklung des *6502* ist.

C64-Spiele laden

Nach dieser Eingabe wird dir der *C64*-Startbildschirm angezeigt und du kannst z.B. über das Menü FILE|SMART ATTACH DISK/TAPE... eine *C64 Spiele-Datei* mit der Endung *t64* oder *tap* laden. Ich habe das einmal für das Spiel *TETRIX* durchgeführt und danach die Befehle

- LOAD:
- RUN

eingegeben. Mein Bildschrim sah dann wie folgt aus:

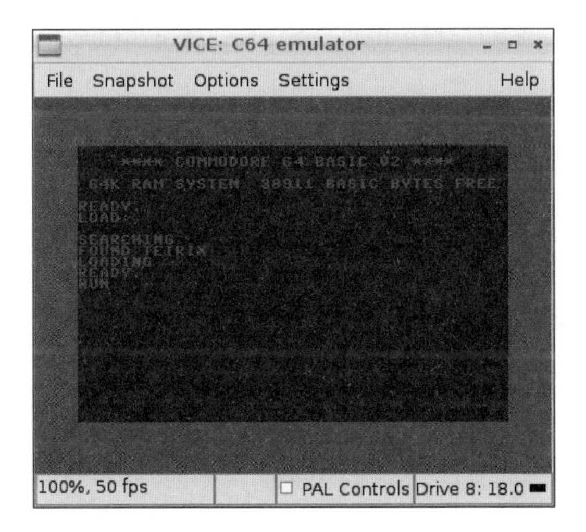

◀ **Abbildung 9-7**
Der C64 lädt das TETRIX-Spiel.

Nach der Eingabe von *RUN*, womit ein geladenes Spiel gestartet wird, wurde das Spiel auf die folgende Weise angezeigt. Alles Weitere musst du schon selbst herausfinden.

Abbildung 9-8 ▶
Das TETRIX-Spiel für den C64 wird ausgeführt.

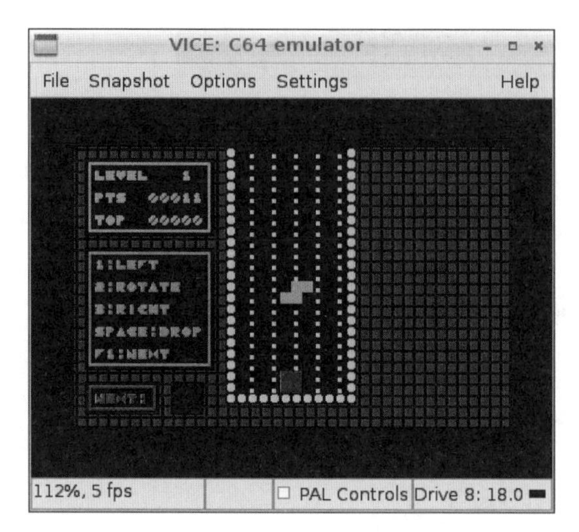

Noch weitere interessante Heimcomputer

Der *VICE-Emulator* bietet noch weitere Commodore-Emulatoren. Dazu müssen aber die entsprechenden ROM-Dateien vorliegen. Wenn du die o.g. Installation durchgeführt, stehen dir folgende Möglichkeiten offen, die du dir am besten über das entsprechende Menü einmal anschaust. Ich konnte mir leider noch nicht erklären, warum im Menü die Einträge in Debian-Squeeze immer doppelt vorkommen. Bei *Debian-Wheezy* war alles ok. Aber sei es drum.

Abbildung 9-9 ▶
Die VICE-Emulatoren

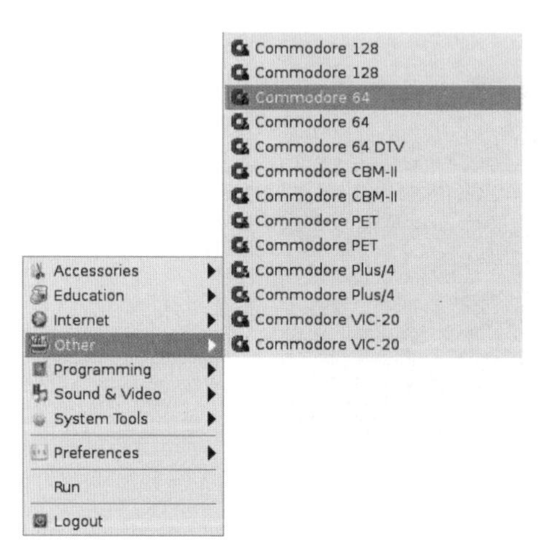

Hier siehst du den legendären *VC20*, mit dem die Erfolgsgeschichte des *C64* so richtig begann.

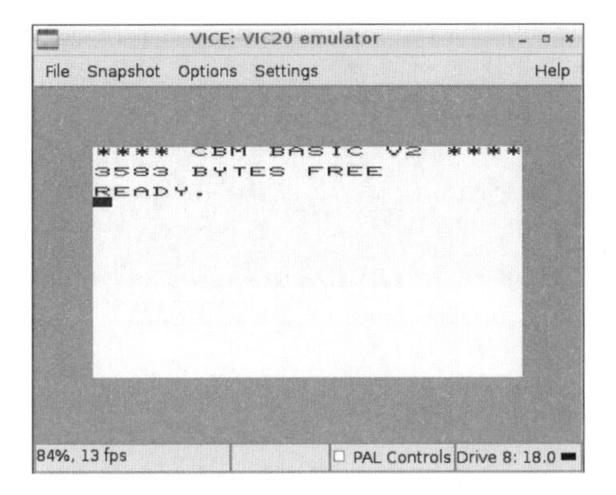

Abbildung 9-10
Der VC20 im VICE-Emulator

Der *Commodore-PET 2001* war für die damalige Zeit ein sehr umfassend ausgestatteter Computer, der Monitor, Kassettenrecorder und Tastatur in einem Gehäuse vereinte.

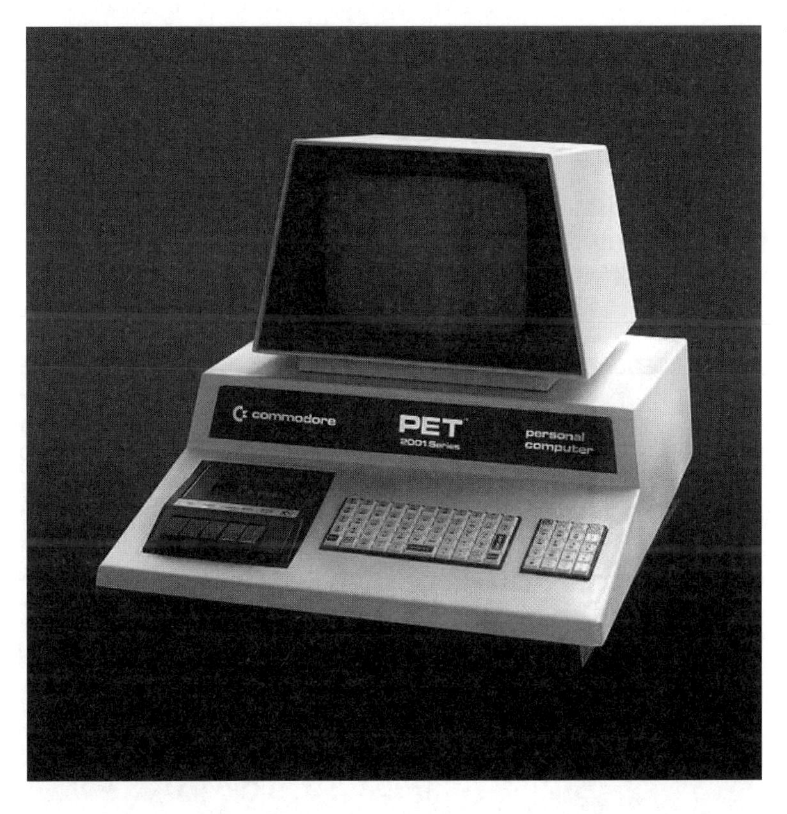

Abbildung 9-11
Der reale PET 2001
(Quelle: Wikipedia)

Du kannst ihn ebenfalls emulieren.

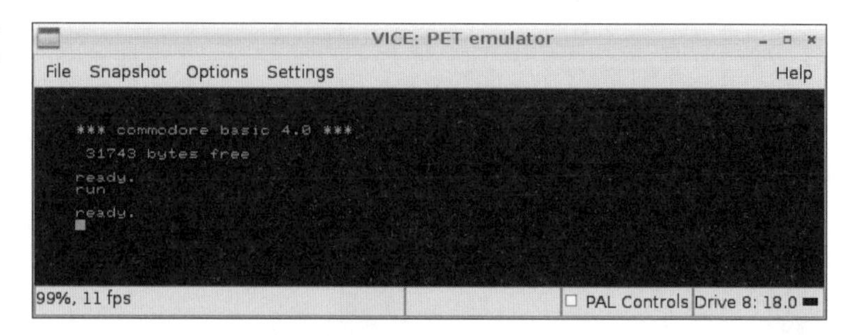

Abbildung 9-12 ▶
Der CBM-PET im VICE-Emulator

Die SCUMM-Engine

Die *Scumm VM* (*Script Creation Utility for Maniac Mansion Virtual Machine*) ist eine Virtual Machine für viele *Lucas Arts Adventures*. In jungen Jahren habe ich diese Spiele mit Begeisterung gezockt und sehr viel Spaß dabei gehabt. Sie hatten für die damalige Zeit eine super Grafik und sehr viel Spielwitz mit schönen Rätseln, und auch heute kann man sich dem Charme dieser Spiele nicht entziehen. Es existiert ein *ScummVM*-Installationspaket für *Debian*, das du über die folgende Zeile installieren kannst:

```
apt-get install scummvm
```

Ich habe meine alten CDs bzw. Disketten rausgekramt und einmal das super-duper-geniale *Day of the Tentacle* installiert. Wie du siehst, hat es wunderbar funktioniert.

Abbildung 9-13 ▶
Das Spiel »Day of the Tentacle« in der ScummVM

In der folgenden Abbildung siehst du *Bernard*, *Laverne* und *Hoagie*, die in die Vergangenheit bzw. Zukunft reisen müssen, um den verrückten *Purpur-Tentakel* aufzuhalten, der von einem giftigen Abwasser getrunken hat und mutiert. Sein Ziel: *Die Welt zu erobern*!

◀ **Abbildung 9-14**
Bernard, Laverne und Hoagie

Mit dem Sound ist es leider im Moment noch etwas problematisch. Die Sprache der einzelnen Akteure wird nur dann wiedergegeben, wenn du anstelle von *ALSA* die Auswahl *SEQ* für *Music driver* triffst.

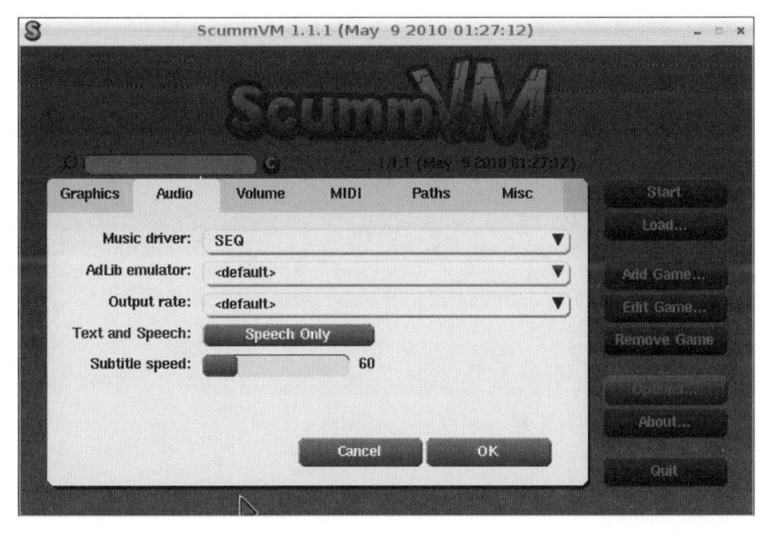

◀ **Abbildung 9-15**
Die Audio-Konfiguration der ScummVM

Die Hintergrundmusik ist jedoch *Midi*-basierend, so dass das dann nicht funktioniert. Wenn der *ALSA-Treiber* die Alpha-Phase verlassen hat, dann könnte es möglicherweise auch mit der Hintergrundmusik klappen. Es macht aber trotzdem Spaß, denn es kommt hauptsächlich darauf an, was gesprochen wird.

Erweiterungen über GPIO

10

Du hast ja sicherlich im Kapitel über den *Arduino* gesehen, wie schön man damit interessante Erweiterungen programmieren bzw. basteln kann. Da das hier aber kein Buch über den *Arduino* wird und du sicherlich darauf brennst, auch mit deinem *Raspberry Pi* elektronische Schaltungen aufzubauen und sie mit der entsprechenden Programmierung anzusteuern, komme ich jetzt in diesem Kapitel zu den Erweiterungsmöglichkeiten deines *Raspberry Pi*. Im Kapitel über die *Hardware* habe ich dir nur ganz nebenbei die Anschlüsse auf dem Board gezeigt, die mit dem Namen *GPIO* versehen sind. *GPIO* ist die Abkürzung für *General Purpose Input Output*. Mit diesen Anschlüssen wird dir eine Möglichkeit an die Hand, dich in puncto Erweiterungen so richtig auszutoben. Doch ich muss dich gleich zu Beginn warnen, denn wenn mit diesen Anschlüssen Schindluder getrieben und nicht *100%ig* auf die Spezifikationen geachtet wird, dann war's das und es ist Schluss mit lustig! Diese Anschlüsse führen direkt zum Prozessor und es ist keine Schutzschaltung vorhanden, die z.B. bei Überspannung die Ein- bzw. Ausgänge vor Zerstörung bewahrt. Du muss dir also sehr sicher sein, was du dort anschließt und wie du vorgehst. Ich werde keine Verantwortung übernehmen, wenn das Board den Geist aufgegeben hat. Ein weiterer wichtiger Hinweis bezieht sich auf das Arbeiten mit deinem Board, ohne dass du ein Gehäuse verwendest. Die Unterseite des *Raspberry Pi* ist die sogenannte *Lötseite*. Die unzähligen Lötpunkte dürfen auf keinen Fall durch irgendwelche leitenden Gegenstände, die vielleicht auf deinem Schreibtisch liegen, miteinander verbunden werden. Da reicht schon ein Kugelschreiber, eine Büroklammer oder ähnliches aus, und der Ärger ist da. Das gleiche gilt für das spätere Arbeiten mit Steckbrücken, die dann meistens dort rumfliegen, wo sie nicht hingehören. Halte deinen Arbeitsplatte sauber, dann wirst du auch keine bösen Überraschungen erleben. In diesem Kapitel sollen folgende Themen behandelt werden:

- Die *GPIO-Pins*
- Die Spannungsversorgung von *3,3V* und *5V*
- Wir installieren eine *Python-Library* zur Programmierung der GPIO-Pins.
- Wie kannst du einzelne *GPIO-Pins* programmieren (*Input*, *Output*)?
- Was ist ein *Transistor*?
- Wofür benötigen wir *Widerstände*?
- Was ist ein *Steckbrett* bzw. ein *Breadboard*?
- Wie können wir eine einfache *Leuchtdiode* ansteuern?
- Wir basteln uns eine einfache *Ampelschaltung*.
- Wie können wir den Zustand eines *Tasters* abfragen?
- Wir erweitern die Ampelschaltung um eine interaktive Komponente.
- Wie können wir die GPIO-Pins über die Linux-Shell beeinflussen?

Abbildung 10-1 ▶ GPIO-Pins (rote Markierung bedeutet Pin 1)

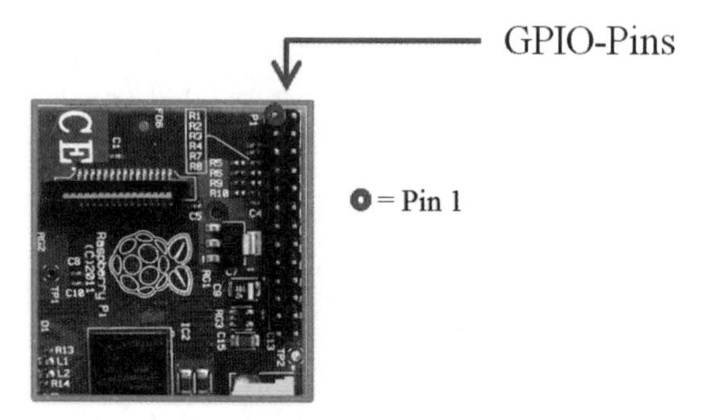

Achtung

Achte immer darauf, wie dein *Raspberry Pi*-Board ausgerichtet ist. Am besten orientierst du dich am *Pin 1*, der deutlich markiert bzw. beschriftet ist. Es hätte fatale Folgen, wenn du an den falschen Pins ggf. eine Spannung anlegen würdest. Das Board würde mit an Sicherheit grenzender Wahrscheinlichkeit beschädigt!

Die GPIO-Pins

Jeder der 26 einzelnen Pins hat eine eigene Bedeutung, wobei Pins, die mit *DNC* (*Do Not Connect*) bezeichnet sind, nicht beschaltet werden dürfen. Sie sind für zukünftige Erweiterungen reserviert.

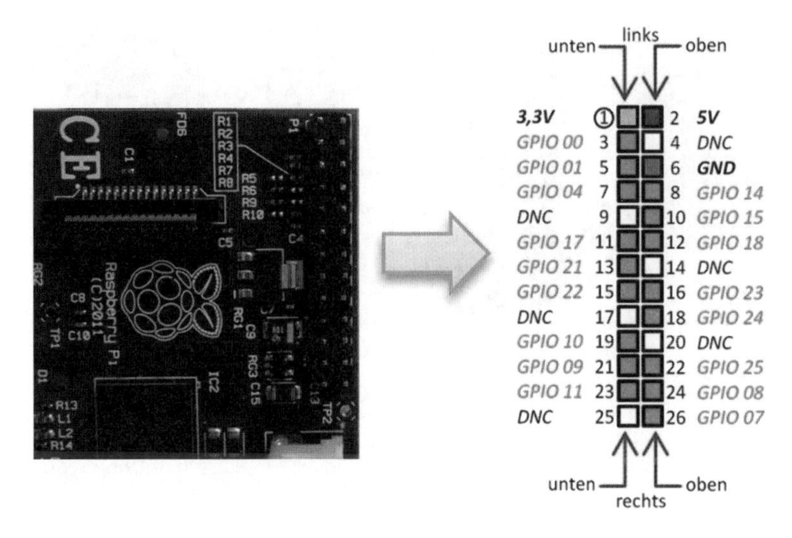

◀ **Abbildung 10-2**
GPIO-Pins und deren Bedeutung

Auf dieser Abbildung siehst du sowohl die doppelte Stiftleiste auf dem Board als auch die dazugehörigen Bedeutungen. Damit alles ein wenig lesbarer wird, habe ich das Board nach rechts gekippt, so dass die linke Stiftreihe eigentlich die untere bzw. die rechte die obere ist. Beachte die Nummerierung der einzelnen Pins. Du siehst, dass sich die ungeraden Nummern *unten* und die geraden *oben* befinden.

Die Spannungsversorgung

Hinsichtlich der Spannungsversorgungen von *3,3V* bzw. *5V* ist Folgendes unbedingt zu beachten:

◀ **Tabelle 10-1**
Die Versorgungsspannungen 3,3V und 5V

Spannuung	Besondere Beachtung
3,3V	Die *3,3V* Versorgungsspannung an *Pin 1* kann nur maximal *50mA* Strom liefern. Alles, was darüber hinausgeht, beschädigt das Board unweigerlich.
5V	Die *5V* Versorgungsspannung an *Pin 2* wird direkt vom angeschlossenen USB-Power-Supply bezogen. Das Board und der Versorgungspin 2 müssen sich demnach den zur Verfügung stehenden Strom des Power-Supply teilen. Verfügt es über *1000mA* Maximalleistung bzw. Strom und das Board benötigt z. B. *700mA*, dann bleiben für *Pin 2* noch *300mA* übrig.

Ich habe an beiden Pins einmal mein Multimeter angeschlossen, um zu sehen, ob auch wirklich die angekündigten Spannungen anliegen.

Abbildung 10-3 ▶
Spannungsvergleich an den GPIO-Pins für die Spannungsversorgung

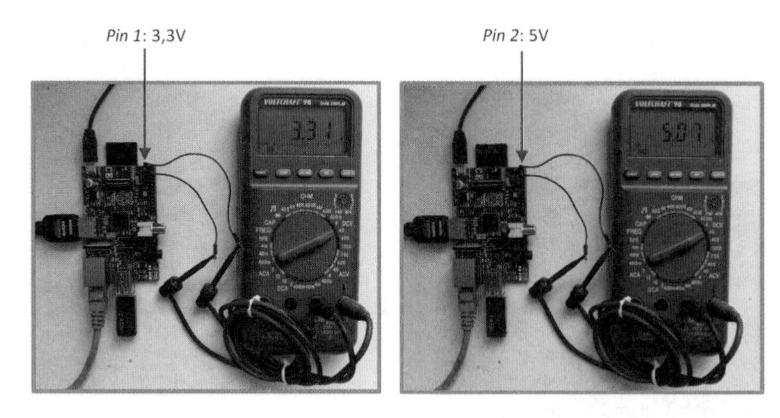

Achtung

Wenn du solche Messungen bzw. Verdrahtungen vornimmst, musst du sehr gut darauf achten, dass sich die blanken Leitungen untereinander nicht berühren. Ein Kurzschluss würde ggf. das Ende des Boards bedeuten.

Die IO-Pins

Wenn du die *IO-Pins* einmal zusammenaddierst, dann kommst du in der Summe auf *17 Pins*. In der Grafik habe ich diese *grün* markiert, damit sie besser von den anderen zu unterscheiden sind.

Das habe ich verstanden! Doch es fehlt mir ein wenig der Überblick, welche Pins denn jetzt als Eingänge und welche als Ausgänge fungieren. Ich könnte mir vorstellen, dass die mit der ungeraden Nummerierung als Eingänge und die mit der geraden als Ausgänge genutzt werden. Liege ich da ungefähr richtig?

Nun, *RasPi*, da bist du leider vollkommen auf dem Holzweg. Jeder einzelne der *IO-Pins* kann individuell entweder als *Ein-* oder als *Ausgang* programmiert werden. Wenn wir im folgenden Beispiel an zwei unterschiedlichen Pins z.B. einen *Taster* und eine *LED* (*Leuchtdiode*) anschließen, dann müssen beide Pins hinsichtlich der Datenflussrichtung unterschiedlich programmiert werden. Schau her:

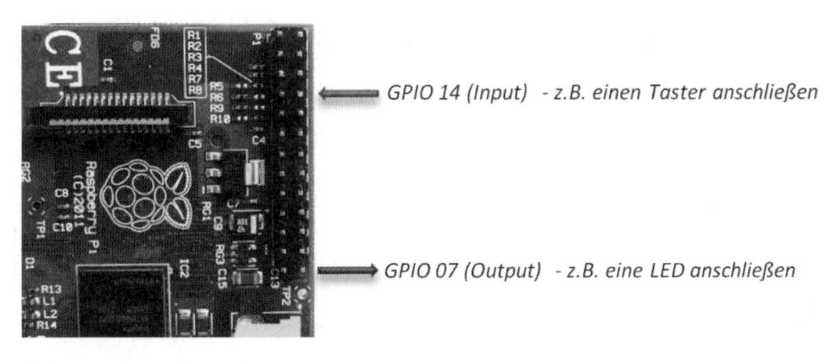

◀ Abbildung 10-4
Zwei unterschiedlich programmierte GPIO-Pins

Über einen *Taster* kannst du ein Statussignal an den *GPIO-Pin* liefern. Dieser muss also als *Eingang* (*Input*) programmiert werden. Wenn du aber ein Signal nach draußen leiten möchtest, um z.B. eine *LED* anzusteuern, dann muss der betreffende Pin als *Ausgang* (*Output*) programmiert werden.

Wichtige Hinweise bezüglich der Spannung

An dieser Stelle ist eine weitere Warnung angebracht. Die *IO-Pins* arbeiten mit einer Spannung von *3,3V*, und das ist so sicher wie das Amen in der Kirche. Wenn du *5V*, wie sie sonst z.B. beim *Arduino* üblichen sind, an einen der Pins schickst, geht diese Spannung, ohne dass irgendein Schutzmechanismus greift, durch bis zum Broadcom-Chip und der sagt dann *danke* und verabschiedet sich.

Wichtige Hinweise bezüglich des Stromes

Gemäß des Datenblattes können die *GPIO-Pins* so programmiert werden, dass der Strom, der rein bzw. rausfließt, sich zwischen *2mA* und *16mA* bewegt. Das bezieht sich jedoch nicht auf einen einzelnen Pin, sondern auf eine *Pin-Gruppe*, in der sich naturgemäß mehrere Pins befinden. Die Leistungsgrenze kann sehr schnell erreicht werden, wenn gleichzeitig mehrere Pins ein Ausgangssignal liefern. Der Fachbegriff dafür lautet: *SSO* (*Simultaneous Switching Outputs*). Nähere Informationen zu dem Thema findest du hier:

http://elinux.org/RPi_Low-level_peripherals

Du siehst, dass du sehr schnell an die Grenzen des Machbaren stößt und du wirklich alles beachten solltest, was in den Spezifikationen geschrieben steht. Andernfalls wird das Board zerstört.

Die Programmierung der GPIO-Pins

Da die Beschränkungen der *GPIO-Pins* hinsichtlich des maximalen Stromflusses sehr ernst zu nehmen sind, müssen wir uns etwas einfallen lassen.

Aber wie soll das denn gehen? Wenn die einzelnen Pins nicht mehr Strom liefern, dann können wir doch auch nicht mehr aus ihnen herausholen.

Da hast du sicherlich Recht mit, *RasPi*. Aber wir gehen einen leicht anderen Weg. Stelle dir z. B. einen vorsintflutlichen Schleusenwärter vor. Er dreht über eine Kurbel eine Welle, die wiederum ein Schott bewegt, das den Wasserzufluss reguliert. Mit mehr oder minder geringem Kraftaufwand kann der Wärter Wassermassen regulieren, die viel mehr Energie haben, als die, die er zum Bewegen des Schotts aufgewendet hat. In der Elektronik gibt es ein Bauteil, das ein ähnliches Verhalten aufweist. Es nennt sich *Transistor*. Es handelt sich dabei um ein *Halbleiterelement*, das sowohl als *elektronischer Schalter* als auch als *Verstärker* Verwendung findet. Wir können den *Transistor* mit einem elektronisch regelbaren Widerstand vergleichen, dessen Schleiferposition über einen angelegten Strom beeinflusst werden kann, wodurch der Widerstand reguliert wird.

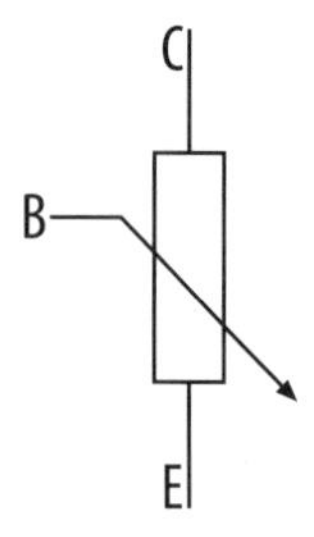

Die drei Buchstaben bedeuten Folgendes:

- **B** steht für Basis.
- **C** steht für Collektor (deutsch: Kollektor).
- **E** steht für Emitter.

Je größer der absolute Wert des Stromes am Punkt *B* ist, desto kleiner wird der Widerstand zwischen den Punkten *C* und *E*. Wenn wir uns ein Bauteil vorstellen, das wie schon erwähnt, etwas steuern soll (schalten oder verstärken), dann muss es ja über eine Leitung verfügen, die diese Steuerung übernimmt und zwei weitere, die den Elektronenfluss (rein bzw. raus) ermöglichen. Und schon haben wir die drei Anschlüsse eines Transistors auf sehr rudimentäre Weise beschrieben. Mit meiner Spezialkamera habe ich einmal die folgende Aufnahme gemacht, die den Fluss der Elektronen durch einen *Transistor* zeigt.

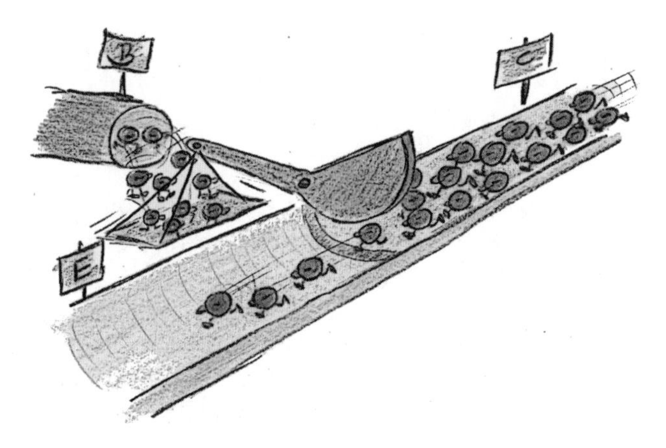

Abbildung 10-5
Elektronen auf dem Weg durch den Transistor

Jetzt ist es aber langsam an der Zeit, dass ich dir einen Transistor einmal so vorstelle, wie er in Wirklichkeit aussieht. Hier also der *Transistor* mit der Bezeichnung *BC547B:*

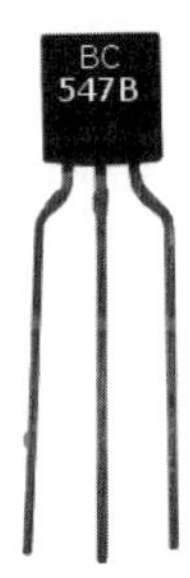

Wenn du einen solchen Transistor in den Händen hältst, dann suchst du vergeblich nach den Bezeichnungen für die einzelnen Anschlussbeinchen. Da ist ein Blick in das *Datenblatt* des Transistors angebracht. Ich zeige dir auf dem folgenden Bild die Anschlussbelegung mit der Sicht von unten auf die Beinchen.

Abbildung 10-6
Die Pin-Belegung des Transistors BC547B (Sicht von unten auf die Beinchen)

Natürlich hat ein Transistor auch ein *Schaltzeichen*. Da es zwei unterschiedliche Typen gibt, haben wir es auch mit verschiedenen Schaltsymbolen zu tun. Auf die Unterschiede komme ich sofort zu sprechen.

Abbildung 10-7 ▶
Die unterschiedlichen Schaltzeichen für einen Transistor

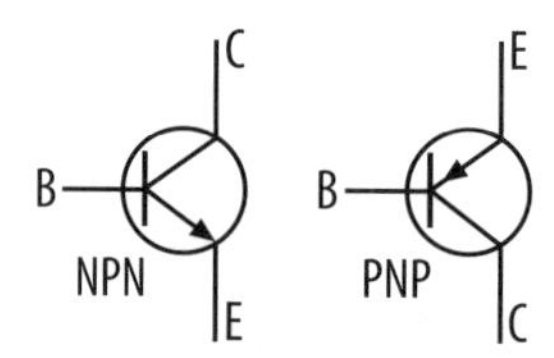

Die Unterschiede zwischen den Typen *NPN* und *PNP* liegen in der Anordnung der Siliziumschichten. Jeder Transistor weist drei aufeinanderliegende Siliziumschichten auf, von denen zwei immer gleich sind und außen liegen. Bei einem *NPN*-Transistor liegen die *N*-Schichten außen und bilden den *Kollektor* bzw. *Emitter*. Die in der Mitte liegende Schicht bildet die *Basis*. Die Basis eines *NPN*-Transistors wird also durch die *P*-Schicht gebildet. Der *NPN*-Transistor schaltet durch, wenn das *Basis-Emitter-Potential* mindestens *+0,7V* beträgt. Wenn ich von *Durchschalten* spreche, dann ist damit der beginnende Stromfluss zwischen Kollektor und Emitter gemeint. Im Gegensatz dazu schaltet der *PNP*-Transistor durch, wenn das *Basis-Emitter-Potential* negativ ist und mindestens *-0,7V* beträgt.

Bei unserem *BC547B* handelt sich um einen *NPN-Transistor*, was bedeutet, dass er mit einem *positiven Potential* angesteuert werden muss, damit er mehr oder weniger durchsteuert.

Das habe ich verstanden, doch wo nehme ich jetzt mehr her, als eigentlich vorhanden ist? Den Zusammenhang habe ich noch nicht so ganz durchblickt.

Kein Problem, *RasPi*. Im folgenden Schaltplan habe ich das ein wenig mehr verdeutlicht. Auf der linken Seite siehst du einen *GPIO-Pin*, der als Ausgang arbeitet und, wie schon erwähnt, nicht genug Strom liefert, um z.B. einen Verbraucher anzusteuern. Der Ausgangspegel dieses Pins kann entweder *0V* oder *3,3V* betragen, was einem *LOW*- bzw. *HIGH*-Pegel entspricht.

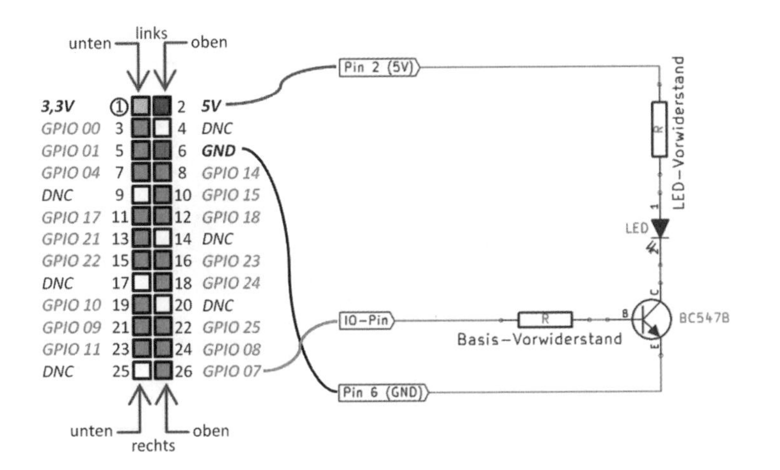

◀ Abbildung 10-8
Die Ansteuerung einer LED über einen Transistor

Du siehst hier, dass die *5V* an *Pin 2* über einen Vorwiderstand an die LED geleitet werden. Dadurch wird der Strom begrenzt, der über die *Kollektor-Emitter-Strecke* des Transistors und zur *Masse* an *Pin 6* fließt. Dieser Zweig ist der *Laststromkreis*. Der Strom kann hier aber erst anfangen zu fließen, wenn die Basis des Transistors entsprechend angesteuert wird. Diese Ansteuerung erfolgt über den *GPIO-Pin 26* (*GPIO 07*) und einen Basis-Vorwiderstand, was einen sogenannten *Steuerstromkreis* ergibt. Ich habe diese Schaltung einmal real aufgebaut und auch ein *Vielfachmessgerät* in den *Steuerstromkreis* eingebaut. So können wir sehen, wie groß die Stromstärke der *Basis-Emitter-Strecke* ist. Das Messgerät zeigt einen Strom von *110 μA* an.

◀ Abbildung 10-9
Der Schaltungsaufbau zur Ansteuerung einer LED über einen Transistor

Werfen wir einen näheren Blick auf die Schaltung, die ich hier auf einem *Steckbrett* – auch *Breadboard* genannt – aufgebaut habe.

Abbildung 10-10 ▶
Die Schaltung aus der Nähe

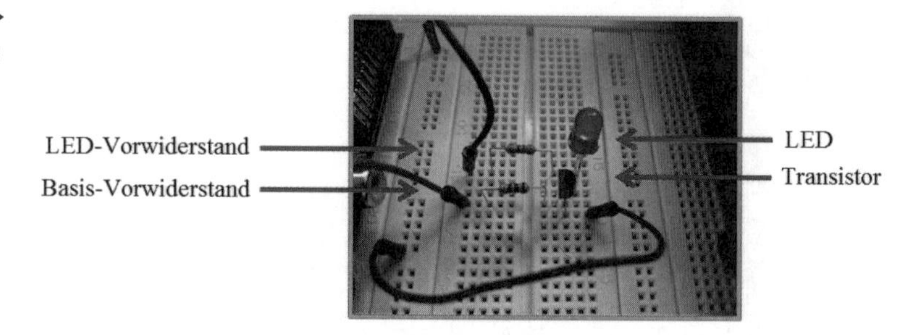

Diese beiden Widerstände haben doch sicherlich bestimmte Größen. Ich meine nicht die Abmessungen, sondern ihre Widerstandswerte.

Da hast du natürlich Recht, *RasPi*. Ich habe folgende Werte ausgesucht:

- LED-Vorwiderstand: *470 Ohm*
- Basis-Vorwiderstand: *22 Kilo-Ohm*

Von der schaltungstechnischen Seite her gesehen haben wir jetzt so einiges angesprochen. Wie sieht es aber mit der programmtechnischen Seite aus? Irgendeine Software muss jetzt diese *GPIO-Pins* ansprechen und sie mit den gewünschten Logik-Pegeln versorgen. Ansonsten bleibt unsere LED einfach dunkel. Am besten versuchen wir unser Glück einmal mit der Programmiersprache *Python*. Zu diesem Zweck wurde eine eigene Library programmiert, die wir nutzen können. Die komplette Funktionalität bzw. Komplexität wird wunderbar gekapselt und bleibt vor uns verborgen. Was interessiert uns im Moment, wie die *GPIO-Pins* wirklich angesteuert werden? Wir wollen einfach sagen können: »*Schalt mal die LED an Pin 26 an.*« Wie das im Detail funktioniert, ist an dieser Stelle erst einmal Nebensache. Wie bekommen wir diese Library auf den *Raspberry Pi* und wie wird sie installiert? Die folgenden Schritte musst du entsprechend ausführen. Im Laufe der Zeit ändern sich sicherlich die Versionen der Library, denn es werden entweder Fehler behoben oder es kommen neue Funktionalitäten hinzu. Du musst dann den Namen der Library entsprechend anpassen.

Schritt 1: GPIO-Library aus dem Internet laden

Besuche die Seite

http://pypi.python.org/pypi/RPi.GPIO

und lade dort die passende Datei herunter. Sie wird dann in deinem *HOME*-Verzeichnis abgelegt. Die Datei lautet z.B. *RPi.GPIO-0.2.0.tar.gz*.

Schritt 2: GPIO-Library entpacken

Öffne ein *Terminal-Fenster* und gib den folgenden Befehl ein, damit die gepackte Datei entpackt wird:

```
tar zxvf RPi.GPIO-0.2.0.tar.gz
```

Schritt 3: GPIO-Library Installation

Durch diese Aktion wurde ein Verzeichnis mit dem Namen *RPI.GPIO-0-2-0* angelegt. Du musst jetzt in dieses Verzeichnis wechseln. Dazu wird der folgende Befehl verwendet:

```
cd RPI.GPIO-0-2-0
```

In dem Verzeichnis befindet sich u.a. eine Datei mit Namen *setup.py*, die für die Python-Installation erforderlich ist. Die Installation wird über die Zeile

```
sudo python setup.py install
```

gestartet. Es folgen einige Meldungen in deinem *Terminal-Fenster*, die du beobachten solltest. Falls eine Fehlermeldung erscheint, lies sie aufmerksam und reagiere entsprechend. Die Meldungen sind meistens sehr sprechend, in der Form, dass bei einem evtl. Fehler die mögliche Ursache angegeben wird. Wenn alles einwandfrei geklappt hat, steht der Programmierung der *GPIO-Pins* über *Python* nichts mehr im Wege. Wir können also unser erstes Python-Skript schreiben. Ich habe dazu wieder den *Stani's Python Editor* verwendet. Mit dem folgenden Code wollen wir die an *Pin 26* (siehe Schaltplan) angeschlossene LED zum Leuchten bringen.

```
Source | Uml | PyDoc
1  # Notwendige Library einbinden
2  import RPi.GPIO as GPIO
3
4  # GPIO-Pin und Datenflussrichtung (IN, OUT) angeben
5  GPIO.setup(26, GPIO.OUT)
6
7  # Ausgang von Pin 26  (GPIO 07) auf HIGH-Pegel setzen
8  GPIO.output(26, True)
9
10 # Skript-Ende
11 print 'GPIO-Skript Ende'
```

◀ Abbildung 10-11
Die GPIO-Ansteuerung über ein Python-Skript

Gehen wir das Skript einmal Zeile für Zeile durch.

Zeile 2: Einbinden der Python-Library

Um die Funktionalität der *GPIO-Library* nutzen zu können, müssen wir diese über die `import`-Anweisung einbinden.

Zeile 5: Datenflussrichtung programmieren

Die *GPIO-Library* verfügt über unterschiedliche Funktionen, die in der objektorientierten Umgebung *Methoden* genannt werden. Gewöhne dich schon einmal an diese Formulierung. Sehen wir uns doch diesen Aufruf in Zeile 5 einmal genauer an:

Library Methode Argumente

```
GPIO.setup(26, GPIO.OUT)
```

Punktoperator

Ganz zu Beginn ist der Name der Library, deren *Methoden* wir ja nutzen möchten, angeführt. Danach folgt der sogenannte Punktoperator, der *Library* und *Methode* verbindet. Die `setup`-Methode ermöglicht uns, einen bestimmten *Pin* und dessen *Datenflussrichtung* zu bestimmen. Diese beiden Informationen werden als *Argumente* der Methode übergeben.

> Irgendwie bin ich hier ein wenig durcheinander gekommen. Ich dachte, du möchtest *GPIO 07* mit der angeschlossenen LED ansteuern. Jetzt gibst du auf einmal die *26* als Argument an. Wie soll das denn zusammenpassen?

Das ist ein guter Einwand, *RasPi. Genau* darüber bin ich auch schon gestolpert und habe ganz zu Anfang diese vermeintliche *07* als Argument übergeben. Das funktioniert aber nicht. Du musst die entsprechende *Pin-Nummer* angeben, andernfalls läuft die ganze Sache nicht. Sehen wir uns dazu die *Argumente* einmal aus der Nähe an.

```
26, GPIO.OUT
```

Pin-Nummer Datenflussrichtung

Die Pin-Nummer spricht hier für sich und bedarf keiner weiteren Erläuterung. In puncto Datenflussrichtung sollte ich jedoch ein paar Worte verlieren. Du siehst auch hier wieder den *Punktoperator*, doch es folgt diesmal *keine Methode*, sondern es handelt sich um eine *Konstante*. Innerhalb von *Python* wird mit irgendwelchen Werten festgelegt, wie denn die Datenflussrichtung zu programmieren ist, wobei die folgenden Angaben sicherlich sprechender sind:

- GPIO.OUT
- GPIO.IN

Durch das vorangestellte *GPIO* ist dabei sofort ersichtlich, dass es sich um Konstanten handelt, die in Verbindung mit der *GPIO-Library* stehen.

Zeile 8: GPIO-Pin ansteuern

Jetzt ist alles für die Ansteuerung des Pins mit der Nummer *26* vorbereitet. Über die folgende Zeile wird der Spannungspegel auf *HIGH* gesetzt:

```
Library  Methode   Argumente
GPIO.output(26, True)
```

Auch hier haben wir es wieder mit einer *Methode* zu tun, die sich *output* nennt. Sie nimmt ebenfalls zwei Argumente entgegen.

```
26,        True
↑          ↑
Pin-Nummer Pegel
```

Die Angabe *True* als Wahrheitswert ist zwar schön und gut, doch ich hätte *HIGH* an dieser Stelle besser gefunden. In der etwas neueren Python *GPIO-Library 0.3.1a* kannst du die Konstanten *HIGH* bzw. *LOW* verwenden. Na also, geht doch! Unter *Wheezy* musst du noch das Python-Paket *python-dev* mit *apt* nachinstallieren. Jedenfalls schaltest du mit dem Argument *True* den *Pin 26* auf *HIGH*-Pegel, was bewirkt, dass der Transistor angesteuert wird, durchschaltet und die LED zu leuchten beginnt. Wenn du *True* durch *False ersetzt*, kannst du damit die LED wieder zum Erlöschen bringen. Bringen wir doch einfach einmal beide Punkte, also die Ansteuerung über *True* bzw. *False,* zusammen und lassen die LED blinken. Das hatten wir ja schon beim *Arduino*. Dann wollen wir nun mal sehen, wie das funktioniert.

Abbildung 10-12 ▶
Die GPIO-Ansteuerung über ein Python-Skript (Blinken der LED)

```
Source | Uml | PyDoc
 1  import RPi.GPIO as GPIO # Wird fuer GPIO benoetigt
 2  import time             # Wird fuer sleep-Funktion benoetigt
 3
 4  # GPIO-Pin und Datenflussrichtung (IN, OUT) angeben
 5  GPIO.setup(26, GPIO.OUT)
 6
 7  # Endlosschleife zum Blinken
 8  while True:
 9      GPIO.output(26, True)  # HIGH-Pegel
10      time.sleep(1)          # 1 Sekunde warten
11      GPIO.output(26, False) # LOW-Pegel
12      time.sleep(1)          # 1 Sekunde warten
```

Damit wir eine Verzögerungsfunktion in *Python* nutzen können, muss die *time*-Library in Zeile *2* mit eingebunden werden. Erst dann kann die `sleep`-Funktion in den Zeilen *10* und *12* verwendet werden. Über die `while`-Schleife, die sich über die Zeilen *8* bis *12* erstreckt, werden die enthaltenen Kommandos in endloser Abfolge aufgerufen. Dies bewirkt das *True* hinter *while*, wo normalerweise ein zu bewertender Ausdruck zu finden ist. Dieser *Pseudo-Ausdruck* ist immer *wahr* und demnach wird die *while*-Schleife immer wieder durchlaufen. Hinter jeder Pegeländerung in den Zeilen *9* bzw. *11* wurde jeweils eine `sleep`-Anweisung platziert. Auf diese Weise ist die LED im ständigen Wechsel für eine Sekunde an und für eine Sekunde aus.

Achtung

Wenn du das *Python-Skript* starten möchtest, kann das nur mit den Berechtigungen als *Root-User* erfolgen. Speichere das Skript z.B. unter dem Namen *GPIOBlink.py* ab und gib danach in einem *Terminal-Fenster* den Befehl `sudo python GPIOBlink.py` ein. Um die Skriptausführung wieder anzuhalten, drückst du die Tastenkombination STRG-C. Im *Terminal-Fenster* werden dann ggf. mehrere Meldungen angezeigt, die dich aber nicht beunruhigen sollten. Ganz am Ende liest du dann *KeyboardInterrupt*, was ein eindeutiges Anzeichen dafür ist, dass du das Skript über die Tastatur unterbrochen hast.

Wir experimentieren ein wenig mit der Programmierung

So, wir haben die Programmierung eines einzelnen *GPIO-Pins* wunderbar hinbekommen. Was hältst du davon, wenn wir uns jetzt einigen Experimenten widmen, damit die Sache ein wenig interessanter wird? In unserem ersten Versuch haben wir lediglich eine einzige LED angesteuert und der entsprechende *GPIO-Pin* musste als *Ausgang* programmiert werden. Ich denke, dass es jetzt an der Zeit ist, mehrere Pins zu programmieren, einen davon vielleicht auch als *Eingang*, damit wir von außen einen gewissen Einfluss auf die Schaltung bzw. die Programmierung nehmen können.

Die Ampelschaltung

Ein gutes Beispiel ist hier sicherlich eine *Ampelanlage*. Beginnen wir zuerst mit einer Schaltung, die die drei Lichter einer Ampelanlage für die Autofahrer nachbildet.

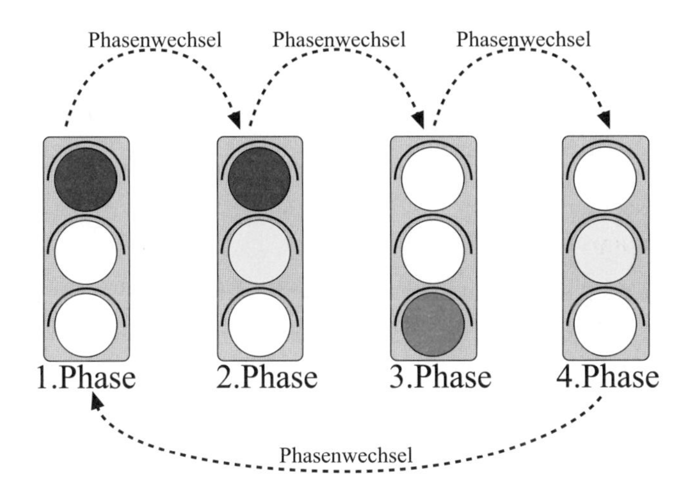

◀ Abbildung 10-13
Ampelzustände mit Phasenwechsel

Die einzelnen Ampelphasen werden von der *1.* bis zur *4.* Phase durchlaufen. Danach wird wieder von vorne begonnen. Der Einfachheit halber beschränken wir uns auf eine Ampel für eine Fahrtrichtung. Das Beispiel regt sicherlich zum Experimentieren an und macht viel Spaß. Die Bedeutung der einzelnen Farben sollte klar sein, doch ich nenne sie zur Sicherheit noch einmal:

- Rot (keine Fahrerlaubnis)
- Gelb (Auf nächstes Signal warten)
- Grün (Fahrerlaubnis)

Jede einzelne Phase hat eine festgelegte Leuchtdauer. Dem Verkehrsteilnehmer muss genug Zeit bleiben, die einzelne Phase wahrzunehmen, um entsprechend darauf reagieren zu können. Wir werden für unser Beispiel folgende Leuchtdauern definieren, die sicherlich nicht der Realität entsprechen, denn du möchtest hier bestimmt nicht allzu lange auf den Phasenwechsel warten. Du kannst die Zeiten aber nach Belieben anpassen.

Tabelle 10-2 ▶
Phasen mit Leuchtdauer

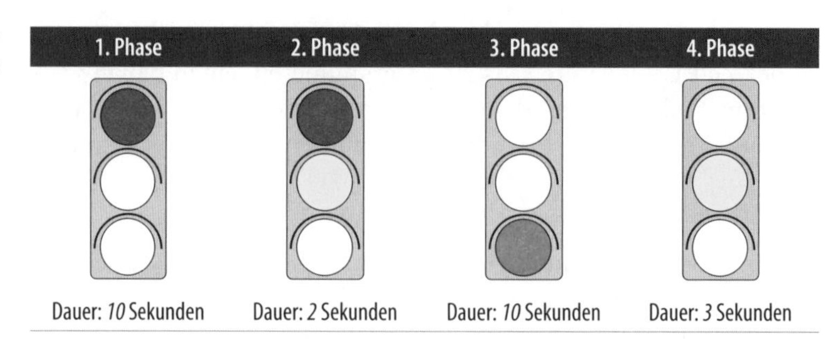

1. Phase	2. Phase	3. Phase	4. Phase
Dauer: *10* Sekunden	Dauer: *2* Sekunden	Dauer: *10* Sekunden	Dauer: *3* Sekunden

Nach dem Starten des Programms soll die Ampelschaltung die gerade gezeigten *4* Phasen durchlaufen und wieder von vorne beginnen. Soweit die Theorie. Sehen wir uns dazu einmal die Schaltung an, die nicht viel komplizierter ist, als die der *Blink-Schaltung*. Es werden zusätzlich einfach noch zwei weitere LEDs mit Transistoren und Vorwiderständen benötigt. Das ist nichts Wildes.

Der Schaltplan

Zur Ansteuerung werden einfach noch zwei weitere GPIO-Pins hinzugezogen, was sich nachher natürlich auch in der Programmierung bemerkbar macht.

Abbildung 10-14 ▶
Die Ansteuerung der Ampel-LEDs

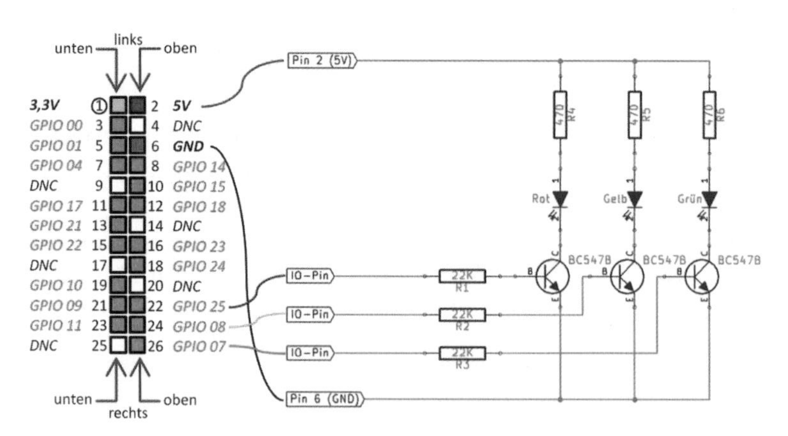

Folgende GPIO-Pins habe ich für die Ansteuerung vorgesehen:

- LED Rot: *Pin 22*
- LED Gelb: *Pin 24*
- LED Grün: *Pin 26*

Der Schaltungsaufbau

Wenn du diese Schaltung auf deinem Breadboard aufbaust, dann sieht das vielleicht wie folgt aus:

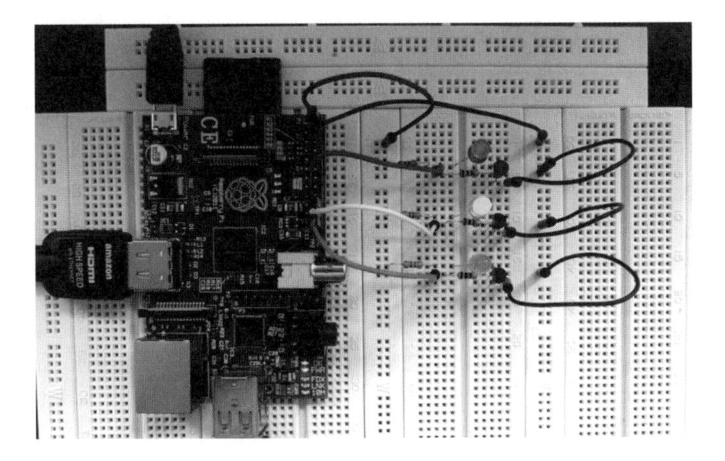

◀ Abbildung 10-15
Die GPIO-Ansteuerung über ein Python-Skript (die Ampelsteuerung)

Versuche gleich zu Beginn, die einzelnen Bauteile möglichst sauber und übersichtlich zu platzieren. Das sieht zum einen viel besser und professioneller aus und erleichtert zum anderen auch die Arbeit bei einer eventuellen Fehlersuche.

Das Python-Skript

Hinsichtlich der Programmierung kommt schon ein wenig mehr auf dich zu, doch auch das ist kein Hexenwerk. Bloß, weil es mehr Arbeit ist, bedeutet das nicht unbedingt, dass es auch entsprechend komplizierter ist.

```
Source | Uml | PyDoc
1  import RPi.GPIO as GPIO # Wird fuer GPIO benoetigt
2  import time              # Wird fuer sleep-Funktion benoetigt
3
4  AMPEL_ROT   = 22 # rote LED
5  AMPEL_GELB  = 24 # gelbe LED
6  AMPEL_GRUEN = 26 # gruene LED
7
8  # GPIO-Pins und Datenflussrichtung (IN, OUT) angeben
9  GPIO.setup(AMPEL_ROT,   GPIO.OUT)
10 GPIO.setup(AMPEL_GELB,  GPIO.OUT)
11 GPIO.setup(AMPEL_GRUEN, GPIO.OUT)
12
13 # Endlosschleife zum Phasenwechsel
14 while True:
15     # Rot
16     GPIO.output(AMPEL_ROT, True)
17     time.sleep(10)
18     # Rot/Gelb
19     GPIO.output(AMPEL_GELB, True)
20     time.sleep(2)
21     # Gruen
22     GPIO.output(AMPEL_ROT, False)
23     GPIO.output(AMPEL_GELB, False)
24     GPIO.output(AMPEL_GRUEN, True)
25     time.sleep(10)
26     # Gelb
27     GPIO.output(AMPEL_GELB, True)
28     GPIO.output(AMPEL_GRUEN, False)
29     time.sleep(3)
30     GPIO.output(AMPEL_GELB, False)
```

◀ Abbildung 10-16
Die Ansteuerung der Ampel-LEDs auf dem Breadboard

In unserem letzten Python-Skript habe ich den *GPIO-Pin 26* zur Ansteuerung der LED verwendet und diese Nummer auch weiter im Skript eingesetzt. Das ist eigentlich kein guter Programmierstil, denn es ist sehr schwierig, in einem Programm mit ominösen Nummern zu hantieren, deren Sinn sich nicht sofort erschließt. Solche *Magic Numbers* sind ein Graus und sollten auf jeden Fall vermieden werden. Aus diesem Grund habe ich auch in den Zeilen *4*, *5* und *6* Variablen definiert, die mit den jeweiligen Pin-Nummern initialisiert werden. Jetzt können wir sehr einfach im weiteren Skript-Verlauf diese sprechenden Namen verwenden, so dass der Überblick zu keiner Zeit gefährdet ist. In den Zeilen *15* bis *30* werden nun die einzelnen Ampelphasen geschaltet. Du erkennst sicherlich sofort den Vorteil der Verwendung von Variablennamen anstelle irgendwelcher Zahlen wie *22*, *24* oder *26*. Die einzelnen Ampelphasen hier im Buch visuell zu veranschaulichen, ist nicht ganz einfach. Dennoch gibt es eine Möglichkeit, die Ampelphasen im zeitlichen Verlauf darzustellen. Wie? Über ein *Impulsdiagramm*. Ich habe zu diesem Zweck einen *Logic-Analyzer* genutzt und die drei Ausgänge der *GPIO-Pins* mit den Eingängen des Analyzers verbunden. Schau her:

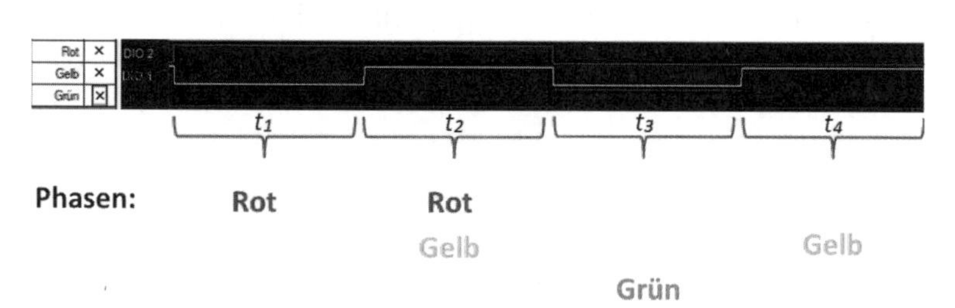

Abbildung 10-17 ▶ Die Ansteuerung der Ampel-LEDs mit einem Logic-Analyzer dargestellt

Der zeitliche Verlauf für einen kompletten Phasendurchlauf erfolgt von links, beginnend mit *t1*, nach rechts, endend mit *t4*. Aufgenommen habe ich das Impulsdiagramm mit dem *EEBoard* (*Electronics Explorer Board*, Abbildung siehe nächste Seite), das mir die *Firma Digilent* freundlicherweise zur Verfügung gestellt hat. Vielen Dank an dieser Stelle!

Es kann sein, dass die Ampel keinen definierten Ausgangszustand hat und am Anfang irgendwelche LEDs (z.B. *Rot* und *Grün*) leuchten. Versuche einmal die Programmierung so zu erweitern, dass beim Start des Programms – also vor dem Eintritt in die Endlosschleife – nur die rote LED leuchtet

◀ Abbildung 10-18
Impulsdiagramm-Erstellung mit dem EEBoard von Digilent

Jetzt werden wir interaktiv

Bisher haben wir das *Raspberry Pi*-Board die einzelnen LEDs ansteuern lassen. Was wäre, wenn du aber Einfluss auf die Schaltung bzw. die Programmierung nehmen könntest? Im nächsten Experiment werden wir einen Taster an einen der *GPIO-Pins* anschließen, um zu sehen, wie wir dessen Status abfragen können. Dann soll entsprechend darauf reagiert werden. Dazu müssen wir aber einen *GPIO-Pin* nicht als *Ausgang*, sondern als *Eingang* programmieren. Führen wir dazu ein kurzes Experiment durch.

Den Status eines Tasters abfragen

Bedenke, dass du beim Anlegen einer Spannung an irgendeinen *GPIO-Pin* – natürlich ausgenommen die *Spannungsversorgungs-Pins 1* und *2* bzw. der *Masse Pin 6* – maximal *3,3V* verwenden darfst.

Achtung

Nutze niemals den *Pin 2* mit *5V* zum Anlegen einer Spannung an einen *GPIO-Pin*. Ansonsten darfst du dir wieder einen neuen *Raspberry Pi* zulegen.

Das folgende Schaltbild zeigt dir eine einfache Beschaltung eines Tasters an einem GPIO-Pin.

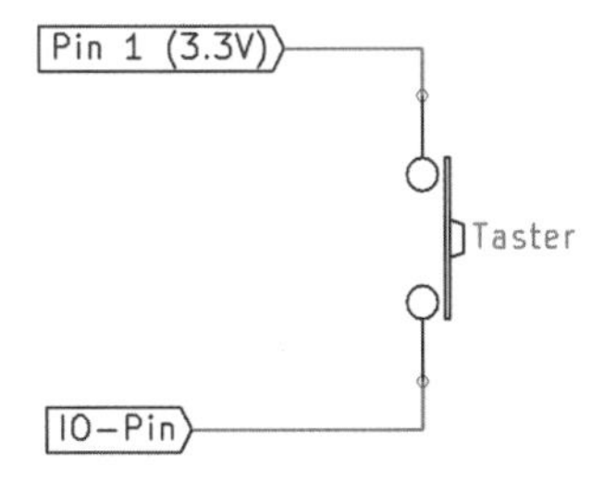

◀ Abbildung 10-19
Der Anschluss eines Tasters an einen GPIO-Pin (noch nicht ganz korrekt)

Du hast in der Beschreibung des Schaltplanes *noch nicht ganz korrekt* geschrieben. Was soll das? Warum zeigst du mir etwas, das nicht stimmt?

Nun mal langsam, *RasPi*. Da wird schon nichts passieren und es hat schon seinen Grund, warum ich so vorgehe. Wenn du den Taster so anschließt, wie ich es dir hier gezeigt habe, dann sollte *eigentlich* alles wunderbar funktionieren. Ich sage mit Absicht *eigentlich*, denn es gibt etwas zu beachten. Schau dir einmal die folgende Tabelle an:

Tabelle 10-3 ▶
Die Spannungspegel am IO-Pin

Tasterstatus	Spannungspegel an IO-Pin
offen	*Könnte möglicherweise 0V sein*
gedrückt	*Ganz sicher 3,3V*

Wenn der Taster offen ist und der *IO-Pin* somit keine Verbindung zur Spannungsversorgung von *3,3V* hat, sollte der Pegel *0V* betragen. Das ist jedoch nicht so einfach, wie es aussieht. Ein offener Anschluss in der Digitaltechnik stellt u.U. ein großes Problem dar. Dieser Anschluss hängt quasi in der Luft und hat keinen definierten Spannungspegel. Er ist weder *0V* noch *3,3V* und offen für jegliche Art von Störungseinflüssen von außen. Das kann natürlich bei der Abfrage des anliegenden Pegels zu nicht eindeutigen Aussagen führen. Was können wir aber tun, damit alles wie gewünscht funktioniert? Die Antwort ist eigentlich ganz einfach. Wir zwingen mit einer externen Beschaltung dem *IO-Pin* bei offenem Taster einen definierten Pegel auf.

Abbildung 10-20 ▶
Der Anschluss eines Tasters an einen GPIO-Pin (mit Pull-Down-Widerstand)

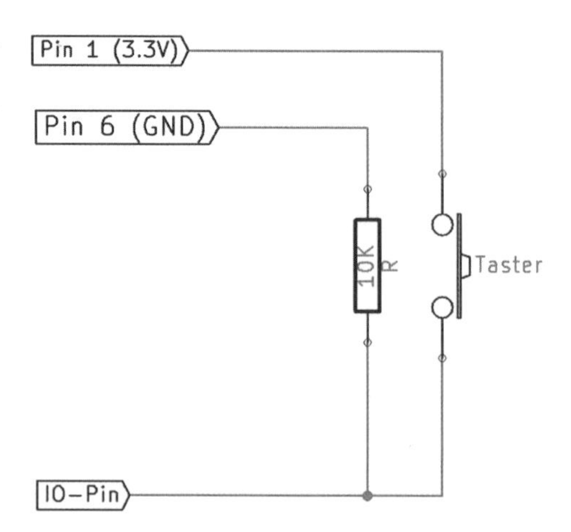

Ist der Taster *offen* und liefert somit keine *3,3V* an den *IO-Pin*, dann liegt aufgrund des Widerstands *R* mit *10 KOhm* der Masse-Pegel an. In diesem Zusammenhang hat der Widerstand einen speziellen Namen. Er nennt sich *Pull-Down-Widerstand*. Er zieht das Potential quasi nach unten auf definiertes *Null-Potential*. Deswegen *Pull-Down*. Wenn der Taster gedrückt wird, dann fallen über diesem Widerstand die *3,3V* ab und der Pegel ist wieder definiert. Wie sieht jetzt der Schaltplan im Zusammenspiel mit deinem *Raspberry Pi* aus?

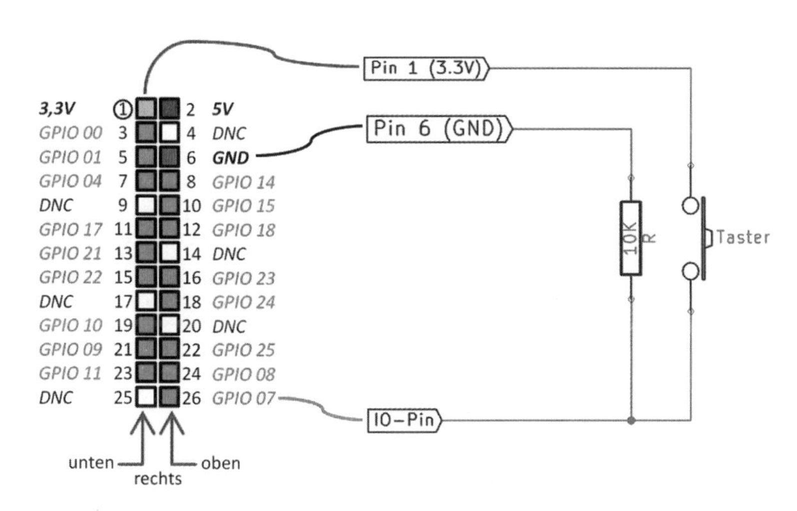

◀ **Abbildung 10-21**
Der Schaltplan zur Abfrage eines Taster-Status an einen GPIO-Pin

Sehen wir uns dazu kurz den Schaltungsaufbau auf dem Breadboard an.

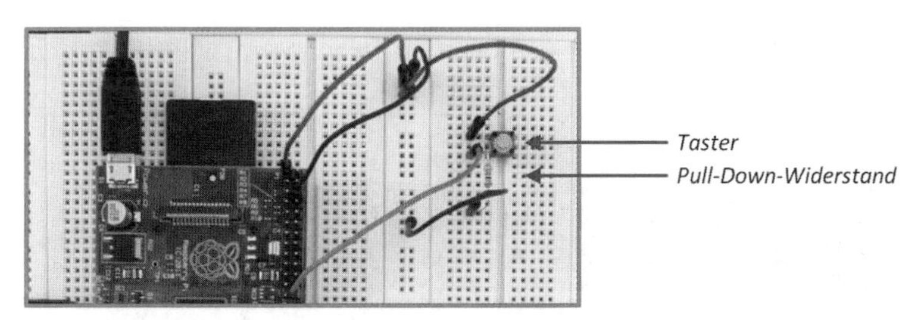

◀ **Abbildung 10-22**
Der Schaltungsaufbau zum Abfragen eines Taster-Status an einen GPIO-Pin

Ist ja gar nicht so schlimm, wie du vielleicht gedacht hast – oder!? Jetzt müssen wir das Ganze noch in *Python* programmieren, was jedoch nicht schwieriger wird als beim Ansteuern einer LED.

Abbildung 10-23 ▶
Das Python-Skript zum Abfragen eines Taster-Status an einen GPIO-Pin

```
 1  import RPi.GPIO as GPIO # Wird fuer GPIO benoetigt
 2  import time             # Wird fuer sleep-Funktion benoetigt
 3
 4  INPUT_PIN = 26          # Taster-Anschluss an Pin 26
 5
 6  GPIO.setup(INPUT_PIN, GPIO.IN) # GPIO als Eingang programmieren
 7
 8  while True:
 9      # Eingang lesen
10      input_value = GPIO.input(INPUT_PIN)
11      # Gelesenen Wert ausgeben
12      print input_value
13      # Kurze Pause
14      time.sleep(1)
```

In der *Zeile 4* habe ich wieder den *GPIO-Pin* für die Statusabfrage definiert (`INPUT_PIN`), damit wir diesen Namen später im Skript auf komfortable Weise verwenden können. Um einen *GPIO-Pin* anstatt als *Ausgang* nun als *Eingang* nutzen zu können, wird in *Zeile 6* der Pin über `GPIO.IN` entsprechend programmiert. In *Zeile 10* kommt die `input`-Methode zu Einsatz. Sie liefert einen Statuswert zurück und weist ihn der Variablen `input_value` zu.

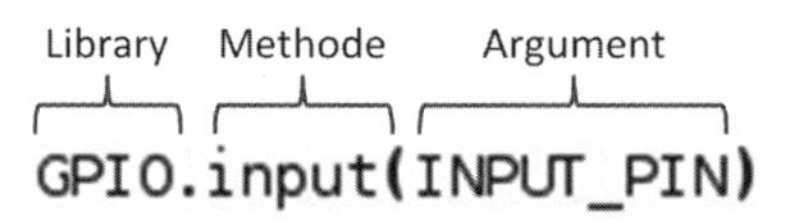

Diese Abfrage habe ich wieder in der Endlosschleife untergebracht, so dass sie kontinuierlich durchgeführt wird. Der Status wird dann über *Zeile 12* im *Terminal-Fenster* ausgegeben. Die `sleep`-Funktion in *Zeile 14* habe ich nur eingefügt, damit die Ausgabe nicht zu schnell erfolgt. Du kannst sie später getrost entfernen. Das *Terminal-Fenster* zeigt bei Tastendrücken die folgende Ausgabe:

Abbildung 10-24 ▶
Die Status-Ausgabe im Terminal-Fenster

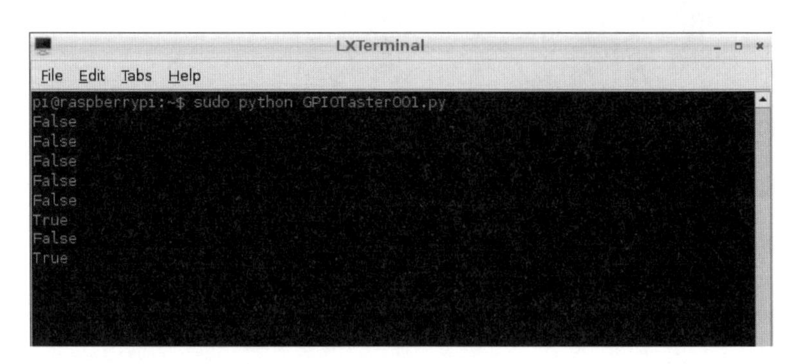

Überall dort, wo *False* steht, wurde der Taster nicht gedrückt. Da, wo *True* steht, habe ich den Taster betätigt.

Die erweiterte Ampelschaltung

Du besitzt nun alle Informationen, um die gezeigte Ampelschaltung ein wenig zu erweitern. Wir werden eine *Fußgängerampel* hinzufügen, damit du das gerade Gelernte direkt einbauen kannst. Du hast doch sicherlich eine solche Ampelschaltung schon einmal hier und da gesehen. Auf einer stark befahrenen Straße befindet sich irgendwo ein Zebrastreifen mit einer Ampelanlage. Dort haben Fußgänger die Möglichkeit, die Straße mehr oder weniger sicher zu überqueren. Die Ampel für die Autofahrer zeigt immer grünes Licht, wohingegen die für die Fußgänger immer rot leuchtet. Erscheint jetzt ein mutiger Fußgänger mit der Absicht, die Straße genau an dieser Stelle zu überqueren, dann drückt er den Ampelknopf und wartet geduldig, bis die Signalanlage umspringt und den Autofahrern *rotes Licht* angezeigt wird und er selbst *grünes Licht* erhält. Dann dauert es eine Weile und die Ampel springt wieder in ihren stabilen Ausgangszustand zurück, bis irgendwann wieder der Knopf gedrückt wird. Das Szenario wollen wir jetzt einmal nachstellen, also die Schaltung aufbauen und den *Raspberry Pi* entsprechend programmieren. Die Ausgangssituation stellt sich also folgendermaßen dar:

1. Phase

Tabelle 10-4
Aber schauen wir uns die Sache im Detail an:

Auto	Fußgänger	Erläuterungen
		Diese beiden Lichtsignale bleiben so lange unverändert, bis ein Fußgänger vorbeikommt und den Ampelknopf drückt. Erst durch diese Aktion werden die Phasenwechsel in Gang gesetzt, damit der Autofahrer rotes Licht und der Fußgänger *grünes* Licht erhält.

2. Phase

Auto	Fußgänger	Erläuterungen
		Der Phasenwechsel wurde durch den Druck auf den Ampelknopf eingeleitet. Dem Autofahrer wird das Signal *Gelb* angezeigt, was bedeutet, dass *Rot* in Kürze folgt. Dauer: 2 Sekunden

3. Phase

Auto	Fußgänger	Erläuterungen
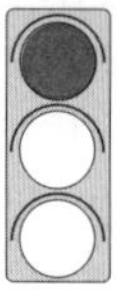		Sowohl Autofahrer als auch Fußgänger haben zunächst einmal aus Sicherheitsgründen ein rotes Signal erhalten. Das gibt dem Autofahrer die Möglichkeit, den Gefahrenbereich des Zebrastreifens zu räumen. Dauer: 2 Sekunde

4. Phase

Auto	Fußgänger	Erläuterungen
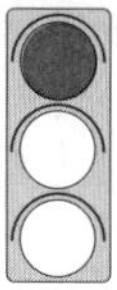		Nach einer kurzen Zeit wird dem Fußgänger das *Gehen-Signal* angezeigt. Dauer: *5* Sekunden

5. Phase

Auto	Fußgänger	Erläuterungen
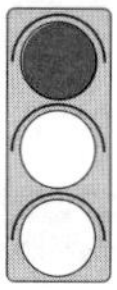		Nach der Grünphase für den Fußgänger erhält auch er wieder das Stoppsignal. Dauer: *2* Sekunde

6. Phase

Auto	Fußgänger	Erläuterungen
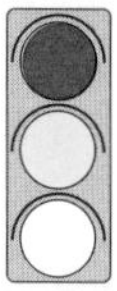	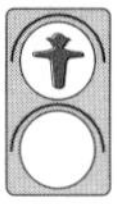	Dem Autofahrer wird das Rot- / Gelbsignal angezeigt und dadurch ankündigt, dass er gleich das Grünsignal und damit freie Fahrt erhält. Dauer: *2* Sekunden

7. Phase

Auto	Fußgänger	Erläuterungen
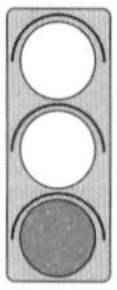	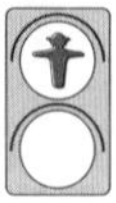	Die letzte Phase bedeutet wieder grünes Licht für die Autofahrer und ein Stoppsignal für die Fußgänger. Sie ist identisch mit der ersten Phase. Dauer: Bis auf Knopfdruck

Der entsprechende Schaltplan sieht wie folgt aus:

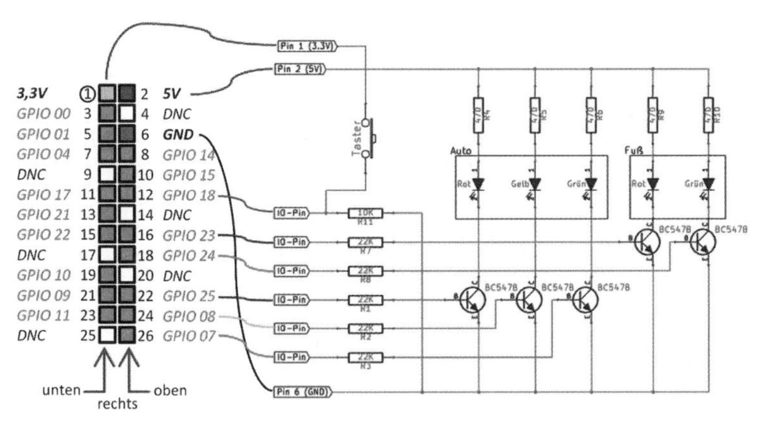

◀ **Abbildung 10-25**
Der Schaltplan der erweiterten Ampelschaltung

Da die Anschlüsse auf dem *GPIO-Bus* recht dicht beieinander liegen und auch auf dem *Breadboard* die Schaltungsdichte etwas zugenommen hat, musst du unbedingt darauf achten, dass es nicht zu ungewollten elektrischen Verbindungen zwischen direkt benachbarten Anschlüssen kommt. Da die Programmierung ebenfalls etwas umfangreicher geworden ist, werde ich den Code in drei Bereiche unterteilen, die du dann in der angegebenen Reichenfolge in den Editor eingeben musst. Beginnen wir mit der Deklaration der benötigten *GPIO-Pins*:

```
 1  import RPi.GPIO as GPIO # Wird fuer GPIO benoetigt
 2  import time             # Wird fuer sleep-Funktion benoetigt
 3
 4  AMPEL_AUTO_ROT    = 22 # rote LED
 5  AMPEL_AUTO_GELB   = 24 # gelbe LED
 6  AMPEL_AUTO_GRUEN  = 26 # gruene LED
 7  AMPEL_FUSS_ROT    = 16 # rote LED
 8  AMPEL_FUSS_GRUEN  = 18 # gruene LED
 9  AMPEL_TASTER      = 12 # Ampel-Taster
10
11  # GPIO-Pins und Datenflussrichtung (IN, OUT) angeben
12  GPIO.setup(AMPEL_AUTO_ROT,   GPIO.OUT) # Auto-Ampel Rot
13  GPIO.setup(AMPEL_AUTO_GELB,  GPIO.OUT) # Auto-Ampel Gelb
14  GPIO.setup(AMPEL_AUTO_GRUEN, GPIO.OUT) # Auto-Ampel Gruen
15  GPIO.setup(AMPEL_FUSS_ROT,   GPIO.OUT) # Fussgaenger-Ampel Rot
16  GPIO.setup(AMPEL_FUSS_GRUEN, GPIO.OUT) # Fussgaenger-Ampel Gruen
17  GPIO.setup(AMPEL_TASTER, GPIO.IN)      # Fussgaenger-Taster
18
19  # Ausgangs-Phase
20  GPIO.output(AMPEL_AUTO_GRUEN, True)
21  GPIO.output(AMPEL_FUSS_ROT, True)
```

◀ **Abbildung 10-26**
Das Python-Skript zur erweiterten Ampelsteuerung (Teil 1)

Auch hier habe ich natürlich den einzelnen *GPIO-Pins* eine sprechende Bezeichnung gegeben. Die Definition erfolgt in den Zeilen *4* bis *9*. Im Anschluss müssen wir natürlich festlegen, welche Pins als *Eingänge* und welche als *Ausgänge* programmiert werden sollen. Dies geschieht in den Zeilen *12* bis *17*. Um einen definierten Ausgangszustand herzustellen, werden sowohl die Auto- als auch die Fußgängerampel entsprechend initialisiert. Kommen wir zum zweiten Teil der Programmierung. Die Phasenumschaltung erfolgt diesmal innerhalb einer Funktion mit dem Namen *ampelUmschaltung*.

Abbildung 10-27 ▶
Das Python-Skript zur erweiterten Ampelsteuerung (Teil 2)

```
23 def ampelUmschaltung():
24     GPIO.output(AMPEL_AUTO_GRUEN, False)
25     GPIO.output(AMPEL_AUTO_GELB, True)
26     time.sleep(2) # Pause
27     GPIO.output(AMPEL_AUTO_GELB, False)
28     GPIO.output(AMPEL_AUTO_ROT, True)
29     time.sleep(2) # Pause
30     GPIO.output(AMPEL_FUSS_ROT, False)
31     GPIO.output(AMPEL_FUSS_GRUEN, True)
32     time.sleep(5) # Pause
33     GPIO.output(AMPEL_FUSS_GRUEN, False)
34     GPIO.output(AMPEL_FUSS_ROT, True)
35     time.sleep(2) # Pause
36     GPIO.output(AMPEL_AUTO_GELB, True)
37     time.sleep(2) # Pause
38     GPIO.output(AMPEL_AUTO_GELB, False)
39     GPIO.output(AMPEL_AUTO_ROT, False)
40     GPIO.output(AMPEL_AUTO_GRUEN, True)
```

Der dritte Teil besteht wieder aus einer Endlosschleife, damit der Taster-Status kontinuierlich abgefragt wird.

Abbildung 10-28 ▶
Das Python-Skript zur erweiterten Ampelsteuerung (Teil 3)

```
42 while True:
43     # Ampel-Taster Status einlesen
44     ampelTasterStatus = GPIO.input(AMPEL_TASTER)
45     if(ampelTasterStatus):
46         ampelUmschaltung() # Funktionsaufruf
```

Es wird wieder die `input`-Methode verwendet und der Status der Variablen `ampelTasterStatus` zugewiesen. Diese können wir dann in der Zeile *45* in einer `if`-Anweisung abfragen. Ist der Inhalt *True*, dann wird die Funktion `ampelUmschaltung` aufgerufen und im Anschluss werden alle dort definierten Ampelphasen-Umschaltungen vorgenommen. Erst dann, wenn die Funktion komplett abgearbeitet wurde, erfolgt eine Rückkehr in die `while`-Schleife. Abschließend möchte ich dir den Schaltungsaufbau auf dem Breadboard nicht vorenthalten.

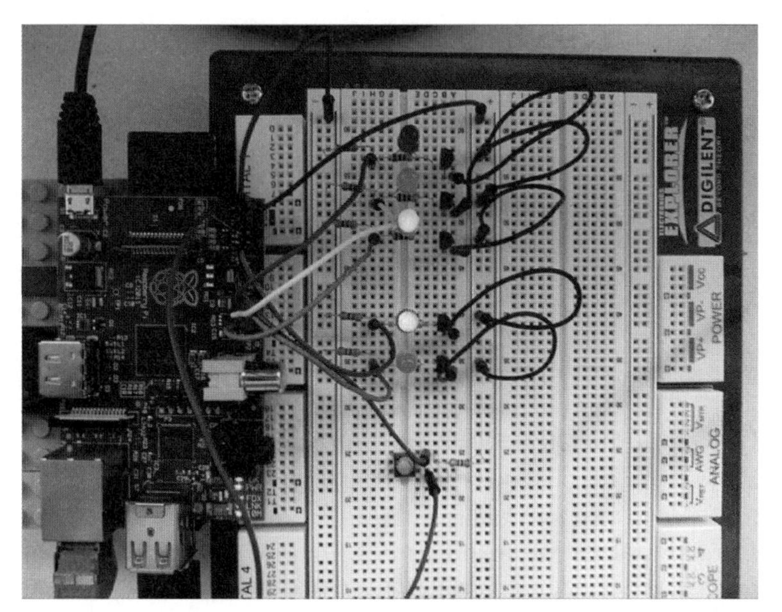

◀ Abbildung 10-29
Der Schaltungsaufbau der erweiterten Ampelschaltung auf dem Breadboard

> Mir fällt da gerade etwas auf und ich bin mir nicht sicher, ob das an dieser Stelle erwähnenswert ist. Wir haben es einerseits mit *GPIO-Nummern* zu tun und dann wieder mit *Pin-Nummern*. Ich finde die Verwendung von GPIO-Nummern irgendwie einfacher und ich könnte sie auch leichter im Kopf behalten. Gibt es keine Möglichkeit, nur mit diesen Nummern zu arbeiten?

Hey, *RasPi*! Das ist ein guter Vorschlag und du hast Recht mit deiner Aussage. Aus diesem Grund haben die Programmierer der *GPIO-Library* diese Funktionalität ebenfalls eingebaut. Schau dir das folgende Python-Skript an:

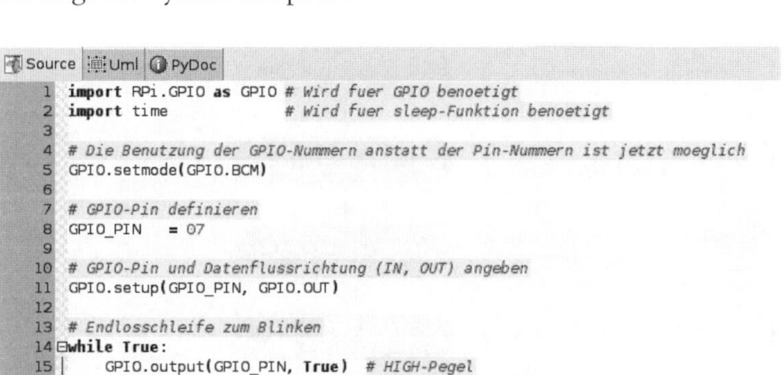

```
Source | Uml | PyDoc
 1 import RPi.GPIO as GPIO # Wird fuer GPIO benoetigt
 2 import time             # Wird fuer sleep-Funktion benoetigt
 3
 4 # Die Benutzung der GPIO-Nummern anstatt der Pin-Nummern ist jetzt moeglich
 5 GPIO.setmode(GPIO.BCM)
 6
 7 # GPIO-Pin definieren
 8 GPIO_PIN   = 07
 9
10 # GPIO-Pin und Datenflussrichtung (IN, OUT) angeben
11 GPIO.setup(GPIO_PIN, GPIO.OUT)
12
13 # Endlosschleife zum Blinken
14 while True:
15     GPIO.output(GPIO_PIN, True)  # HIGH-Pegel
16     time.sleep(1)                # 1 Sekunde warten
17     GPIO.output(GPIO_PIN, False) # LOW-Pegel
18     time.sleep(1)                # 1 Sekunde warten
```

◀ Abbildung 10-30
Die Verwendung von GPIO-Nummern

Der entscheidende Code ist in *Zeile 5* zu finden:

```
GPIO.setmode(GPIO.BCM)
```

Über die setmode-Methode wird festgelegt, dass du fortan mit den *GPIO-Bezeichnungen* arbeiten kannst, wie ich das auch in den Zeilen *11*, *15* und *17* getan habe. Statt der Pin-Bezeichnung *26* habe ich jetzt die *GPIO-Bezeichnung verwendet.*

26 *GPIO 07*

Pin 26 entspricht *GPIO 07*.

GPIO und die Linux-Shell

Du hast die Ansteuerung der GPIO-Schnittstelle über die Programmiersprache *Python* kennengelernt, was mit Hilfe der *GPIO-Library* wirklich gut funktioniert. Es gibt aber noch unzählige weitere Varianten, und ich möchte dir die Ansteuerung über die Linux-Shell, also die *Bash,* vorstellen. In *Linux* oder auch *Unix* wird die Philosophie vertreten, dass alles eine *Datei* bzw. ein *File* ist. Mit den *GPIO-Pins* ist das ebenso. Welche einzelnen Schritte müssen wir also durchführen, um z.B. eine LED anzusteuern oder einen Taster abzufragen?

Eine LED über die Bash ansteuern

Um eine angeschlossene LED an- bzw. auszuschalten, müssen wir folgenden Ablauf beachten:

Abbildung 10-31 ▶
Die Ansteuerung der GPIO-Pins über die Linux-Shell (Bash)

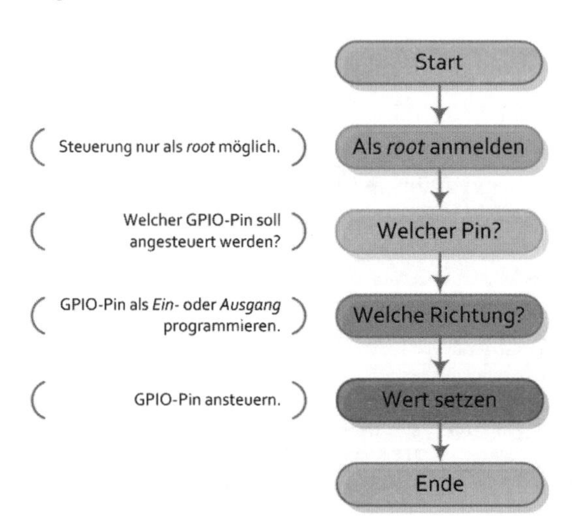

Die Umsetzung in der Linux-Shell sieht dann wie folgt aus:

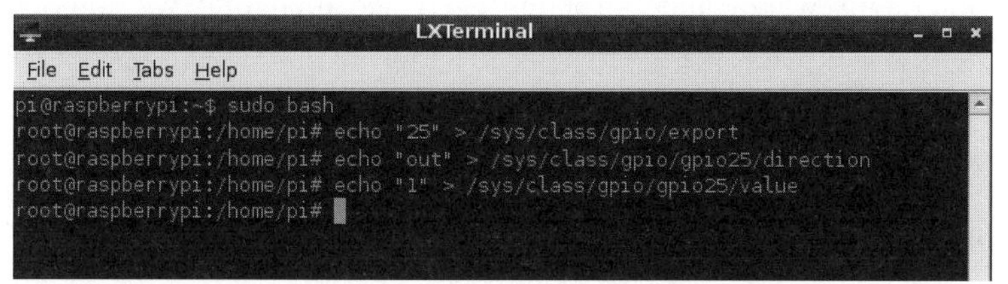

◀ **Abbildung 10-32**
Das Absetzen der entsprechenden Kommandos in der Linux-Shell (Bash)

Mit diesen Befehlen steuere ich das Signal *GPIO 25* an *Pin 22* an. Bedenke, dass du hier den Wert des *GPIO-Signals* und *nicht* die entsprechenden Pin-Nummer verwendest. Das kann man schnell durcheinanderbringen und ist dann verwundert, wenn's nicht funktioniert.

Als root anmelden

Mittlerweile wissen wir, dass die Ansteuerung der GPIO-Schnittstelle nur als *root* funktioniert. Darum öffnen wir über das Kommando `sudo bash` eine neue Shell mit den entsprechenden Rechten.

Welcher Pin

Wir nutzen bei den folgenden Eingabezeilen ein dir noch unbekanntes Linux-Kommando, das sich `echo` nennt. Es wird in der Regel dazu genutzt, eine bestimmte Zeichenkette an das Standardausgabegerät *stdout* – das *Terminal-Fenster* – zu verschicken. Durch das *Größer-als-Zeichen* > kann aber diese Ausgabe umgeleitet werden, so wie wir das hier jetzt tun. Über

```
echo "25" > /sys/class/gpio/export
```

teilen wir dem System mit, dass *GPIO 25* verwendet werden soll.

Welche Richtung

Du weißt ja schon, dass ein Pin entweder als *Ein-* oder als *Ausgang* fungieren kann. Im zweiten Schritt erfolgt also die Übermittlung dieser Information mittels der folgenden Zeile:

```
echo "out" > /sys/class/gpio/gpio25/direction
```

Die Zeichenkette *out* (*Output*) besagt, dass *GPIO 25* als *Ausgang* fungieren soll.

Wert setzen

So, damit wären alle Vorbereitungen getroffen und wir müssen lediglich noch bestimmen, ob wir einen *HIGH*- oder *LOW*-Pegel setzen möchten. Dies erfolgt über die Ziffer *1* bzw. *0*:

```
echo "1" > /sys/class/gpio/gpio25/value
```

Das könnte wichtig für dich sein

Wenn du einen verwendeten Pin wieder freigeben möchtest, verwende die folgende Befehlszeile: *echo "25" > /sys/class/gpio/unexport*

Einen Taster über die Bash abfragen

Bei der Statusabfrage eines Tasters gehst du auf ähnliche Weise vor. Anstatt den Pin über *out* als *Output* zu definieren, verwendest du *in* für *Input*. Dann fragst du über das cat-Kommando den Inhalt der entsprechenden Datei ab, so dass dir der Taster-Status angezeigt wird.

Abbildung 10-33 ▶ Die Abfrage der GPIO-Pins über die Linux-Shell (Bash)

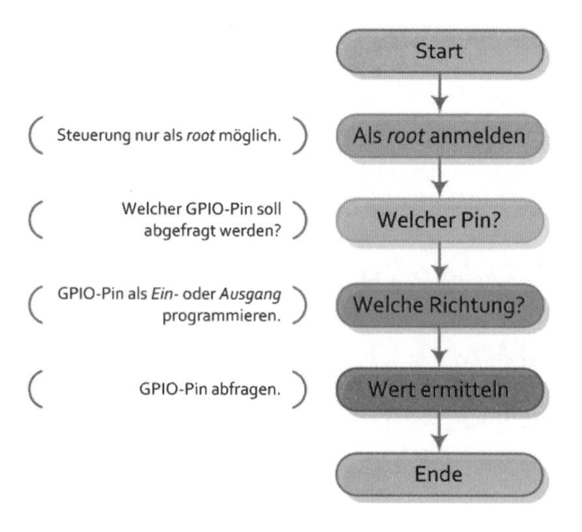

Die Umsetzung in der Linux-Shell sieht dann folgendermaßen aus:

Abbildung 10-34 ▶ Das Absetzen der entsprechenden Kommandos in der Linux-Shell (Bash)

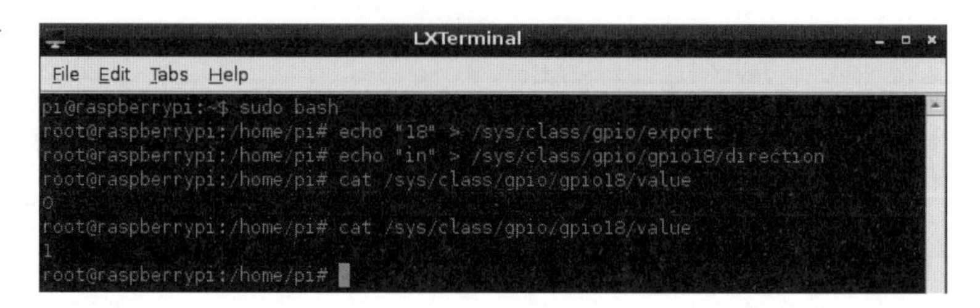

Die Schritte beim Anmelden als *root* und beim Festlegen des richtigen GPIO-Wertes sind identisch mit den entsprechenden Vorgängen beim Ansteuern der LED. Kommen wir also zu den abweichenden Punkten.

Welche Richtung

Ein Taster-Status kann natürlich nur an einem als Eingang programmierten Pin abgefragt werden. Deswegen verwenden wir die Zeichenkette `in` für die Angabe der Datenflussrichtung:

```
echo "in" > /sys/class/gpio/gpio18/direction
```

Die Zeichenkette *in* (*Input*) besagt, dass *GPIO 18* als *Eingang* definiert sein soll.

Wert abfragen

Der Taster-Status wird in der Datei *value* abgelegt. Du kannst ihn ganz leicht über das `cat`-Kommando abfragen, so wie ich das einmal für *nicht gedrückten* und anschließend für *gedrücktem Taster* durchgeführt habe. Du kannst anhand der Ausgaben im *Terminal-Fenster* sehen, dass das Ergebnis bei nicht gedrücktem Taster *0* und bei gedrücktem Taster *1 ist*.

Die Erweiterungsplatine Gertboard

11

Kommen wir nun zu einem äußerst interessanten Thema, wenn es darum geht, dein *Raspberry Pi*-Board zu erweitern. Natürlich haben wir uns diesbezüglich ja schon mit der *GPIO-Schnittstelle* auseinandergesetzt, doch ein findiger Entwickler mit Namen *Gert van Loo* hat sich noch tiefer mit der Materie beschäftigt. Er hat ein Erweiterungsboard entwickelt, das über die *GPIO-Schnittstelle* angesteuert wird. Leider gibt es das Board im Moment nur als Bausatz und muss von dir erst noch zusammengebaut bzw. zusammengelötet werden. Für einen richtigen Frickler stellt das aber sicherlich kein allzu großes Problem dar.

- Was ist das Gertboard?
- Welche Möglichkeiten werden dir mit dem Board geboten?
- Wozu gibt es *Buffer* auf dem Gertboard?
- Wir fragen die auf dem Gertboard vorhandenen *Taster* ab und geben den Status aus.
- Die auf dem Gertboard vorhandenen *Leuchtdioden* werden über ein von uns geschriebenes *C-Programm* angesteuert.
- Wir kombinieren die Ein- bzw. Ausgabe auf dem Gertboard.
- Wir steuern einen *Motor* an und gehen näher auf *PWM* ein.
- Was können wir mit der *wiringPi*-Bibliothek machen?

Das Gertboard

Dann wollen wir doch einmal einen ersten Blick auf das *Gertboard* werfen. Es ist wirklich übersichtlich, verfügt über ein wohldurchdachtes Design und bietet eine Fülle an Möglichkeiten, die sich mit deinem *Raspberry Pi*-Board in dieser Form nicht so ohne Weiteres realisieren ließen.

Abbildung 11-1 ▶
Das Gertboard – benannt nach seinem Entwickler Gert van Loo

Auf den ersten Blick sehen wir eine Reihe von *integrierten Schaltkreisen*, *Leuchtdioden*, *Pfostenstiftleisten* u.v.a.m., die allesamt die Funktionalität des Boards ausmachen. Wir werden im Detail noch auf so manche Komponente eingehen, damit du verstehst, wie das *Gertboard* funktioniert. Ich möchte nicht alle auf dem Board vorhandenen Komponenten auf einmal nennen, sondern Schrittchen für Schrittchen die einzelnen Themenbereiche ansprechen.

Die grundlegenden Funktionen

Anhand der folgenden vorhandenen Komponenten kannst du vielleicht schon erahnen, was sich alles mit dem Board anstellen lässt:

- *12x* gepufferte I/O-Pins
- *3x* Taster
- *6x* Open-Collector-Treiber (*50V*, *0.5A*)
- *48V*, *4A* Motor-Controller
- *28*-pin dual in line *Atmega* Mikrocontroller
- 2-Kanal *8/10/12* Bits Digital/Analog-Wandler
- 2-Kanal *10* Bits Analog/Digital-Wandler

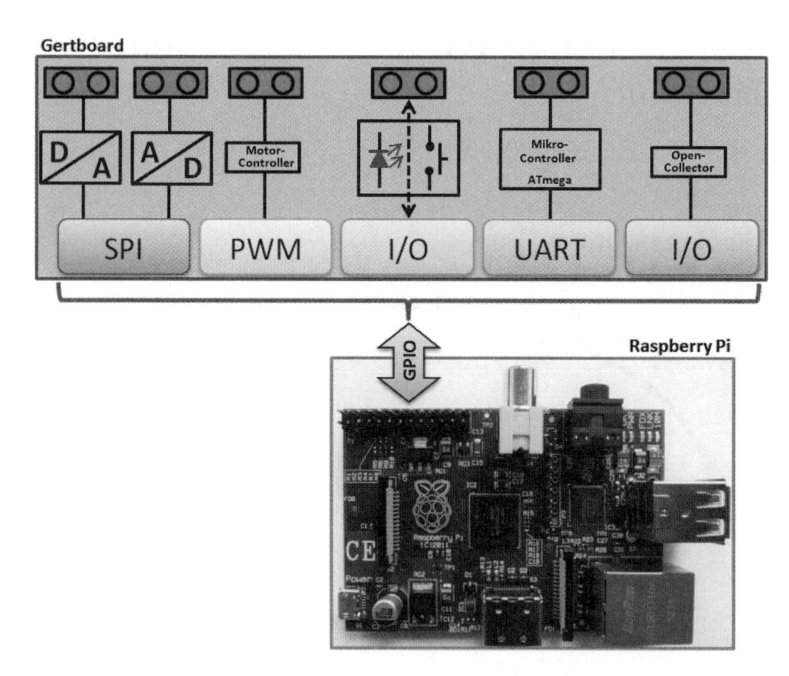

Abbildung 11-2
Das Gertboard – Schema

Dieses Schema zeigt dir die einzelnen Funktionsblöcke des *Gertboards*, die wir mehr oder weniger detailliert besprechen wollen. Wir beginnen dabei mit ganz einfachen Beispielen, wie z.B. die Abfrage von Tastendrücken und schauen uns dazu die entsprechende Programmierung in der Programmiersprache *C* an. Du hast im Kapitel über die Programmierung mit *C* schon einige interessante Grundlagen kennengelernt, die wir jetzt weiter vertiefen wollen. Da dies aber kein Programmierhandbuch ist und ich nicht vorab alle erforderlichen Details erläutern kann, spreche ich die betreffenden Sprachkonstrukte erst dann an, wenn sie benötigt werden. Ich muss dann notwendigerweise auf weiterführende Literatur z.B. aus dem Anhang verweisen. Leider kann ich auch nicht alle Funktionen des *Gertboards* ansprechen, denn dies würde ebenfalls den Rahmen dieses Buches sprengen. Ich werde aber einige grundlegende Themen ansprechen, damit du einen geeigneten Einstieg findest. Wirf von Zeit zu Zeit einen Blick auf meine Internetseite, denn dort werde ich einige hier nicht angeführte Themen aufgreifen.

Was brauchen wir an zusätzlichem Material?

Damit wir die Versuche durchführen können, wird zusätzliches Material benötigt.

Kabel und Jumper

Abbildung 11-3 ▶
Flexible Steckbrücken und Jumper

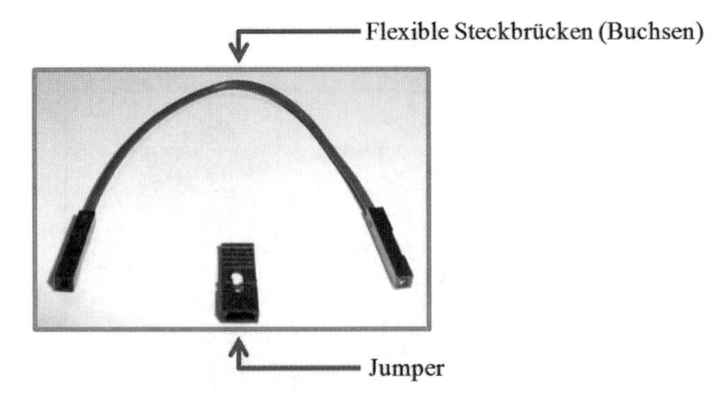

- Flexible Steckbrücken: *15x*
- Jumper: *15x*

Im Anhang findest du eine Liste mit Anbietern, die diese u.a. Komponenten anbieten.

Das Gertboard im Detail

Bevor du natürlich mit dem *Gertboard* arbeiten kannst, muss eine elektrische Verbindung zum *Raspberry Pi* hergestellt werden. Wie du das im Schema erkennen kannst, wird dazu die *GPIO-Schnittstelle genutzt*. Verwende dabei am besten ein sogenanntes *Flachbahnkabel*, das eine sichere Verbindung aller benötigten Pins ermöglicht. Die von *Gert van Loo* vorbereitete Software Collection zum Testen der einzelnen Funktionsblöcke des Boards stand mir in der folgenden Version zur Verfügung:

gertboard_sw_10_07_12.tar.gz

Ich bin mir sicher, dass in naher Zukunft Updates bereitgestellt werden, so dass sich das Datum *10.07.12* ändern wird. Lade dir dann die neueste Version (siehe Anhang) aus dem Netz herunter und beachte die darin enthaltenen Hinweise.

Die Verbindung zwischen Raspberry Pi und dem Gertboard

In der folgenden Abbildung kannst du die Verbindung über das Flachbahnkabel sehr gut sehen.

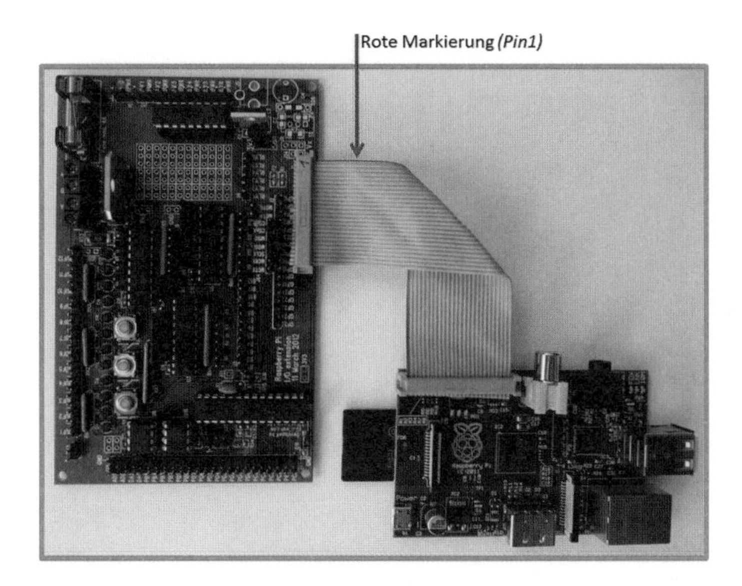

◀ Abbildung 11-4
Die Verbindung zwischen dem Raspberry Pi und dem Gertboard

Wenn wir uns so ein Flachbahnkabel einmal genauer anschauen, dann stellen wir fest, dass es da eine rote Markierung gibt, die uns erkennen lässt, wo sich *Pin 1* befindet. Das setzt natürlich voraus, dass das Flachbahnkabel korrekt mit den Buchsenleisten verbunden wurde.

Achtung

Vergewissere dich lieber zweimal bezüglich der Richtung der aufzusteckenden Buchsenleisten. Bei unsachgemäßer Handhabung besteht die Gefahr, beide Boards zu beschädigen. Leider besitzen die doppelten Stiftleisten *keinen Verpolungsschutz*, wie er z.B. bei den früheren *IDE-Kabeln* zum Anschließen einer Festplatte an deinen Computer vorhanden war.

Eine Sicherheitsvorkehrung

Im Kapitel über die *GPIO-Erweiterungen* hatte ich ja schon erwähnt, dass diese Pins direkt mit deinem Prozessor verbunden sind und dass bei unsachgemäßer Handhabung dieser ggf. Schaden nehmen könnte. Das *Gertboard* verfügt über *12* Pins, die als *Ein-* bzw. *Ausgänge* geschaltet werden können, aber nicht direkt mit dem Prozessor deines *Raspberry Pi* verbunden sind. Dazwischen befinden sich sogenannte *Buffer* (*Puffer*), die quasi einen Schutz darstellen. Dies wurde über den integrierten Schaltkreis *74xx244* realisiert, von dem drei Stück (*U3*, *U4* und *U5*) auf der Platine verbaut wurden. Das dazugehörige Grundschaltbild für einen einzelnen *Buffer* sieht wie folgt aus:

Abbildung 11-5 ▶
Die Buffer-Schaltung der I/O-Ports

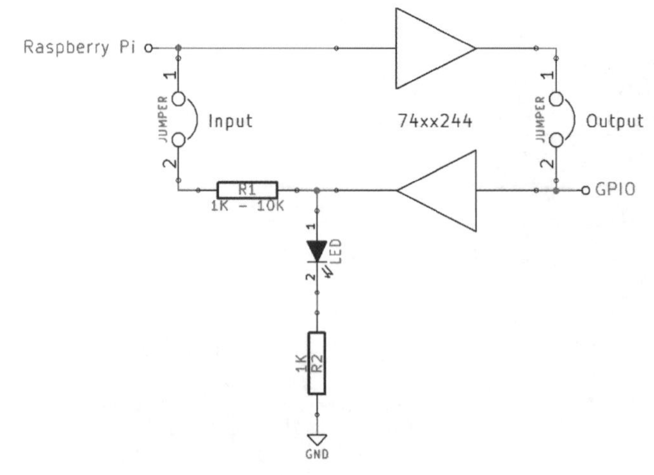

Das ist mir zu hoch. Wie soll das denn funktionieren? Und was bedeuten denn diese *Jumper*? Sind das Unterbrechungen?

Mit den Unterbrechungen hast du vollkommen Recht, *RasPi*. Standardmäßig handelt es sich um offene Verbindungen, die keinen Strom durchlassen. Schaue dir dein *Gertboard* einmal aus der Nähe an. Direkt neben den Buffer-Bausteinen vom Typ *74xx244* befinden sich *Stiftleisten*, die offene Verbindungen darstellen.

Abbildung 11-6 ▶
Buffer-Baustein U4 mit offenen Verbindungen

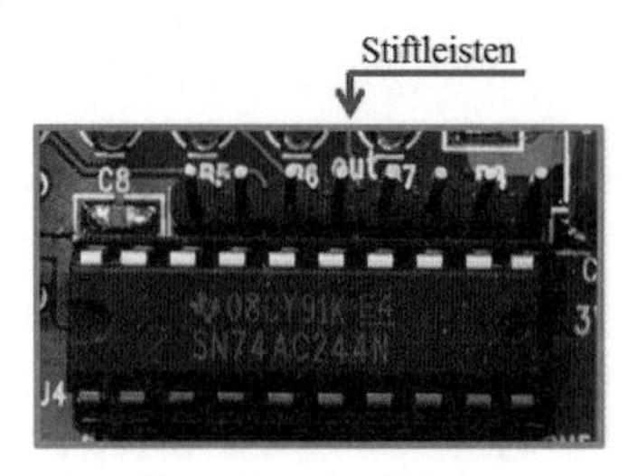

Diese Stiftleisten warten nur darauf, von dir entsprechend überbrückt zu werden, damit die von dir gewünschten bzw. erforderlichen Verbindungen zustande kommen. Diese werden dann mittels sogenannter *Jumper* hergestellt.

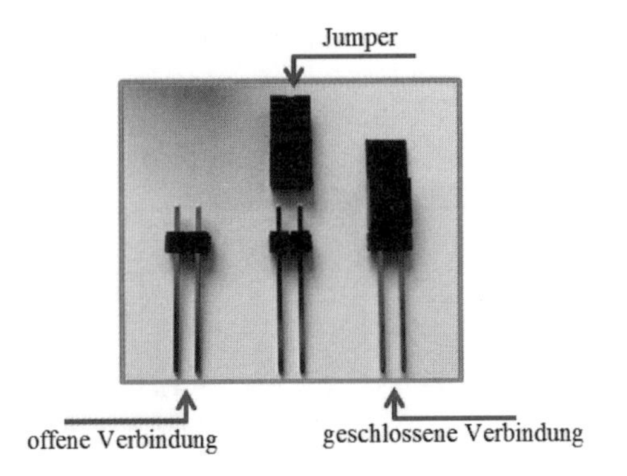

◀ **Abbildung 11-7**
Jumper stellen eine elektrische Verbindung her.

Ok, das ist verständlich, doch wenn ich mir die Schaltung anschaue, dann sehe ich einen *Input*- und einen *Output*-Jumper. Welchen von beiden muss ich denn jetzt verwenden?

Das hängt immer davon ab, wie deine Schaltung funktionieren soll, *RasPi*. Sehen wir uns das an zwei Beispielen einmal genauer an.

Der Input-Mode

Du erreichst den *Input-Mode*, indem du den linken Jumper mit der Bezeichnung *Input* einsetzt. Das bedeutet, dass du ein Signal von dem *I/O-Pin* zum *Raspberry Pi* leitest. Der Strom nimmt den in der folgenden Abbildung nachgezeichneten Verlauf.

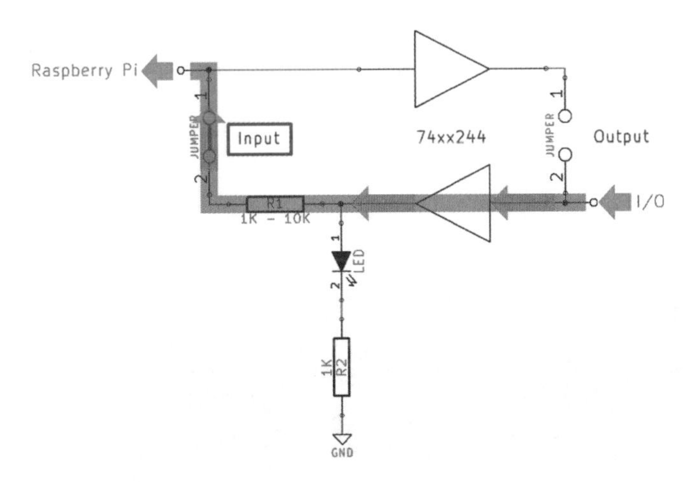

◀ **Abbildung 11-8**
Der Input-Mode

Der Output-Mode

Du erreichst den *Output-Mode*, indem du den rechten Jumper mit der Bezeichnung *Output* einsetzt. Das bedeutet, dass du ein Signal vom *Raspberry Pi* zum einem *I/O-Pin,* also zum *Gertboard* leitest.

Der Strom nimmt den in der folgenden Abbildung nachgezeichneten Verlauf.

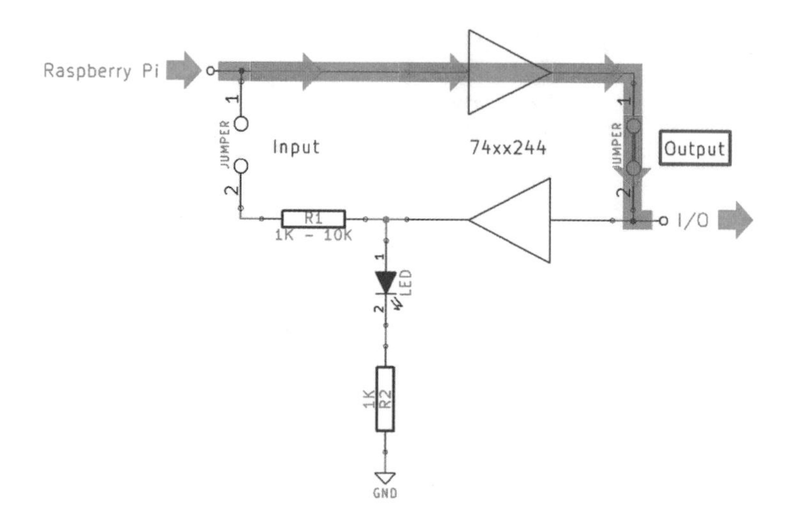

Abbildung 11-9 ▶
Der Output-Mode

Gertboard-Projekte

Da du jetzt über genügend Vorwissen bezüglich des *Gertboards* verfügst, wollen wir ein paar Experimente durchführen. Wenn du die C-Programme aus *Gerts* Software-Collection verwendest, erhältst du zu Beginn des Programmlaufes immer einen Hinweis über die notwendigen Steckverbindungen, die du manuell herstellen musst. Auf diese Weise wird sichergestellt, dass die Programme auch mit den korrekten Verkabelungen laufen. Dies ist eine sehr sinnvolle und durchdachte Vorgehensweise.

Abfragen der Taster

Das *Gertboard* verfügt standardmäßig über *drei Taster*, die sich – je nachdem, wie herum du das Board drehst – am oberen Rand befinden.

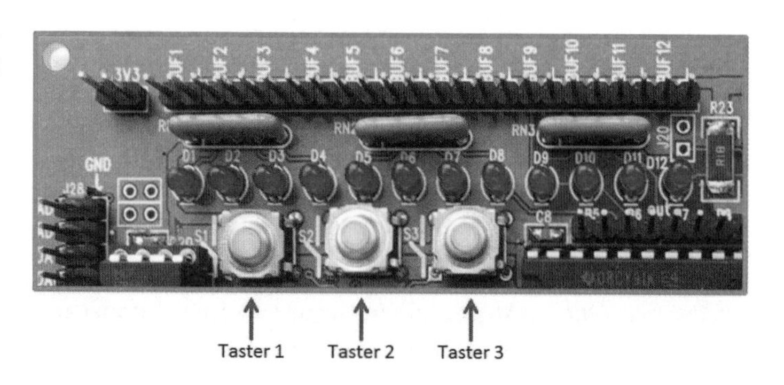

Abbildung 11-10 ▶
Die drei Taster auf dem Gertboard

Diese Taster sind mit den Bezeichnungen *S1*, *S2* und *S3* versehen, wobei *S für Switch steht*. Du kannst sogar das Schaltsymbol auf der Platine erkennen. Diese drei Taster sind über je einen Widerstand direkt mit den Pins *1*, *2* und *3* der *Steckerleiste J3* (*Header*) verbunden. Schauen wir uns aber zuvor einmal den Schaltplan für einen einzelnen Taster an.

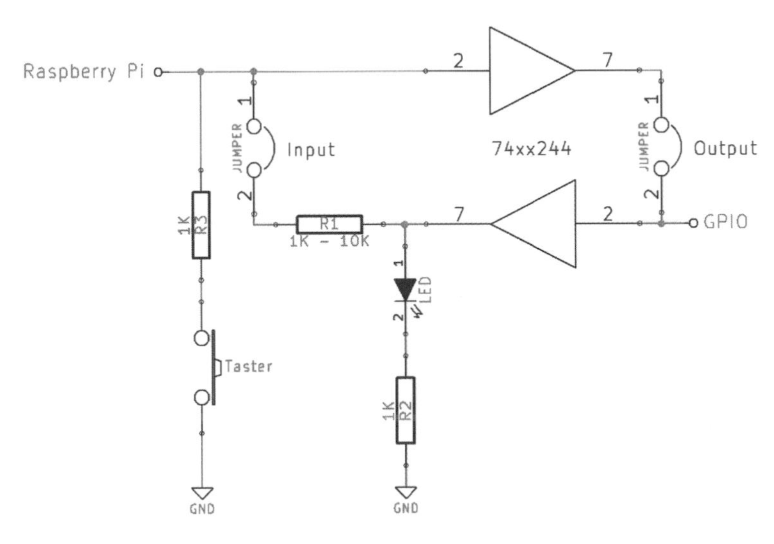

◀ Abbildung 11-11
Ein einzelner Taster auf dem Gertboard

Du siehst, dass der Taster das Massesignal über den Widerstand weiterleitet. Ich habe eben erwähnt, dass die Taster direkt mit der *Steckerleiste J3* verbunden sind. Du findest sie direkt über dem *Raspberry Pi*-Schriftzug. Doch schau her:

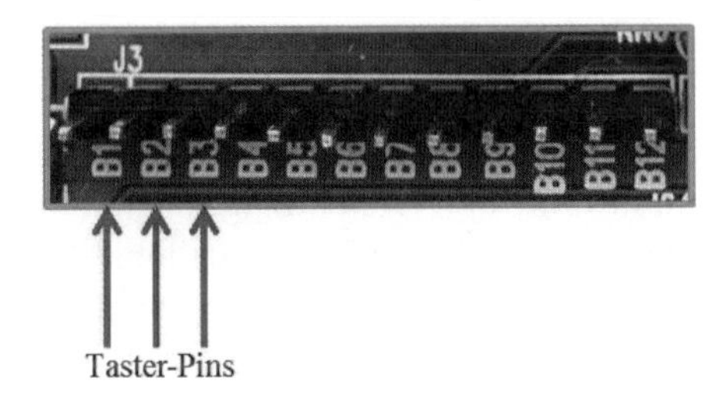

◀ Abbildung 11-12
Die Steckerleiste J3 auf dem Gertboard

Werfen wir dazu einen Blick auf den offiziellen *Gertboard-Schaltplan* und suchen nach den drei Tastern.

Abbildung 11-13 ▶
Die drei Taster des Gertboards

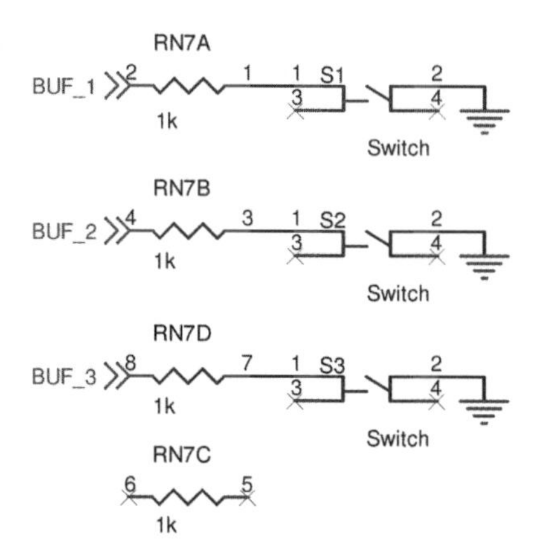

Wir sehen, dass die Massesignale über je einen Taster und den entsprechenden Widerstand geleitet werden. Doch wie geht es weiter? Suchen wir doch die Anschlüsse *BUF_1*, *BUF_2* und *BUF3* einmal im Schaltplan.

Abbildung 11-14 ▶
Die Steckerleiste J3 im Schaltplan

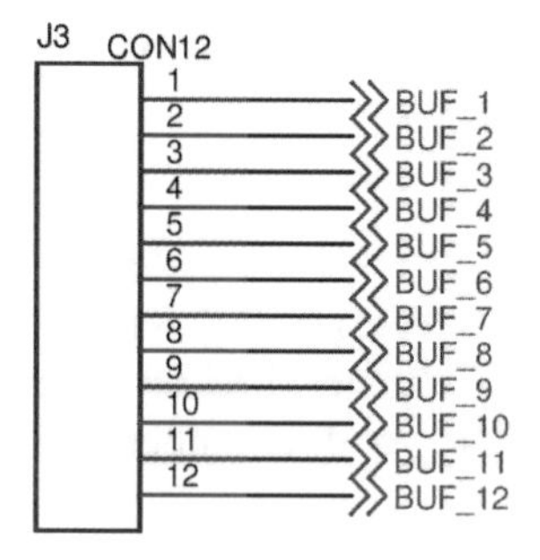

Hey, das sind genau *die* Anschlüsse, die du auf dem Foto von der *Steckerleiste J3* ein paar Abbildungen vorher gesehen hast. Dort kommen also die Tastersignale an. Die Anschlüsse der *Steckerleiste J3* stehen in direkter Verbindung mit den Treiberbausteinen *U3*, *U4* und *U5*. Im folgenden Diagramm siehst du die Aufteilung der Pins auf diese Bausteine.

Abbildung 11-15 ▶
Die Steckerleiste J3 und die Verteilung auf die Treiberbausteine U3, U4 und U5

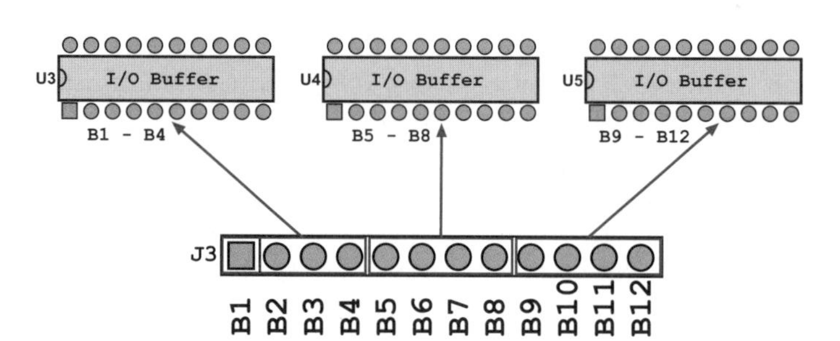

Aber wie geht es denn jetzt weiter? Enden hier die Signale? Wir müssen sie doch irgendwie zum *Raspberry Pi* leiten, damit sie dort ausgewertet werden können.

Vollkommen richtig, *RasPi*. Aus diesem Grund müssen wir Verbindungsleitungen zu den *GPIO-Anschlüssen* legen. Dazu verwenden wir z.B. flexible Steckbrücken, die an beiden Enden mit Buchsen versehen sind. Schauen wir uns zuerst die notwendigen Steckverbindungen in einem Schema an. Ich habe die Verbindungen zwischen den Steckerleisten *J3* und *J2* rot markiert.

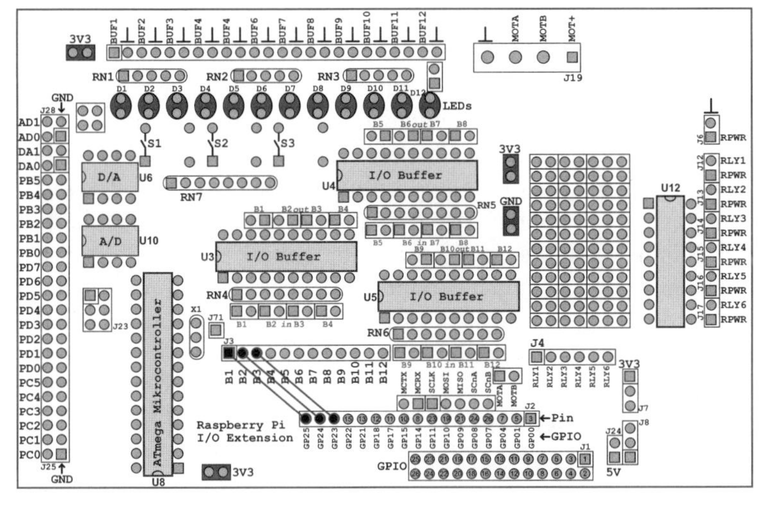

◀ Abbildung 11-16
Die Verkabelung auf dem Gertboard (Schema)

Auf dem *Gertboard* sieht das Ganze dann wie folgt aus:

◀ Abbildung 11-17
Die Verkabelung auf dem Gertboard

In der folgenden Tabelle findest du die genauen Verbindungsbezeichnungen.

Tabelle 11-1 ▶ Die erforderlichen Verbindungen

Steckerleiste J3	Steckerleiste J2
B1	*GP25*
B2	*GP24*
B3	GP23

Mir ist da was aufgefallen. Du hast dich überhaupt nicht für einen Modus entschieden. Ich meine damit entweder den *Input*- oder den *Output*-Modus.

Gut aufgepasst, *RasPi*! Wenn du noch einmal einen Blick auf das Schaltbild mit den Buffern und den Tastern wirfst, dann siehst Du, dass das für die vorhandenen drei Taster nicht unbedingt erforderlich ist und sogar zu Problemen führen kann. Wenn du den *Input*-Jumper setzt, behindert der Ausgang des unteren Buffers die korrekte Funktionsweise des *Tasters*. Es kommt zur Kollision zweier Signale. In der folgenden Abbildung kannst du das gut erkennen. Es wird dadurch zwar nichts beschädigt, doch es kommt zu einer Beeinträchtigung der gewünschten Funktionalität.

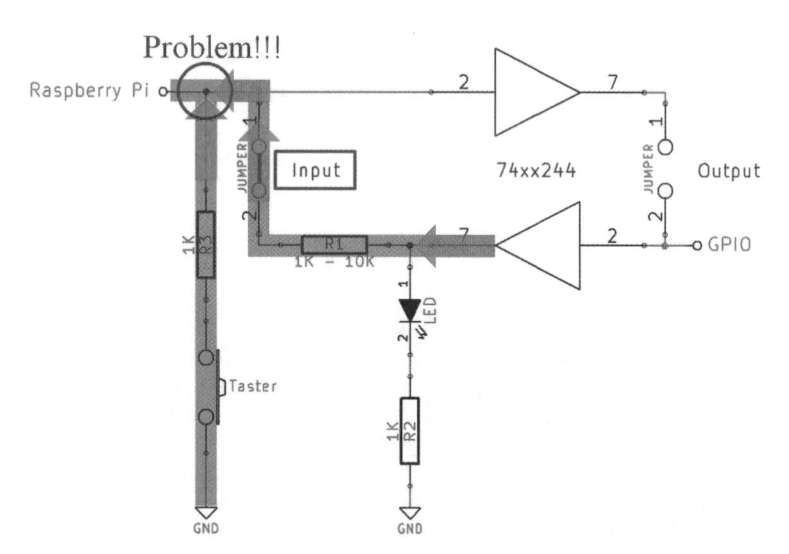

Abbildung 11-18 ▶ Probleme beim Setzen des Input-Jumpers

Um dem entgegenzuwirken, könntest du den *Output*-Jumper einsetzen, so dass das Tastersignal sowohl über den *oberen* als auch über den *unteren* Buffer geleitet würde, um dann endlich bei der Leuchtdiode anzukommen. Sieh her:

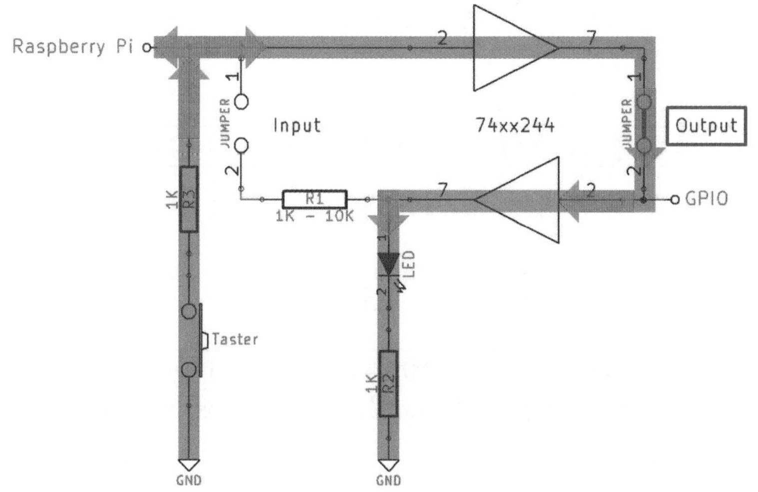

◀ **Abbildung 11-19**
Keine Probleme beim Setzen des Output-Jumpers

Ok, das bedeutet, dass wenn ich den Taster drücke, das Signal an den *Raspberry Pi* weitergeleitet wird. Und gleichzeitig leuchtet dann auch die LED. Das habe ich verstanden.

Der ersten Aussage kann ich zustimmen, *RasPi*. Doch leider stimmt der zweite Teil nicht. Das ist aber auch kein Problem, denn das konntest du nicht wissen. Es verhält sich folgendermaßen: Wenn du den Taster nicht drückst, leuchtet die LED, und wenn du ihn betätigst, dann erlischt die LED. Verrückt, nicht wahr!? Auf dem *Raspberry Pi* wird ein sogenannter *Pull-Up-Widerstand* aktiviert, damit der Pegel bei nicht gedrücktem Taster einen definierten Zustand (*HIGH*-Pegel) besitzt. Dieser Pegel wird natürlich auch in Richtung der beiden Buffer weitergeleitet und erreicht somit die LED, die dann leuchtet. Wenn du jetzt den Taster drückst, wird das Masse-Potential an den *Raspberry Pi* geschickt und ebenfalls wieder über die beiden Buffer zur LED. Die kann natürlich nicht leuchten, da jetzt an ihren beiden Anschlüssen Masse anliegt.

Bevor du jetzt weitermachst, habe ich noch eine Frage hinsichtlich der vorhandenen elektrischen Verbindungen zwischen der Anschlussleiste *J2* und der eigentlichen GPIO-Anschlussleiste *J1*, die ja mit dem *Raspberry Pi*-Board verbunden ist. Wie verhält es sich dort mit der Zuordnung der einzelnen Pins?

Du hast vollkommen Recht, *RasPi*, denn das ist nicht sofort ersichtlich. Ich habe aber deswegen in der schematischen Übersicht die

Pin-Nummern so gewählt, dass eine direkte Zuordnung möglich ist. Schau her:

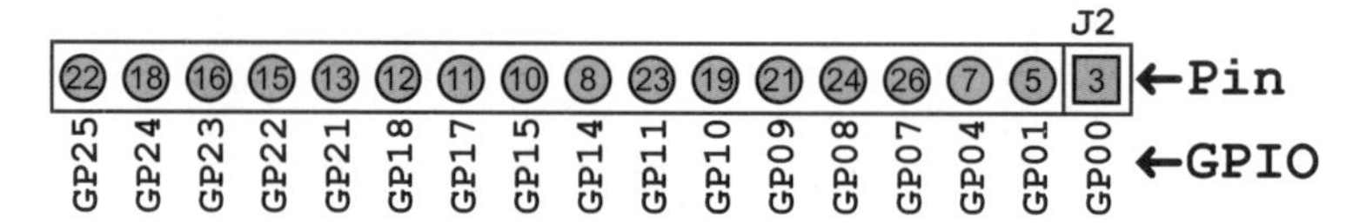

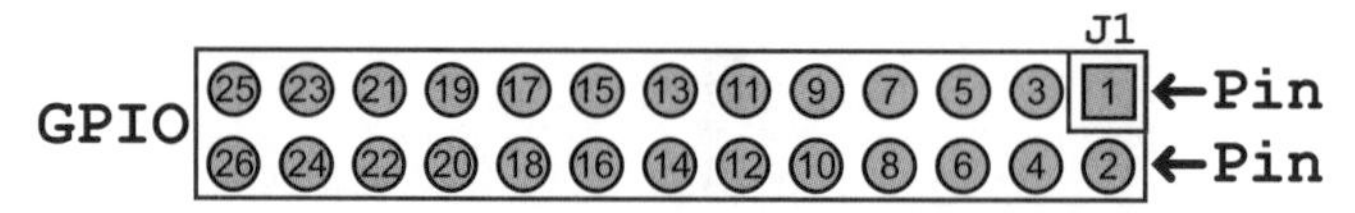

Abbildung 11-20 ▶ Die Pin-Zuordnung zwischen den Anschlussleisten J1 und J2

Vergiss dabei nicht, dass in der *Anschlussleiste J2* einige Lücken bei der fortlaufenden Nummerierung zu verzeichnen sind, denn es gibt ja z.B. in der *Anschlussleiste J1* einige Pins (*DNC*), die nicht benötigt werden. Doch kommen wir jetzt zur Programmierung für die Abfrage der drei Taster. Als Einstieg werden wir einen Blick auf das *Ablaufdiagramm* werfen, das die Funktionsweise des Programms *button.c* aus der angesprochenen Software Collection widerspiegelt, damit du in groben Zügen erkennst, welche Schritte bei der Programmierung erforderlich sind.

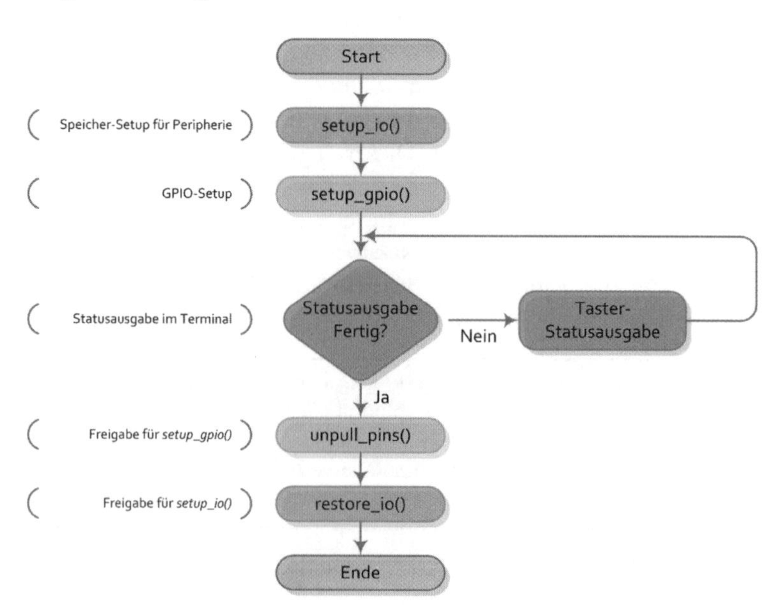

Abbildung 11-21 ▶ Ablaufdiagramm zur Statusabfrage beim Taster

Bevor es zur eigentlichen Abfrage der einzelnen Taster kommen kann, sind so einige Schritte notwendig, die in einzelne Funktionen ausgelagert wurden.

- *setup_io()*: Es erfolgt eine Speichersetup für die anzusteuernde Peripherie.
- *setup_gpio()*: Die benötigten *GPIO-Pins* werden angegeben, um z.B. festzulegen, welcher Pin als *Input-Pin* definiert werden soll (*INP_GPIO(23)*, *INP_GPIO(24) etc.*).
- *unpull_pins()*: Die zuvor über *setup_gpio* reservierten Pins werden wieder freigegeben, damit sie für eine zukünftige Programmierung erneut zur Verfügung stehen.
- *restore_io()*: Hierbei handelt es sich um die Freigaberoutine für die *setup_io*-Funktion.

Aufgrund des Umfangs der Programmierung zur Abfrage der Taster kann ich nicht auf alle Details eingehen, so dass ich dich bitten muss, das zur Verfügung stehende *Gertboard User Manual* durchzulesen. Alles Weitere dazu findest du ebenfalls im *Anhang* oder auf meiner *Internetseite*. Das Programm *button.c* musst du zuvor kompilieren. Am besten kompilierst du alle Programme aus der Software Collection mit dem folgenden Befehl:

```
make all
```

Der Aufruf des Programms erfolgt dann mittels der folgenden Zeile:

```
sudo ./buttons
```

Doch nun zum Ablaufdiagramm:

setup_io()

Über diese Funktion werden die notwendigen Speicherbereiche für die Ansteuerung der Peripherie bereitgestellt. *Gert* sagt selbst, dass das ein wenig mit Magie zu tun hat und dich nicht weiter interessieren muss. Wir wollen ihm mal glauben und uns nicht weiter darum kümmern.

setup_gpio()

An dieser Stelle werden die erforderlichen GPIO-Pins programmiert. Die drei Taster sind an den GPIO-Eingängen *23*, *24* und *25* angeschlossen, so dass sie dementsprechend definiert werden müssen.

Abbildung 11-22 ▶
Der setup_gpio-Block

```
67  void setup_gpio()
68  {
69    // GPIO 23, 24 und 25 als Input programmieren
70    INP_GPIO(23);
71    INP_GPIO(24);
72    INP_GPIO(25);
73
74    // Interne Pull-Up Widerstände für GPIO 23,24 und 25 aktivieren. Pull-Up-Code: 2
75    GPIO_PULL = 2;
76    short_wait();
77    // Bits für 23, 24 & 25 setzen
78    GPIO_PULLCLK0 = 0x03800000;
79    short_wait();
80    GPIO_PULL = 0;
81    GPIO_PULLCLK0 = 0;
82  } // setup_gpio
```

Du kannst in den Zeilen *70*, *71* und *72* den Aufruf des Makros *INP_GPIO* erkennen. Es teilt dem Prozessor mit, dass es sich bei den als Argumente übergebenen Werten um die *GPIO-Pins* handelt, die als *Eingänge* fungieren sollen. Die weitere Programmierung ist dafür zuständig, interne *Pull-Up-Widerstände* zu aktivieren, so dass bei nicht gedrücktem Taster ein *HIGH-Pegel* anliegt. Wenn du einen der Taster drückst, wird der Pegel gegen *Masse* gezogen, so dass ein *LOW-Pegel* vorliegt. Auf diese Weise sparst du dir eine Beschaltung mit externen Widerständen. Zahlreiche Mikrocontroller bieten diese Funktionalität, z.B. auch der *Arduino*.

Taster-
Statusausgabe

Nun ist der Prozessor so vorbereitet, dass er auf die Tastendrücke reagieren kann. Innerhalb der `main`-Funktion wird u.a. der folgende Code-Block abgearbeitet:

Abbildung 11-23 ▶
Innerhalb des main-Blocks

```
127    prev_b = 8; // Vorheriger Button-Status
128    r = 20;     // Anzahl der Wiederholungen
129   while (r)
130   {
131     b = GPIO_IN0;
132     b = (b >> 23 ) & 0x07; // Nur die Bits 23, 24 und 25 werden berücksichtigt
133     if (b^prev_b)
134     { // Button-Status hat gewechselt
135       make_binary_string(3, b, str);
136       printf("%s\n", str);
137       prev_b = b;
138       r--;
139     } // if
140   } // while
```

Innerhalb der `while`-Schleife wird der Status der einzelnen Taster abgefragt, wobei die Ausgabe innerhalb des *Terminal-Fensters* z. B. folgendermaßen ausschauen kann. Ich habe während des Programmlaufs die einzelnen Taster gedrückt:

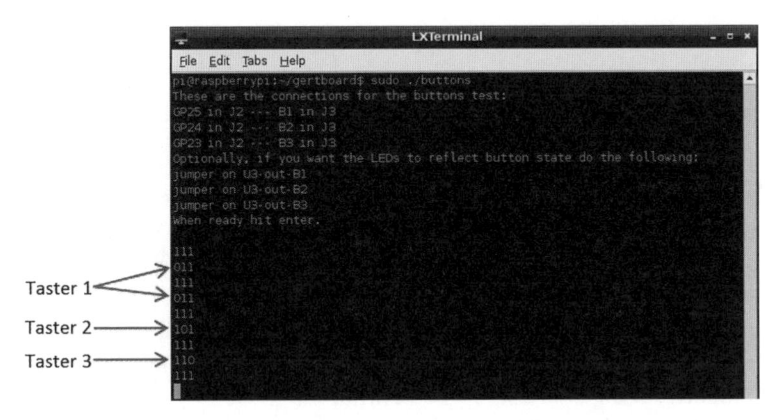

Abbildung 11-24
Die Ausgaben im Terminal-Fenster

Wird *kein* Taster gedrückt, so erscheint in der Ausgabe *111*. Das bedeutet *HIGH-Pegel* für alle drei Taster. Erinnere dich an die *Pull-Up-Widerstände*, die den Spannungswert bei nicht gedrückten Tastern auf *HIGH-Pegel* ziehen. Je nach Tasterdruck wird die betreffende Ziffernstelle eine *0*, also *LOW-Pegel*, anzeigen. Die linke Ziffer steht für *Taster 1*, die mittlere für *Taster 2* und die rechte Ziffer für *Taster 3*.

Boah, wie soll ich denn den Code in der `while`-Schleife verstehen? Das ist ja wirklich ein Hammer!

Du hast vollkommen Recht, *RasPi*. Ich sollte ihn ein wenig erläutern. Damit du den Status der einzelnen Taster abfragen kannst, müssen wir uns auf *Bit-Ebene* begeben. Aus diesem Grund wird über die Befehlszeile

```
b = GPIO_IN0;
```

die *GPIO-Schnittstelle* abgefragt und die Input-Bits *0-31* über das Makro *GPIO_IN0* gelesen. Diese werden dann der Variablen *b* zugewiesen. Da sich aber die auszuwertenden Bits an bestimmten Stellen innerhalb der *32-Bits* befinden, müssen wir eine besondere Strategie anwenden, um die für uns wichtigen Informationen zu isolieren:

- Die Bits müssen um eine festgelegte Anzahl nach *rechts geschoben werden.*
- Die rechts befindlichen Bits müssen *ausmaskiert werden.*

Was bedeutet das im Detail? Die folgende Befehlszeile erledigt die beiden genannten Schritte:

```
b = (b >> 23 ) & 0x07;
```

Über `b >> 23` werden alle Bits um *23* Stellen nach rechts verschoben. Diese Aufgabe übernimmt der *Shift-Operator* `>>`. Im Anschluss wird für das Ergebnis eine UND-Verknüpfung mit dem Hex-Wert *0x07* durchgeführt. Hierzu wird das *Kaufmanns-Und* `&` verwendet. In binärer Schreibweise wäre das der Wert *b00000111*. Du erkennst, dass die *3* niederwertigsten Bits den Wert *1* haben und somit der Wert in *b* durch die bitweise *UND*-Verknüpfung nur an diesen *3* Stellen Berücksichtigung findet. Hier kurz die Wahrheitstabelle für eine bitweise *UND*-Verknüpfung:

Tabelle 11-2 ▶ Bitweise UND-Verknüpfung

Operand 1	Operand 2	Ergebnis
0	*0*	*0*
0	*1*	*0*
1	*0*	*0*
1	*1*	*1*

Nur an *den* Stellen, an denen beide Operanden eine *1* aufweisen, ist das Ergebnis *1*. Auf diese Weise kannst du bestimmte Bits *ausmaskieren*, was bedeutet, dass du nur einen bestimmten Ausschnitt berücksichtigst und den anderen ausblendest. Sehen wir uns das Ganze einmal exemplarisch an einem Beispiel an. Ich werde das aus Platzgründen nur anhand einer *16-Bit-Binärzahl* demonstrieren.

Der Schiebebefehl

Durch die Verschiebung der Bits um *8 Positionen* nach *rechts* werden die weiter links platzierten höherwertigen *8* Bits an die niederwertigen Positionen nach rechts kopiert.

Abbildung 11-25 ▶ Der Schiebebefehl

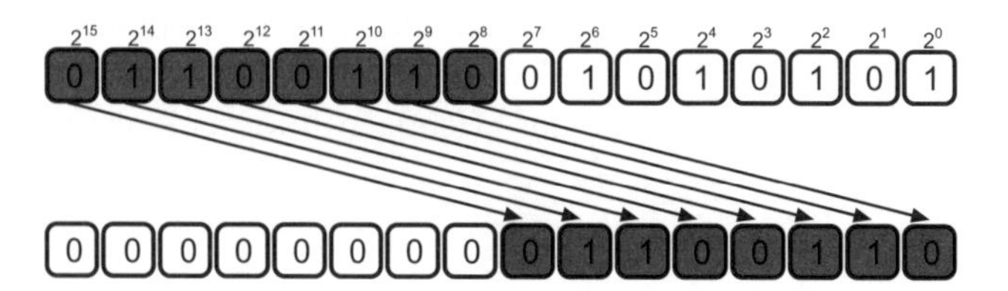

Die Maskierung

Durch die Maskierung mit der Hex-Zahl *0x07* werden nur die *3* niederwertigen Bits berücksichtigt.

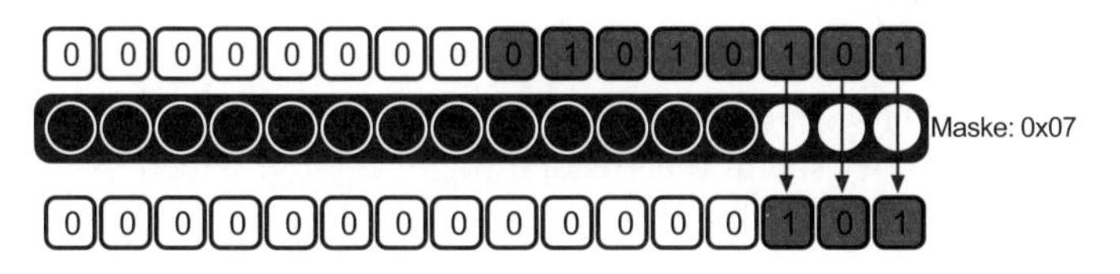

◀ **Abbildung 11-26**
Die Maskierung

Das wäre also geklärt. Kommen wir zu *dem* Code-Segment, das dafür zuständig ist, dass nur *dann* etwas ausgegeben wird, wenn ein Taster gedrückt wurde. Hier kommt die `if`-*Anweisung zum Einsatz*:

```
if (b^prev_b) { ... }
```

Das mutet schon ein wenig kryptisch an, ist aber halb so wild. In der Variablen `prev_b` (*prev = previous*) wird ja immer der Status der letzten Tastendrücke gespeichert. Zur Abfrage, ob der aktuelle Status ungleich des zuvor abgespeicherten ist, wird eine sogenannte *EXKLUSIV-ODER*-Verknüpfung verwendet. Das Ergebnis der Verknüpfung ist nur dann *1*, wenn beide Operanden unterschiedliche Werte aufweisen.

◀ **Tabelle 11-3**
Bitweise Exclusive-Oder-Verknüpfung

Operand 1	Operand 2	Ergebnis
0	*0*	*0*
0	*1*	*1*
1	*0*	*1*
1	*1*	*0*

Eben diese Funktionalität wird in der `if`-*Anweisung* verwendet. Wenn in der Programmiersprache *C* ein Ergebnis *0 ist*, bedeutet das logisch *falsch*. Alles, was von *0* verschieden ist, wird als logisch *wahr* erkannt. Mit den nachfolgenden Zeilen wird nun noch das Ergebnis im Terminal-Fenster ausgegeben:

```
make_binary_string(3, b, str);
printf("%s\n", str);
prev_b = b;
r--;
```

Die Funktion `make_binary_string` übernimmt nur die *3* niederwertigsten Bits, die dann über die `printf`-Funktion ausgegeben werden. Anschließend wird über `prev_b = b` der aktuelle Statuswert zum alten Statuswert gemacht und über `r--` (gleichbedeutend mit: *r = r -1*) die Variable *r* um den Wert *1* vermindert.

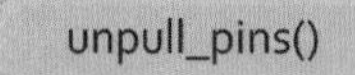

Über die `setup_gpio`-Funktion haben wir die GPIO-Pins *23*, *24* und *25* reserviert, da wir sie für die Tasterabfrage benötigt haben. Nach der Beendigung des Programms müssen diese Ressourcen wieder freigegeben bzw. die aktivierten *Pull-Up-Widerstände* deaktiviert werden.

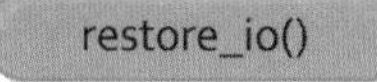

Diese Funktion ist das Gegenstück zur `setup_io`-Funktion. Hiermit werden die zuvor benötigten Speicherbereiche freigegeben.

Die LED ansteuern

Wie du weißt, gibt es auf dem Board zahlreiche LEDs und über bestimmte Jumper-Setzungen kannst du den Status der Taster anzeigen. Das Thema hatten wir schon kurz angesprochen. An dieser Stelle möchte ich dir noch einmal die notwendigen Verbindungen zeigen.

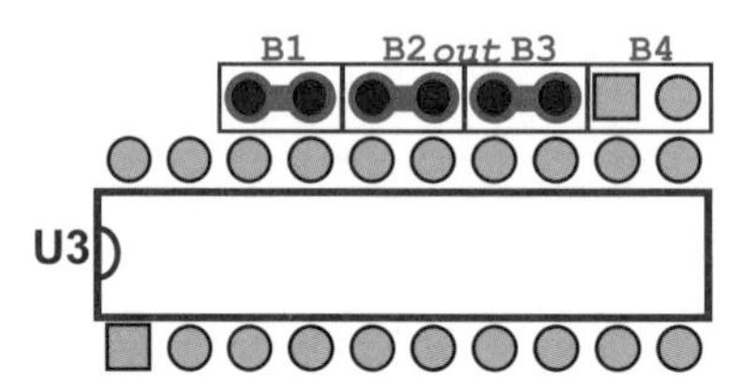

Abbildung 11-27 ▶ Die Jumper für das Anzeigen des Taster-Status

Die möglichen Verbindungen befinden sich immer in unmittelbarer Nähe der Pufferbausteine. Der Baustein *U3* ist in unserem Fall der Richtige und dort müssen die Jumper platziert werden. Somit leuchten die LEDs *D1*, *D2* und *D3* in Anhängigkeit der Tastendrücke.

Ansteuern der Leuchtdioden

Das Gertboard verfügt über *12* Leuchtdioden *D1 – D12*, die du alle einzeln, unabhängig voneinander ansteuern kannst.

Abbildung 11-28 ▶ Die LED-Reihe auf dem Gertboard

In der Software Collection von *Gert* gibt es natürlich schon ein fertiges Programmierbeispiel mit dem Namen *leds.c*, das du sofort ausführen kannst. Ich möchte aber an dieser Stelle mit dir zusammen ein eigenes Programm erstellen, denn für *die* Leser, die sich vielleicht noch nicht so mit der *Programmiersprache C* vertraut fühlen, könnte es sonst etwas viel werden. Das soll natürlich nicht bedeuten, dass du es nicht dennoch einmal versuchst. Machen wir uns zuerst Gedanken über die notwendige Verkabelung auf dem *Gertboard*. Dazu schauen wir uns am besten noch einmal die Buffer-Schaltung an:

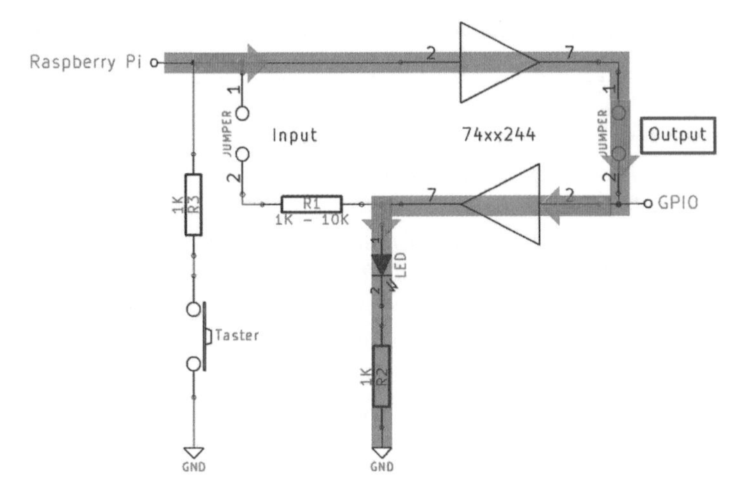

◀ Abbildung 11-29
Die Ansteuerung einer LED vom Raspberry Pi aus

Du siehst, dass wir zur Ansteuerung der LEDs den Output-Jumper an jeder LED platzieren müssen, die wir vom *Raspberry Pi* aus ansteuern möchten.

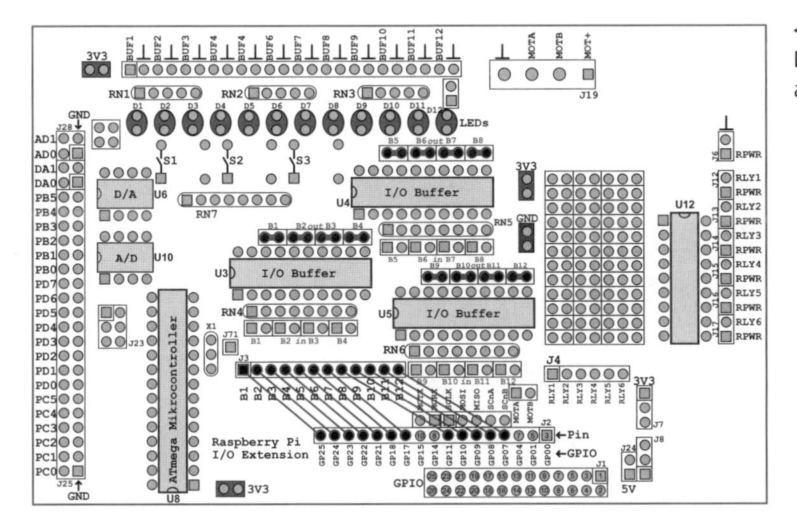

◀ Abbildung 11-30
Die erforderlichen Verbindungen auf dem Gertboard

Was habe ich gemacht?

- Es wurden die notwendigen Verbindungen von *Anschlussleiste J2* mit *Anschlussleiste J3* hergestellt.
- Es wurden an allen Buffer-Bausteinen (*U3*, *U4* und *U5*) die Jumper im *out-Bereich* gesetzt.

> Ok, das habe ich verstanden. Wie ich sehe, hast du eine Lücke bei der Verkabelung gelassen und die *Pins 14* und *15* nicht verwendet. Was ist der Grund? Das sind doch ebenfalls *GPIO-Pins*, die wir verwenden können.

Korrekt erkannt, *RasPi*! Das Ganze hat aber folgenden Hintergrund, auf den ich noch nicht zu sprechen gekommen bin. Manche Pins der *GPIO-Schnittstelle* haben eine *Zweitfunktion*. Er gibt also eine *alternative Funktionalität*, die wir zusätzlich zu den uns schon bekannten *I/O*-Funktionen nutzen können. Pin *14* und *15* können zur Ansteuerung einer *seriellen Schnittstelle* verwendet werden. Auf diese *UART*-Funktionalität (*Universal Asynchronous Receiver Transmitter*) kann bei Bedarf zugegriffen werden. Ich habe sie deswegen ausgelassen, weil jedem dieser beiden Pins von Linux eine bestimmte Datenflussrichtung vorgegeben ist. *GPIO14* arbeitet als *TXD* (*Sendeleitung*), wohingegen *GPIO15* als *RXD* (*Empfangsleitung*) fungiert. Durch eine von uns umprogrammierte Konfiguration würde diese Funktionalität ggf. beeinträchtigt. Weil uns noch genügend andere Pins zur freien Verfügung stehen, lassen wir diese beiden Pins daher außen vor.

Wenn du die notwendigen Verkabelungen vorgenommen hast, können wir uns der Programmierung zuwenden. Ich nutze dazu den schon angesprochenen Editor *Geany*, den wir ein wenig anpassen müssen. Öffne dazu über die Menüleiste das BUILD-*Konfigurationsmenü*.

Abbildung 11-31 ▶ Das Build-Konfigurationsmenü öffnen

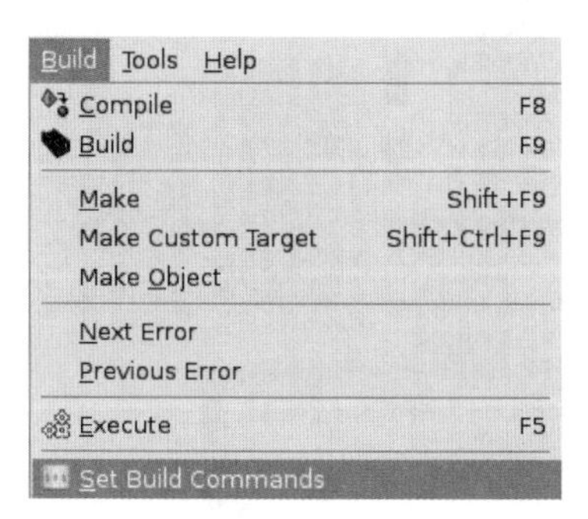

Füge dann den Eintrag `gb_common.o` im *Build*-Bereich hinzu. Es handelt es sich dabei um die vorkompilierte Objekt-Datei der Datei *gb_common.c*. Sie muss während des *Build-Prozesses* mit berücksichtigt werden, weil sie viele Funktionen bzw. Makros enthält, auf die wir zugreifen müssen. Außerdem muss jedes C-Programm für das *Gertboard* mit erweiterten Rechten ausgeführt werden. Daher musst du im Execute-Bereich das Wörtchen sudo hinzufügen.

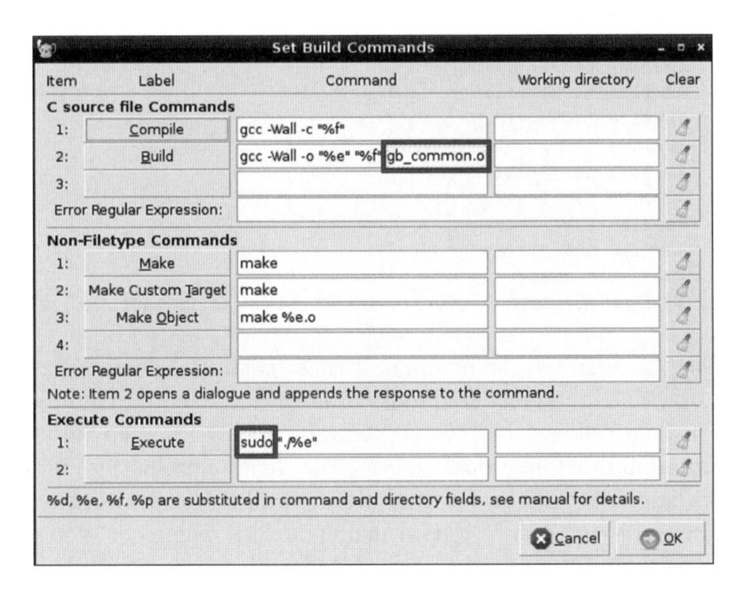

◀ Abbildung 11-32
Hinzufügen der Datei gb_common.o

Ok, das wäre geschafft. Bevor wir in die Programmierung einsteigen, werfen wir kurz einen Blick auf das Ablaufdiagramm.

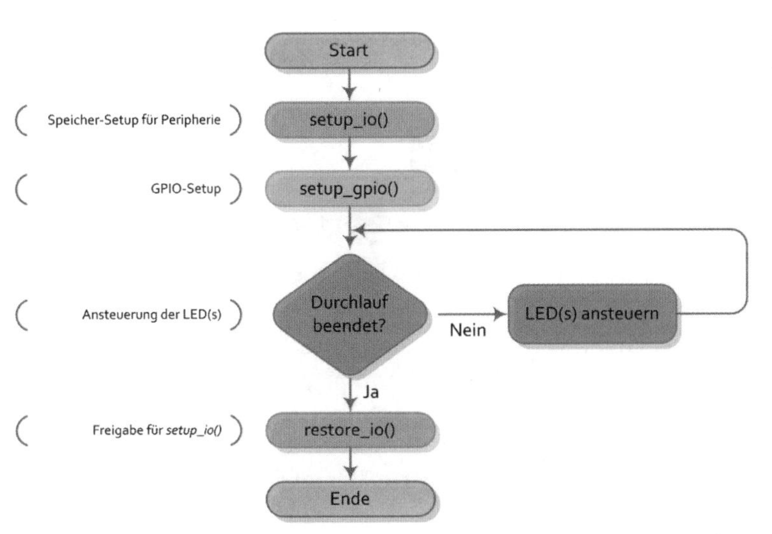

◀ Abbildung 11-33
Ablaufdiagramm zur Ansteuerung der LED(s)

Vor dem Start mit dem *setup_io*-Block müssen wir uns dem vorangestellten Definitionsblock widmen, der wie folgt aussieht und ohne den das Ganze nicht funktioniert.

Abbildung 11-34 ▶
Die Definition der einzelnen LEDs auf Bitebene

```
#include "gb_common.h"

// Output-Bits an die richtigen Stellen schieben
#define L1 (1<<25)
#define L2 (1<<24)
#define L3 (1<<23)
#define L4 (1<<22)
#define L5 (1<<21)
#define L6 (1<<18)
#define L7 (1<<17)
#define L8 (1<<11)
#define L9 (1<<10)
#define L10 (1<<9)
#define L11 (1<<8)
#define L12 (1<<7)
#define ALL_LEDS  (L1|L2|L3|L4|L5|L6|L7|L8|L9|L10|L11|L12)
```

In *Zeile 1* binden wir die benötigte *Header-Datei* ein, deren Inhalt uns zurzeit nicht interessieren muss. Das für uns Wichtige befindet sich in den Zeilen *4* bis *16*. Die einzelnen LEDs werden durch bestimmte Bitkombinationen angesteuert. Jedes einzelne Bit eines *32-Bit* langen Wertes ist für eine bestimmte LED verantwortlich. Hat dieses Bit den Wert *1*, dann leuchtet die LED, wenn der Wert *0 ist*, erlischt sie. Um nun ein einzelnes Bit innerhalb des *32-Bit*-Wertes zu setzen, bedienen wir uns des *Schiebebefehls*, den du schon kennengelernt hast. Die Technik ist ganz einfach und funktioniert nach dem Motto: *Nimm eine 1, platziere sie rechts außen vom 32-Bit-Wert und schiebe sie nach links an die gewünschte Position*. Ich denke, das sollten wir uns einmal genauer ansehen.

Abbildung 11-35 ▶
Einzelne Bits setzen

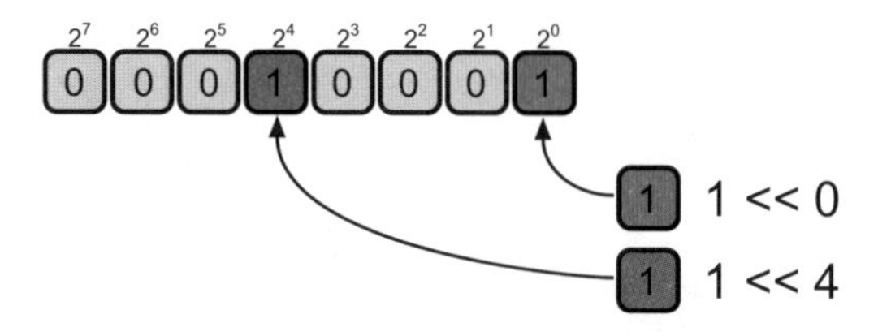

In dieser Grafik siehst du, wie durch zwei Schiebebefehle nach links die Bits an den betreffenden Positionen gesetzt werden. Bedenke, dass die erste Position durch den Wert *0* erreicht wird. Über die Präprozessor-Direktive `#define` werden die einzelnen *symbolischen Konstanten* definiert. Wenn wir später im Programm mehrere LEDs zeitgleich ansteuern möchten, können wir durch eine bitweise *ODER*-Verknüpfung die Bits der einzelnen LEDs ganz einfach kombinieren. Ich zeige dir hier einmal die Wahrheitstabelle für diese *ODER*-Verknüpfung:

Operand 1	Operand 2	Ergebnis
0	*0*	*0*
0	*1*	*1*
1	*0*	*1*
1	*1*	*1*

Tabelle 11-4
Bitweise ODER-Verknüpfung

Eine einzige *1* reicht aus, damit das Ergebnis ebenfalls den Wert *1* erhält. Programmtechnisch gesehen wird bei der bitweisen *ODER*-Verknüpfung das *Pipe-Zeichen* | verwendet. Du siehst es in *Zeile 16*, in der alle *12* LEDs verknüpft werden, um sie über die symbolische Konstante *ALL_LEDS* komplett anzusteuern.

Gehen wir nun aber die einzelnen Ablaufblöcke wieder einzeln durch:

setup_io()

Über diese Funktion werden die notwendigen Speicherbereiche für die Ansteuerung der Peripherie bereitgestellt. Dies ist unverändert vom letzten Beispiel übernommen worden.

setup_gpio()

An dieser Stelle werden die *12* benötigten GPIO-Pins als *Ausgänge* definiert. Dabei muss Folgendes beachtet werden. Bevor ein Pin als *Ausgang* programmiert wird, muss er zuvor als Eingang definiert sein.

```
18  void setup_gpio(void)
19  {
20      INP_GPIO(7);  OUT_GPIO(7);
21      INP_GPIO(8);  OUT_GPIO(8);
22      INP_GPIO(9);  OUT_GPIO(9);
23      INP_GPIO(10);  OUT_GPIO(10);
24      INP_GPIO(11);  OUT_GPIO(11);
25      // 14 und 15 sind schon im UART Mode (Linux)
26      // Sie sollten nicht geändert werden!
27      INP_GPIO(17);  OUT_GPIO(17);
28      INP_GPIO(18);  OUT_GPIO(21);
29      INP_GPIO(21);  OUT_GPIO(21);
30      INP_GPIO(22);  OUT_GPIO(22);
31      INP_GPIO(23);  OUT_GPIO(23);
32      INP_GPIO(24);  OUT_GPIO(24);
33      INP_GPIO(25);  OUT_GPIO(25);
34  }
```

Abbildung 11-36
Der setup_gpio-Block

Dazu werden die beiden Makros *INP_GPIO* und *OUT_GPIO* in der gezeigten Reihenfolge genutzt. Bevor ich mit dem nächsten Block fortfahre, muss ich noch zwei Funktionen definieren, die zur Ansteuerung der LEDs verwendet werden.

Abbildung 11-37 ▶ Funktion zur Ansteuerung der LED(s)

```
void leds_off(void)
{
  // GPIO_CLR0 bestimmt die Output Pins
  GPIO_CLR0 = ALL_LEDS; // Alle LED's ausschalten
}

void show_LEDs(int value)
{
  leds_off();        // Alle LED's ausschalten
  GPIO_SET0 = value; // Welche LED soll leuchten? (Angabe z.B: L1, L2, L1|L2, etc.)
}
```

Die `leds_off`-Funktion nutzt das Makro *GPIO_CLR0*, um alle LEDs auszuschalten. Zu diesem Zweck wird die definierte symbolische Konstante `ALL_LEDS` übergeben, die alle anzusteuernden Bits der *12* LEDs beinhaltet. Im Gegensatz dazu verwenden wir die `show_LEDs`-Funktion, die wiederum das Makro GPIO_SET0 nutzt, zum Ansteuern der einzelnen LEDs. Ihr wird eine Bitkombination übergeben, die entsprechend den gesetzten Bits die LEDs leuchten lässt.

LED(s) ansteuern

Innerhalb der `main`-Funktion des Programms werden zuerst ein paar Variablen, die die Steuerung übernehmen, deklariert und mit Werten initialisiert.

Abbildung 11-38 ▶ Erforderliche Variablen

```
int i;      // Zählvariable
int d = 5;  // Durchläufe
int w = 10; // Wartezeit
```

Anschließend folgt die Ansteuerung der LEDs.

Abbildung 11-39 ▶ Ansteuerung der LEDs

```
for (i=0; i<d; i++)
{
  leds_off();           // Alle LED's ausschalten
  long_wait(w);         // Warten
  show_LEDs(L1|L2);     // Anschalten der LED(s)
  long_wait(w);         // Warten
} // for

leds_off();             // Alle LED's ausschalten
```

Innerhalb der `for`-Schleife, deren Schleifendurchläufe über die Variable `d` gesteuert wird, werden die LEDs *1* und *2* gemeinsam blinken.

Der Blinkrhythmus wird über die Funktion `long_wait` gesteuert. Je kleiner der Wert der Variablen `w` ist, desto schneller wird das Blinken. Die Ansteuerung der LEDs erfolgt in *Zeile 63*, wobei der `show_LEDs`-Funktion die Bitkombinationen der Konstanten `L1` und `L2` übergeben werden. Wenn du weitere LEDs hinzufügen möchtest, kannst du dies mithilfe des *Pipe*-Zeichens | erreichen. Du kannst also z.B. Folgendes schreiben:

```
show_LEDs(L1|L2|L10|L11);
```

Du hast mir gezeigt, wie ich einzelne LEDs ansteuern kann, so dass sie anfangen zu leuchten. Wenn es aber darum geht die LEDs auszuschalten, haben wir lediglich die Funktion `leds_off`, die aber ja alle LEDs auf einmal ausschaltet. Gibt es auch eine Möglichkeit, einzelne LEDs auszuschalten?

Na klar, *RasPi*! Eine gute Frage an dieser Stelle. Innerhalb der `leds_off`-Funktion übergeben wir ja die Bitkombinationen aller *12* LEDs (`ALL_LEDS`). Das kannst du natürlich variabel handhaben. Mit der folgenden Zeile schaltest du nur *LED 1* dunkel:

```
GPIO_CLR0 = L1;
```

Natürlich sind auch hier wieder die unterschiedlichsten Bitkombinationen denkbar. Probiere das selbst ein wenig aus und spiele mit verschiedenen Werten. Nach dem Verlassen der `for`-Schleife werden über die `leds_off`-Funktion alle LEDs dunkel geschaltet.

restore_io()

Abschließend werden die zuvor benötigten Speicherbereiche freigegeben. Dieser Block ist ja das Gegenstück zur `setup_io`-Funktion.

Ich vermisse eine Funktion, die wir im ersten Beispiel mit den Tastern verwendet haben. Warum wird hier die *unpull_pins*-Funktion nicht benötigt?

Nun, *RasPi*, das ist keine so dumme Frage, wie du vielleicht denkst. Ich hatte ja im Beispiel mit den Tastern erwähnt, dass die *unpull_pins*-Funktion das Gegenstück zur *setup_gpio*-Funktion ist. Jedoch haben wir bei der Ansteuerung der LEDs keine *Pull-Up-Widerstände* benötigt, die daher jetzt auch nicht deaktiviert werden müssen. Deshalb ist der Aufruf der *unpull_pins*-Funktion auch nicht erforderlich.

Signale über mehrere Buffer

In den beiden vorangegangenen Experimenten haben wir separat die *Taster* abgefragt bzw. die *LEDs* angesteuert. In diesem Aufbau wollen wir den Status des Tasters *S3* abfragen, dieses Signal über den angrenzenden Buffer *U3* schicken und damit einen weiteren Buffer *U4* versorgen. Dabei werden wir uns sowohl den Status des Tastersignals an *U3* als auch an *U4* ausgeben lassen. Schauen wir uns zu Beginn wieder die erforderliche Verkabelung an:

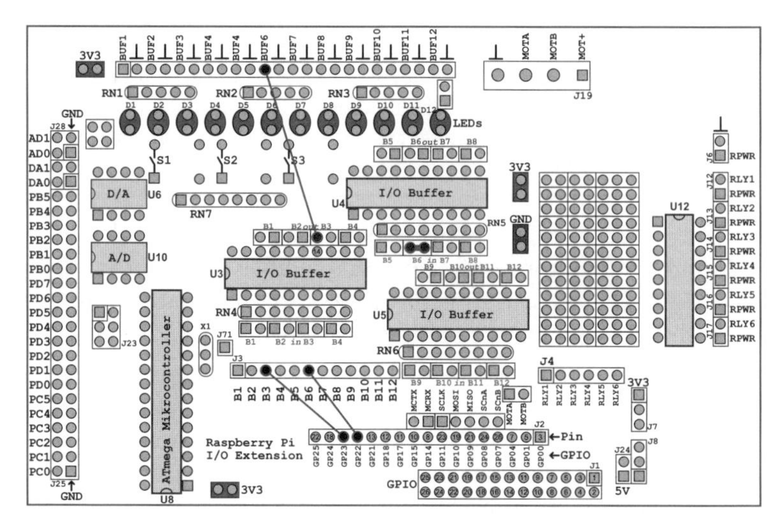

Abbildung 11-40 ▶ Die erforderlichen Verbindungen auf dem Gertboard

Auf dem *Gertboard* sieht das Ganze dann wieder wie folgt aus:

Abbildung 11-41 ▶ Die Verkabelung auf dem Gertboard

Ich kann mir anhand deiner Erläuterungen und auch mit Hilfe des Verbindungsplans kaum vorstellen, was da abgehen soll. Kannst du das bitte ein wenig genauer beschreiben!

Du hast vollkommen Recht, *RasPi*. Das ist schon ein wenig knifflig, und darum zeige ich dir das Ganze noch einmal anhand eines Schaltplans:

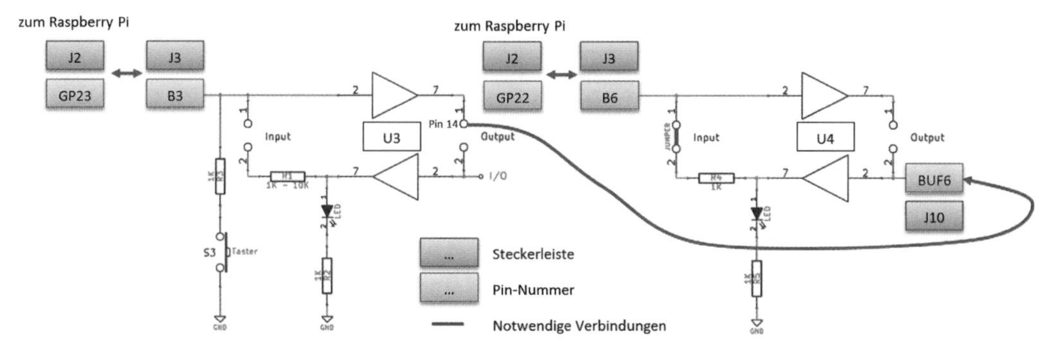

▲ Abbildung 11-42
Der Schaltplan zur Tasterabfrage und nachfolgenden Buffer-Schaltungen

Auf der linken Seite befindet sich der Taster *S3*, der direkt mit dem *Port 3* des Buffers *U3* verbunden ist. An diesem Buffer benötigen wir weder einen *Input*- noch einen *Output*-Jumper. Zum einen schicken wir das Signal direkt an den *GP23*-Pin, der vom *Raspberry Pi* direkt ausgewertet wird, und zum anderen greifen wir direkt auf den Ausgang des oberen Buffers zu, der sein Signal an *Pin 14* von *U3* schickt. Dieses Signal wird direkt an einen Buffer-Eingang des Bausteins *U4* geschickt, um dort weiterverarbeitet zu werden. Da dieses Signal wiederum als Eingangssignal zum *Raspberry Pi* geleitet werden soll, damit wir dort den Status auswerten können, muss der *Input*-Jumper entsprechend gesetzt werden. Über die Steckerleiste *J3*, die ja alle Buffer-Signale von *U3*, *U4* und *U5* vereint, wird über den Pin *B6* das Ausgangssignal des Buffers an *GP22* geleitet, und gelangt dann wiederum zum *Raspberry Pi*.

Ok, das habe ich soweit durchblickt. Was mir aber noch nicht ganz klar zu sein scheint, ist die am oberen Ende des Boards befindliche Steckerleiste mit den Bezeichnungen *BUF1* bis *BUF12*. Diese verwendest du ja in der Schaltung.

Ok, *RasPi*, das geht in Ordnung. Auf meinem *Gertboard* befindet sich übrigens keine Bezeichnung der Steckerleiste *J10*, die jedoch in den Schaltplänen vorhanden ist.

Abbildung 11-43 ▶ Die Steckerleiste J10 auf dem Gertboard

Lasse dich dadurch nicht verunsichern. Werfen wir aber einen Blick auf den Schaltplan.

Abbildung 11-44 ▶ Die Steckerleiste J10 im Schaltplan (Die Bezeichnung fehlt möglicherweise auf dem Gertboard)

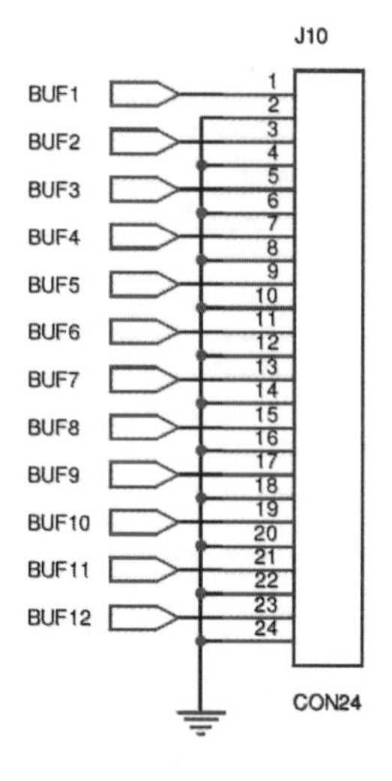

Die einzelnen Verbindungen sind mit *BUF1* bis *BUF12* bezeichnet. Die Frage ist nur, wo gehen diese Anschlüsse hin? Ganz einfach! Direkt links daneben auf dem Schaltplan findest du die Antwort.

Abbildung 11-45 ▶ Der Buffer U3 im Schaltplan

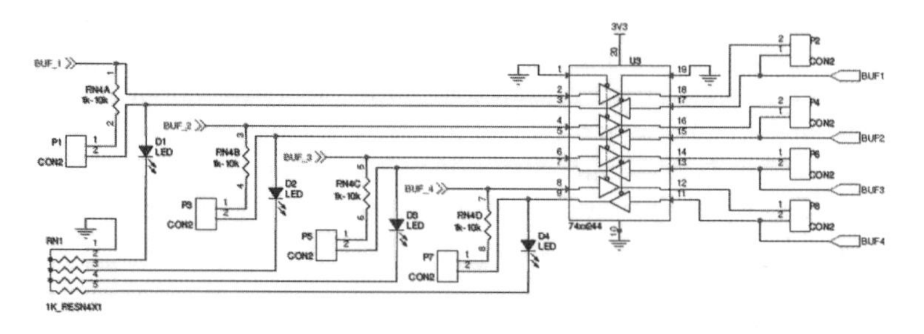

Exemplarisch habe ich einmal nur den Buffer-Baustein *U3* herauskopiert. Die Anschlüsse *BUF1* bis *BUF4* führen dort zu den Eingängen der unteren vier Buffer und werden, sofern die *Output*-Jumper gesetzt sind, zu den Anschlüssen *BUF_1* bis *BUF_4* (an Steckerleiste *J3*) weitergeführt. Dort können sie nach Wunsch direkt mit den *GPIO-Anschlüssen* des *Raspberry Pi* verbunden werden. Du erinnerst dich sicherlich an die notwendigen Verbindungen zwischen *J2* und *J3*, um die *12 Buffer-Ports* mit den *GPIO-Anschlüssen* zu verbinden. Oder etwa nicht!? Doch noch einmal zurück zum Schaltplan. Mit allen anderen Buffern (*U4* bzw. *U5)* verhält es sich genauso, wie hier für *U3* beschrieben.

Doch kommen wir jetzt zur Programmierung des *Raspberry Pi*-Boards. Das entsprechende Programm aus der Software Collection nennt sich *butled.c* und ist nicht weiter schwer zu verstehen. Ich werde nur die für uns wichtigen Abschnitte ansprechen. Genauere Informationen finden sich natürlich im Programmcode selbst.

```
69    INP_GPIO(22);
70    INP_GPIO(23);
```

◀ **Abbildung 11-46**
Der setup_gpio-Block (Ausschnitt)

An dieser Stelle werden die beiden GPIO-Pins *22* und *23* als *Eingänge* definiert. Innerhalb der `main`-Funktion wird der Statuswert des Tasters abgefragt.

```
125    while (r)
126    {
127      b = GPIO_IN0;
128      b = (b >> 22 ) & 0x03; // Nur die Bits 22 und 23 berücksichtigen
129      if (b^prev_b)
130      { // Button-Status hat gewechselt
131        make_binary_string(2, b, str);
132        printf("%s\n", str);
133        prev_b = b;
134        r--;
135      } // if
136    } // while
```

◀ **Abbildung 11-47**
Innerhalb der main-Funktion

Über das Makro *GPIO_IN0* werden in *Zeile 127* alle GPIO-Bits eingelesen und in der darauffolgenden *Zeile 128* so maskiert, dass nur *GPIO 22* und *23* berücksichtigt werden. Wenn der Taster *S3* nicht betätigt wird, erhältst du im *Terminal-Fenster* die Anzeige *11*. Wird der Taster gedrückt, dann sollten wir im Idealfall *00* lesen können.

Warum sagst du *Idealfall*? Gibt es einen *Nicht-Idealfall*?

Nun ja, da gibt es zwei Besonderheiten, auf die ich hinweisen sollte. Wir haben es bei einem Taster mit einem *elektro-mechanischen* Bauteil zu tun. So ein Taster besteht im Inneren u.a. aus zwei Kontakten, die über einen Schließmechanismus beim Tastendruck miteinander verbunden werden. Diese Aussage ist aber eben nur für den *Idealfall* richtig. Warum? Ganz einfach, denn die Tastermechanik unterliegt einer Materialeigenschaft, die *elastischer Stoß* genannt wird. Beim Schließen oder auch Öffnen des Tasters tritt eine mehr oder minder kurzzeitige Schwingung des Materials auf, was *Prellen* genannt wird. Ich habe zur Sichtbarmachung einen *Logic-Analyzer* mit den beiden Anschlüsse *GP23* (*Taster*) und *GP22* (*nachgeschalteter Buffer*) verbunden. Wir wollen einmal sehen, was dabei herausgekommen ist.

Abbildung 11-48 ▶
Die beiden Signale GP23 und GP22 im zeitlichen Verlauf nach einem Tasterdruck

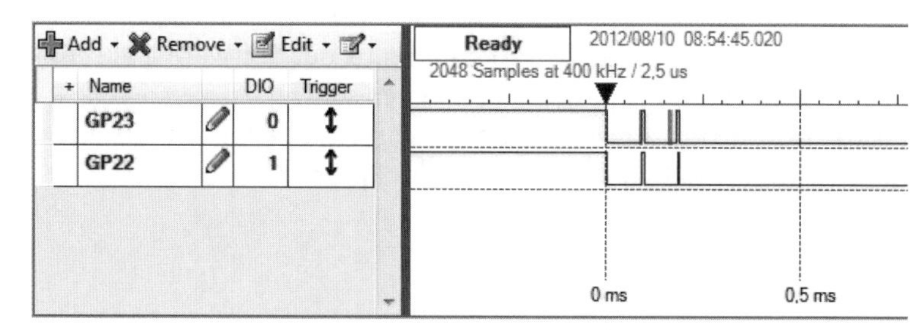

Die *Triggerung* wurde ausgelöst, als ich den Taster betätigt habe. Zum Zeitpunkt *t0*, also bei *0ms* wechselt der Pegel an beiden Messpunkten (*Taster* und *Buffer*) von *HIGH* auf *LOW*. Wir sollten annehmen, dass dieser Zustand bei gedrücktem Taster stabil ist, doch dem ist leider nicht so. Die Signale wechseln noch einige Male ihren Pegel bevor sie letztendlich stabil bei einem *LOW*-Pegel verweilen.

Die zweite Besonderheit bezieht sich auf die sogenannten *Signallaufzeiten*, die elektronischen Bauteile eigen sind. Ich habe den Zeitmaßstab aus diesem Grund ein wenig verändert, damit dieser Effekt mehr oder weniger gut sichtbar wird.

Abbildung 11-49 ▶
Die Signallaufzeiten nach einem Tasterdruck werden sichtbar

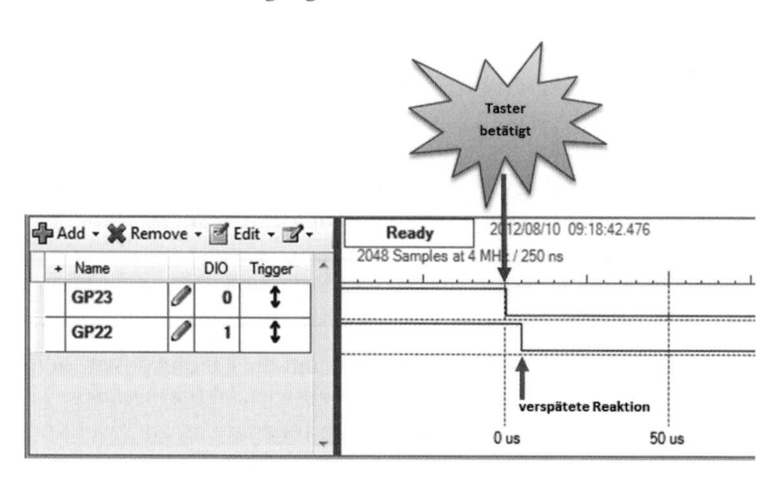

Du siehst, dass sich bei einem Tastendruck der Pegel an *GP23* unmittelbar in *LOW* ändert. Jedoch folgt die Reaktion an *GP22* nicht in gleichem Maße. Warum ist das aber so? Die Signallaufzeiten kommen *dann* zum Tragen, wenn mehrere elektronische Bauteile in einem Signalfluss hintereinander geschaltet werden. Im nachfolgenden Schaltplan siehst du, dass der *Taster* unmittelbar mit dem *GP23*-Anschluss verbunden ist und es zu keiner Verzögerung kommen kann.

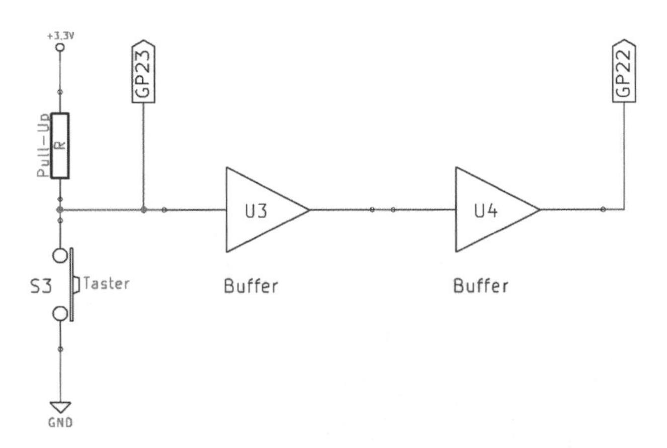

◀ Abbildung 11-50
Die Signallaufzeiten durch mehrere Buffer

Das gleiche Signal muss sich aber in Richtung *GP22* durch zwei *Buffer* (*U3* und *U4*) seinen Weg bahnen, was eine Verzögerung nach sich zieht, da jeder Buffer eine bestimmte *Reaktionszeit* aufweist, bevor sein Eingangssignal an den Ausgang weitergeleitet wird. Kommen wir noch einmal kurz zur Ausgabe des *C-Programms zurück*. Normalerweise sollte die Ziffernkombination immer zwischen *11* und *00* wechseln, doch aus genannten Gründen ist das eben nicht so. Es kann sein, dass zwischenzeitlich mal eine *01* erscheint, bevor die stabile *00* angezeigt wird. Im umgekehrten Fall kann auch eine *10* auftauchen, bevor eine *11* angezeigt wird.

Wir steuern einen Motor an

Für das folgende Experiment benötigst du die folgenden Bauteile:

◀ Abbildung 11-51
Benötigte Komponenten (Motor z. B. 12V–24V und Batterie-Pack)

Auf dem *Gertboard* befindet sich ein sehr nützlicher Baustein, mit dem sich ein *Gleichstrommotor* (*Brushed DC*) anzusteuern lässt. Es handelt sich dabei um einen *Motor-Treiber* vom Typ *L6203*. Natürlich kannst du einen Motor mit einer notwendigen Betriebsspannung von z.B. *12V* nicht direkt über das *Gertboard* betreiben. Das Board liefert in keinster Weise diese Spannung. Über den Motor-Treiber *L6203* kannst du aber von außen eine externe Spannungsquelle anlegen. Für Detailinformationen hinsichtlich der Spezifikationen des *L6203* ist ein Blick in das Datenblatt sinnvoll, das du im Internet findest.

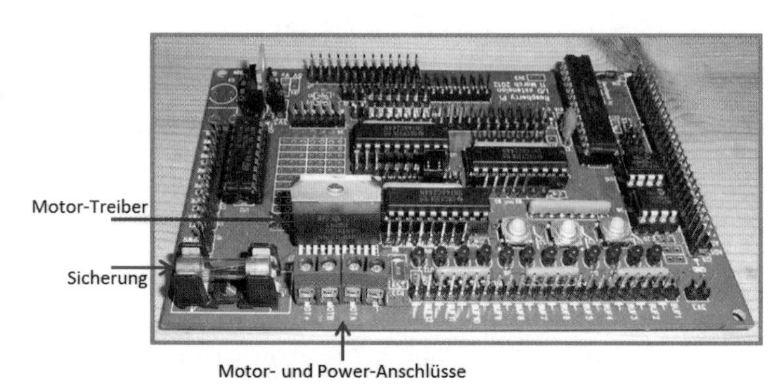

Abbildung 11-52 ▶ Der Motor-Treiber L6203, die Sicherung und die Anschlüsse für den Motor bzw. die Versorgung

Werfen wir einen Blick auf die *4-polige* Anschlussleiste, an der sowohl der Motor als auch die externe Spannungsversorgung angeschlossen werden müssen.

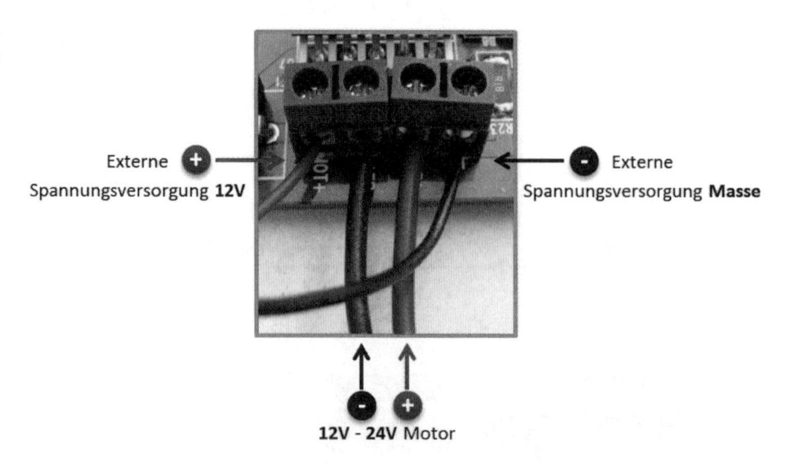

Abbildung 11-53 ▶ Die Anschlüsse des Motors und der externen Spannungsversorgung

Achtung

Wenn du die externe Spannungsversorgung anschließt, achte unbedingt darauf, dass du mit den blanken Enden der Kabel nur die dafür vorgesehenen Buchsenanschlüsse *MOT+* bzw.

Masse berührst, um sie dort festzuschrauben. Mit *12V*, wie in meinem Fall, kann man schon so einigen Schaden auf dem Board anrichten, wenn durch eine Unachtsamkeit die Kabel irgendwo anders hinrutschen.

Wenn du alles zusammengebaut hast, sieht der komplette Schaltungsaufbau vielleicht so wie bei mir aus:

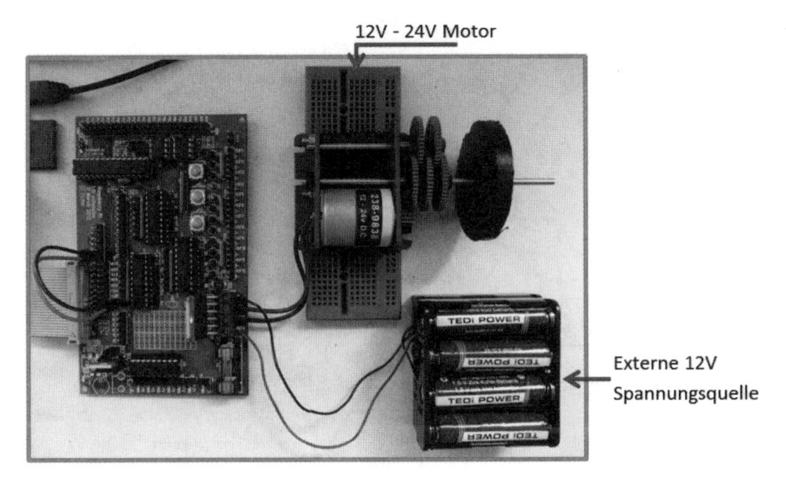

◀ **Abbildung 11-54**
Der Schaltungsaufbau mit Motor und externer Spannungsquelle

Bevor wir aber das entsprechende *C*-Programm starten, müssen wir noch zwei Verbindungskabel verlegen.

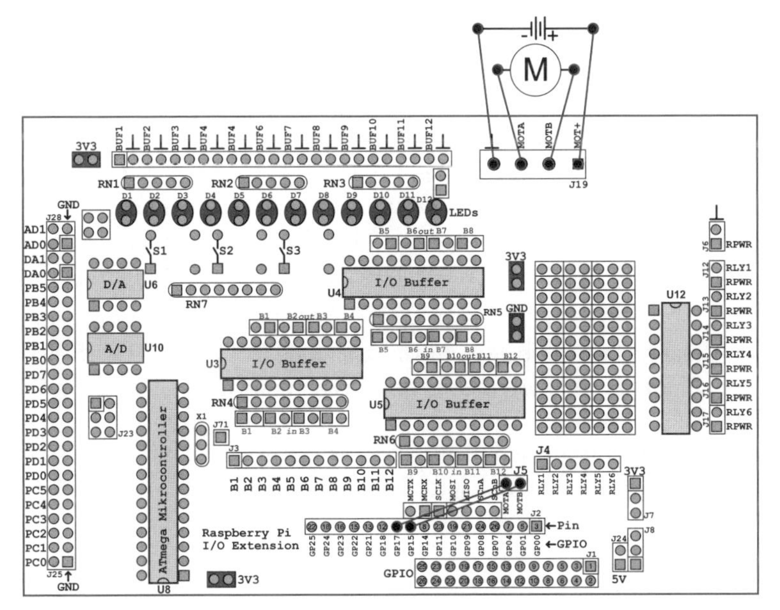

◀ **Abbildung 11-55**
Die Verkabelung auf dem Gertboard (Schema)

Das ist zwar alles schön und gut, doch irgendwie habe ich wieder einmal ein wenig den Überblick verloren. Warum hast du die beiden Verbindungen hergestellt und wie wird damit der Motor-Treiber angesteuert?

Ok, du hast vollkommen Recht, *RasPi*! Bevor wir uns der Programmierung zuwenden, sollte das geklärt werden. Dazu schauen wir wieder einmal in den offiziellen Schaltplan des *Gertboards*.

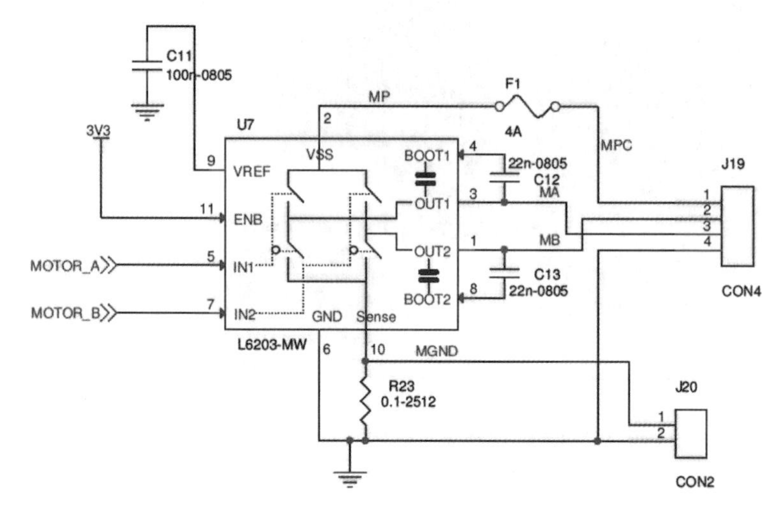

Abbildung 11-56 ▶
Der Motor-Treiber im Schaltplan

Auf der linken Seite befinden sich die beiden Eingänge *MOTOR_A* und *MOTOR_B* des Motor-Treibers *L6203*. Sie steuern den auf der rechten Seite des Bausteins angeschlossenen Motor, der an den beiden mittleren Anschlüssen *2* und *3* der Steckerleiste *J19* befestigt ist. Die Versorgungsspannung für den Motor wird über die beiden äußeren Anschlüsse *1* und *4* der Steckerleiste *J19* zugeführt. Wenn wir einen Blick in das Innere des Motor-Treibers werfen, erkennt das geübte Auge sofort eine sogenannte *H-Bridge* zur Steuerung des Motors. Sehen wir uns das an zwei Beispielen an.

In Abhängigkeit der beiden Eingangssignale *IN1* und *IN2* wird sich der Motor *rechts* oder *links* herum drehen (siehe Abbildung 11-57 auf Seite 249). Zusätzlich gibt es noch Kombinationen, die den Motor veranlassen, sich nicht zu drehen. Das sehen wir am besten in der folgenden Funktionstabelle:

Ansteuerung IN1 = 1, IN2 = 0
Motor dreht **rechts herum**

Ansteuerung IN1 = 0, IN2 = 1
Motor dreht **links herum**

◀ **Abbildung 11-57**
Die H-Bridge im Motor-Treiber

◀ **Tabelle 11-5**
Ansteuerung des Motor-Treibers

IN1	IN2	Motor
0	*0*	*Keine Bewegung*
0	*1*	*Motor dreht sich rechts herum*
1	*0*	*Motor dreht sich links herum*
1	*1*	*Keine Bewegung*

Beachte, dass sich die internen Schalter sowohl auf der linken als auch auf der rechten Seite immer gegenläufig verhalten. Falls zwei Schalter auf einer Seite gleichzeitig schalten würden, hätte das einen Kurzschluss zur Folge. Das muss unter allen Umständen vermieden werden. Deine primäre Frage zielte aber auf die beiden Verbindungen ab, die ich hergestellt habe.

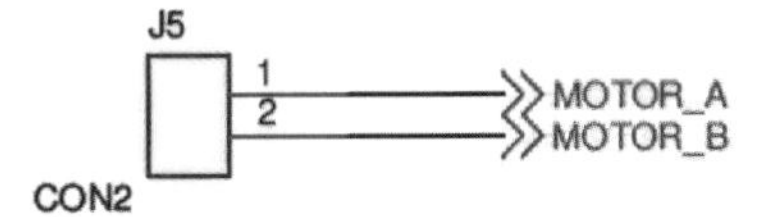

◀ **Abbildung 11-58**
Die Ansteuerungssignale für den Motor-Treiber

Damit du den Motor-Treiber ansteuern kannst, musst du zwei Verbindungskabel von den GPIO-Anschlüssen *GP18* bzw. *GP17* zu den besagten Eingangssignalen *IN1* bzw. *IN2* führen, die an der Steckerleiste *J5* zusammenlaufen.

Kann den ein Motor immer nur entweder *an* oder *aus* sein? Gibt es denn keine Möglichkeit, seine *Geschwindigkeit* in irgendeiner Art und Weise zu kontrollieren?

Nun, *RasPi*, alleine mit der *H-Bridge*-Funktionalität wird das nicht funktionieren, denn es wird entweder *keine Spannung* oder die *komplette Spannung* an den Motor geschaltet. Aber es gibt eine Lösung. Das Stichwort hierzu lautet *PWM*, was *Pulsweitenmodulation* bedeutet. Der Trick dabei ist, dass durch *PWM* mehr oder weniger breite Impulse an den Verbraucher geschickt werden. Je breiter der Impuls innerhalb einer bestimmten Zeitspanne ist, desto mehr Energie wird z.B. dem Motor zugeführt und desto schneller kann er sich drehen. Sehen wir uns dazu einmal ein paar markante Punkte eines *PWM-Signals* an, das sich aus einem *Rechtecksignal* zusammensetzt, wobei der Quotient aus der Zeit, zu der der Pegel *HIGH* ist, und der, zu der der Pegel *LOW* ist, als *Tastgrad* bezeichnet wird.

Abbildung 11-59 ▶ Das PWM-Signal

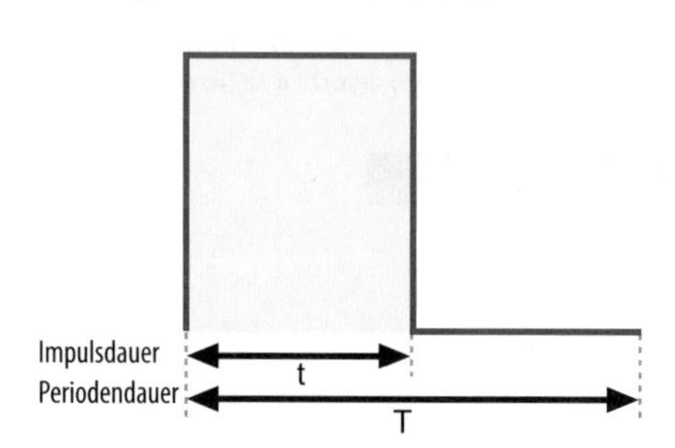

Je breiter der Impuls, desto mehr Energie wird dem Motor zugeführt.

$$Tastgrad = \frac{t}{T}$$

Wirkung: 0%

Abbildung 11-60 ▶ Das PWM-Signal (0%)

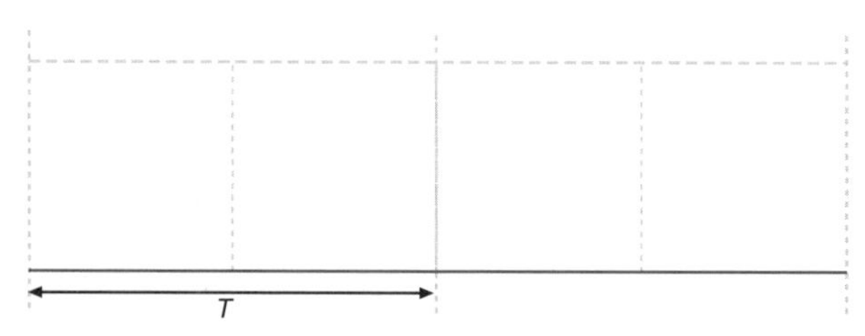

Wirkung: 50%

Abbildung 11-61 ▶ Das PWM-Signal (50%)

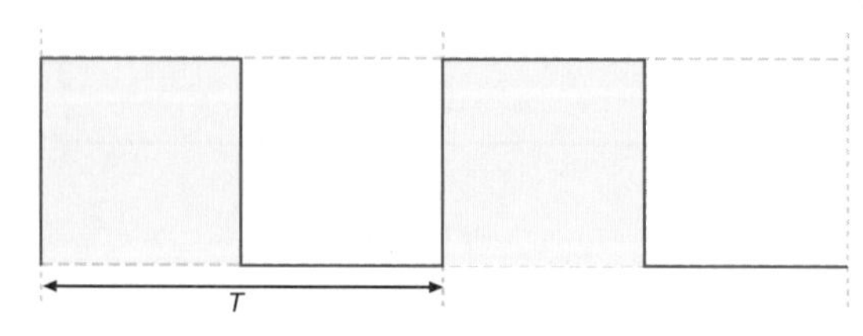

Wirkung: 75 %

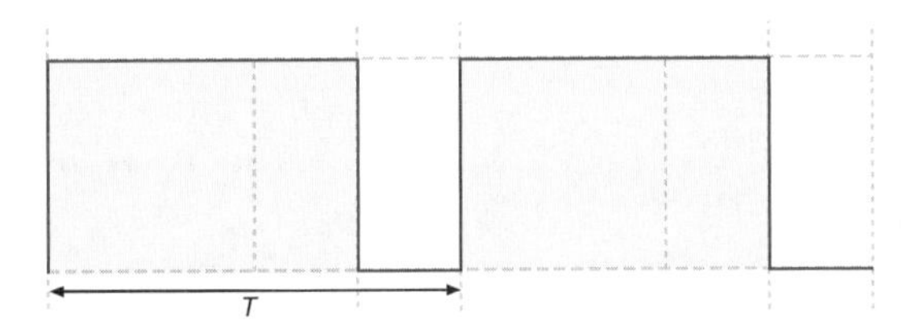

◀ **Abbildung 11-62**
Das PWM-Signal (75 %)

Wirkung: 100 %

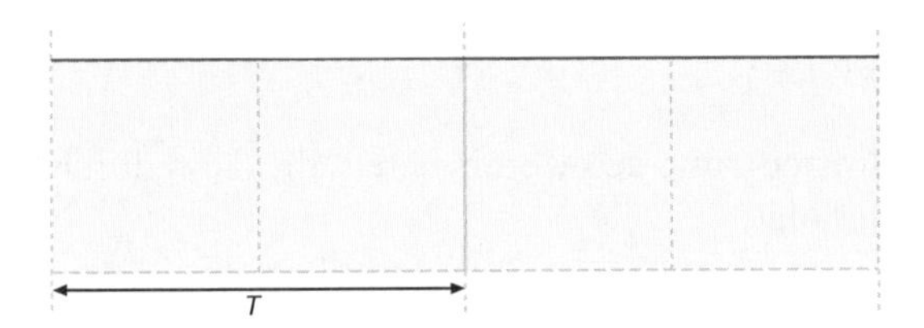

◀ **Abbildung 11-63**
Das PWM-Signal (100 %)

Doch nun endlich zur Programmierung. Als Grundlage dazu dient das Programm *motor.c* aus der *Software Collection*. Ich hatte schon kurz die Tatsache erwähnt, dass die *GPIO-Ports* nicht nur in der digitalen Funktion *An* bzw. *Aus* fungieren können, sondern verfügen teilweise über sogenannte *alternative Funktionen*. *GPIO18* besitzt eben eine dieser alternativen Funktionen, die als *PWM* gekennzeichnet ist. Um diese Funktionalität nutzen zu können, müssen wir das im *GPIO-Setup* kenntlich machen.

```
54   void setup_gpio(void)
55   {
56      INP_GPIO(17);  OUT_GPIO(17);
57      INP_GPIO(18);  SET_GPIO_ALT(18, 5);
58   } // setup_gpio
```

◀ **Abbildung 11-64**
Der setup_gpio-Block

In *Zeile 57* wird das Makro *SET_GPIO_ALT* aufgerufen, um die *PWM* (mit *Code 5*) nutzen zu können. Nähere Informationen dazu findest du natürlich im *Gertboard User Manual*. Auch ein Blick auf die folgenden Webseiten ist sicherlich sehr hilfreich:

- *http://elinux.org/RPi_Low-level_peripherals*
- *http://elinux.org/RPi_BCM2835_GPIOs*

Innerhalb der `main`-Funktion werden die üblichen Vorbereitungen getroffen, die ich hier nicht alle noch einmal erwähne. Der nächste wichtige Schritt ist die anfängliche Abschaltung des Motors über das Setzen eines *LOW*-Pegels am Anschluss *GPIO17* des Motor-Treibers in *Zeile 81*. Dieser Pin wird nicht über *PWM* kontrolliert, denn hier ist die Ansteuerung über *GPIO18* völlig ausreichend. Anschließend wird über den Aufruf der setup_pwm-Funktion die *PWM* initialisiert.

Abbildung 11-65 ▶
Initialisierung von PWM

```
80    // set pin controlling the non-PWM driver to low and get PWM ready
81    GPIO_CLR0 = 1<<17; // Set GPIO pin LOW
82    setup_pwm(17);
```

Durch die Initialisierung ist die *PWM* einsatzbereit. Sie muss noch über die folgende Zeile aktiviert werden:

Abbildung 11-66 ▶
Aktivieren von PWM

```
85    // motor B input is still low, so motor gets power when pwm input A is high
86    force_pwm0(0,PWM0_ENABLE);
```

Jetzt ist alles für die Ansteuerung des Motors bereit, die dann durch die folgenden Zeilen erfolgt:

Abbildung 11-67 ▶
Ansteuern des Motors über PWM (Beschleunigung)

```
87    // start motor off slow (low most of the time) then ramp up speed
88    // (increasing the high part of the pulses)
89    for (s=0x100; s<=0x400; s+=0x10)
90      { long_wait(6);
91        set_pwm0(s);
92        putchar('+'); fflush(stdout);
93      }
```

Innerhalb der for-Schleife wird der Wert *0x100* in Richtung *0x400* inkrementiert, was in den Schritten von *0x10* erfolgt. Dazu wird die Laufvariable s verwendet, die als Argument der Funktion set_pwm0 übergeben wird. Wir starten mit einem kleinen Wert, der schrittweise erhöht wird, was zur Folge hat, dass der Motor anfänglich recht langsam dreht, um dann mit der Zeit immer schneller zu werden. Durch den Aufruf der putchar-Funktion wird bei jeder Erhöhung ein weiteres (+)-Zeichen im *Terminal-Fenster* ausgegeben. Auf diese Weise erhältst du seitens des Programms eine visuelle Rückmeldung darüber, was gerade passiert. Um den Motor wieder abzubremsen, wird der umgekehrte Weg eingeschlagen:

Abbildung 11-68 ▶
Ansteuern des Motors über PWM (Verlangsamung)

```
95    // now slow the motor down by decreasing the time the pwm is high
96    for (s=0x400; s>=0x100; s-=0x10)
97      { long_wait(6);
98        set_pwm0(s);
99        putchar('-'); fflush(stdout);
100     }
```

Es wird mit dem Wert *0x400* gestartet, der dann sukzessive in Richtung *0x100* verringert wird. Die Verlangsamung wird durch das Ausgeben mehrerer (-)-Zeichen im *Terminal-Fenster* angezeigt. Um ganz sicher zu sein, dass der Motor auch gestoppt hat – er soll nämlich im nächsten Schritt in die andere Richtung drehen – muss die folgende Zeile ausgeführt werden:

```
101    // make sure motor is stopped
102    pwm_off();
```

◀ **Abbildung 11-69**
Abschalten von PWM

Die Umsteuerung in die entgegengesetzte Richtung erfolgt über die folgenden Zeilen, wobei die eigentliche Ansteuerung der eben gezeigten innerhalb der beiden for-Schleifen entspricht.

```
103    // same in reverse direction
104    // set motor B input to high, so motor gets power when pwm input A is low
105    GPIO_SET0 = 1<<17;
106    // when we enable pwm with reverse polarity, a pwm value near 0 means
107    // that the LOW phase is only done for a short period amount of time
108    // and a pwm value near 0x400 (the max we set in setup_pwm) means
109    // that the LOW phase is done for a long period amount of time
110    force_pwm0(0,PWM0_ENABLE|PWM0_REVPOLAR);
```

◀ **Abbildung 11-70**
Umsteuern von PWM

In *Zeile 105* wird jetzt abweichend zur vorherigen Prozedur der Motortreiber-Anschluss *GPIO17* nicht auf *LOW*-, sondern auf *HIGH*-Pegel gesetzt. Das bedeutet natürlich, dass erst dann ein Potentialunterschied zwischen *GPIO17* und *GPIP18* auftritt, wenn *GPIO18* mit einem *LOW*-Pegel angesteuert wird, was wiederum zur Folge hat, dass der Motor sich dreht. In *Zeile 110* wird die *PWM* so programmiert, dass über den Zusatz `PWM0_REVPOLAR` eine entgegengesetzte Ansteuerung erfolgt, so dass sich der Motor entgegengesetzt der vorherigen Richtung dreht.

Weitere Themen

Das Gertboard bietet noch eine ganze Reihe weiterer Anschlussmöglichkeiten, z.B. für folgende Zwecke:

- Digital/Analog-Wandlung
- Analog/Digital-Wandlung
- Programmierung des ATmega
- Kombinierte Anwendungen der einzelnen Komponenten

Leider kann ich hier an dieser Stelle nicht weiter darauf eingehen und ich möchte deswegen wieder auf das schon angesprochene *Gertboard User Manual* verweisen und zum Besuch meiner Internetseite einladen, die einen speziellen Abschnitt für das *Gertboard* beinhaltet. Schaue einfach in regelmäßigen Abständen in den Download-Bereich.

Die wiringPi-Bibliothek

Für diejenigen, die schon ein paar interessante Erfahrungen mit dem *Arduino-Board* gemacht haben, wird das folgende Thema sicherlich sehr interessant sein. Du findest alle notwendigen Informationen auf der folgenden Seite:

https://projects.drogon.net/raspberry-pi/wiringpi/

Du kannst mit der *wiringPi*-Bibliothek einen *Raspberry Pi* über vergleichbare Kommandos programmieren, wie du sie vom *Arduino* her kennst. Auf der Seite findest du sowohl Hinweise zur Installation als auch einige Programmbeispiele zur Ansteuerung von diversen elektronischen Komponenten:

- Ansteuerung eines LC-Display
- Ansteuerung von 7-Segmentanzeigen

Das PiFace-Board

12

Ich möchte es nicht versäumen, ein weiteres sehr interessantes Erweiterungsboard für deinen *Raspberry Pi* vorzustellen. Es nennt sich *PiFace* und ist ein digitales Interface. Die *School of Computer Science* der *University of Manchester* hat das Board entwickelt und mir freundlicherweise zur Verfügung gestellt. Ein herzliches Dankeschön an dieser Stelle! Das Einsatzgebiet dieses Boards ist sehr vielfältig, denn du kannst die unterschiedlichsten *Sensoren* anschließen und auswerten. Die Ansteuerung von *Leuchtdioden* oder *Motoren* ist ebenfalls kein Hexenwerk, denn die Programmierung des *PiFace*-Boards ist wirklich kinderleicht. Das sind natürlich nur sehr wenige Beispiele der möglichen Dinge, die du damit anstellen kannst. Lasse deiner Phantasie freien Lauf und du wirst viel Spaß mit dem Board haben. Was wollen wir in diesem Kapitel behandeln?

- Was ist das *PiFace*-Board im Detail?
- Wie wird das *PiFace*-Board mit dem *Raspberry Pi* Board verbunden?
- Mit welchen *Programmiersprachen* kann das *PiFace*-Board betrieben werden?
- Wie reden wir mit dem *PiFace*-Board über die Programmiersprache *Python?*
- Wie funktioniert der *PiFace-Emulator*?
- Wir bauen uns ein Codeeingabe-System mit einer Folientastatur

Das PiFace-Board

Auf dem folgenden Bild kannst du das *PiFace*-Board sehen. Es hat – ganz so wie das *Raspberry Pi*-Board sehr geringe Ausmaße, was seinen Grund hat, auf den wir noch zu sprechen kommen. Es misst gerade mal *56mm* x *84,5mm* und hat somit die gleichen Dimensionen wie das *Raspberry Pi*-Board.

Abbildung 12-1 ▶
Das PiFace-Board

Das *PiFace*-Board sieht interessant aus, doch warum hat es so eine merkwürdige Form? Wollen die Entwickler da ein wenig Material sparen?

Du hast nicht ganz Unrecht mit deiner Annahme, dass die Entwickler etwas Material sparen wollten. Das hatte aber weniger mit evtl. einzusparenden Kosten zu tun, sondern mit einer ganz praktischen Begebenheit. Das *PiFace*-Board passt – ganz so wie ein *Arduino-Shield* – oben auf das *Raspberry Pi*-Board drauf. Deswegen die Übereinstimmung der Größen und die vorhandenen Aussparungen. Wir schauen uns das Board einmal von der Unterseite an, denn dann wirst du sofort erkennen, worauf ich hinaus möchte.

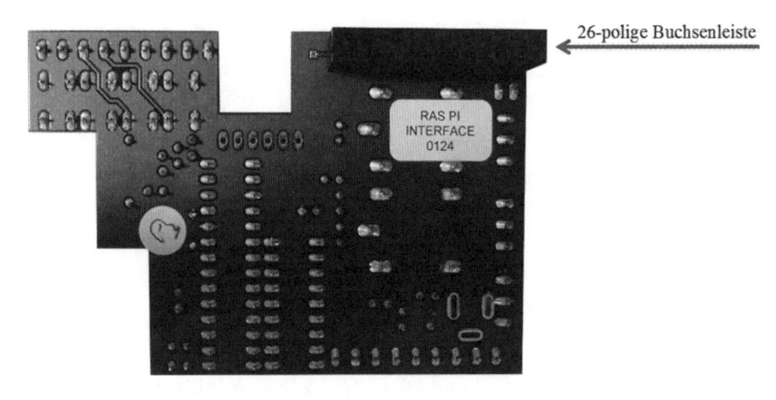

◀ Abbildung 12-2
Das PiFace-Board von Unten her gesehen

Du siehst in der rechten oberen Ecke eine Buchsenleiste, die ganz zufällig auf die *GPIO-Anschlüsse* deines *Raspberry Pi*-Boards passen. Ok, ganz so zufällig ist das natürlich nicht, denn auf diese Weise kannst du das *PiFace*-Board als Huckepack-Platine einfach oben aufstecken. Im Verbund geben beide ein kompaktes Paar ab.

◀ Abbildung 12-3
Das PiFace-Board als Huckepack-Platine auf dem Raspberry Pi Board

Jetzt siehst du auch, warum die Aussparungen vorhanden sind, denn die Buchsen für *Video*, *Netzwerk* und *USB* benötigen etwas Platz.

Was kann das Board?

Ich hatte dir ja Eingangs gesagt, dass du mit dem *PiFace*-Board einerseits *Sensoren* wie z.B. *Schalter*, *Taster* usw. auswerten und andererseits auch *Aktoren* wie z.B. *Motoren* ansteuern kannst. Um diese Funktionen zu erfüllen, muss das Board über eine gewisse Anzahl von *Ein-* bzw. *Ausgängen* verfügen. Das *PiFace*-Board liefert:

- *8* digitale Eingänge
- *8* digitale Ausgänge
- *4* Taster
- *4* LEDs
- *2* Relais

Damit du dich auf dem Board zurecht findest, schauen wir uns die einzelnen Bereiche genauer an. Es ist wirklich sehr schön, dass die nach außen geführten Anschlüsse über kleine schraubbare Anschlussklemmen verfügbar sind. Nutze am besten einen isolierten *3mm*-Schraubendreher.

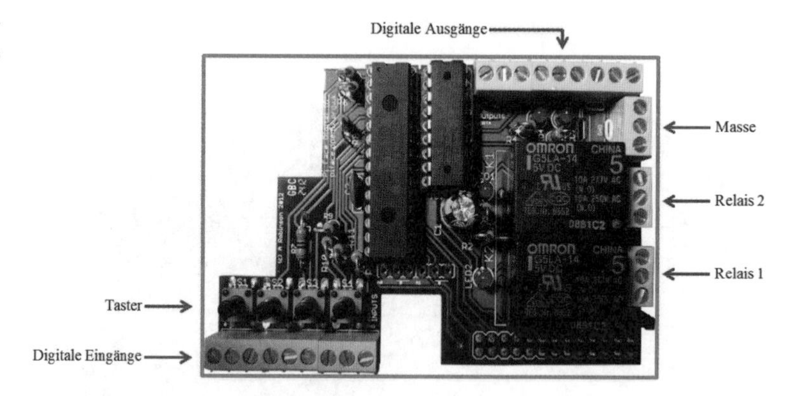

Abbildung 12-4 ▶
Die Anschlüsse des PiFace-Boards

Die *4 LEDs* habe ich jetzt nicht noch einmal explizit gekennzeichnet, denn sie sind gut zu erkennen und mit den Bezeichnungen *LED 1–4* versehen. Hinsichtlich der beiden Relais sollten wir uns noch die einzelnen Anschlüsse genauer anschauen. Wir haben es pro Relais mit einem Umschalter zu tun.

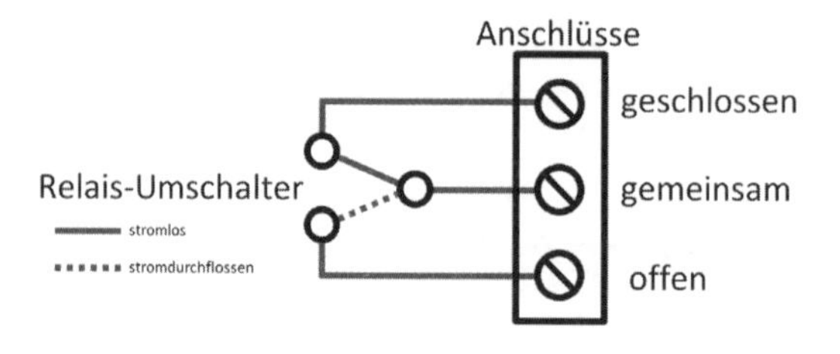

Im *stromlosen* Zustand haben wir eine elektrische Verbindung zwischen den Anschlüssen *gemeinsam* und *geschlossen*.

Achtung

Die Ansteuerung der einzelnen Relais darf nicht in hoher Frequenz erfolgen. Es sollte immer eine kleine Pause zwischen den Wechseln bestehen. Ein Relais kann nicht in der Funktion von *Pulsweitenmodulation* verwendet werden!

Die digitalen Eingänge

Du hast ja schon ein paar Informationen über evtl. offene Eingänge bei digitalen Schaltungen und deren Auswirkungen gelesen. Auf dem *PiFace*-Board sind die *8 digitalen Eingänge* intern je mit einem *100K Pull-Up-Widerstand* versehen. Daraus folgt natürlich, dass eine aktive Ansteuerung über das *Masse-Signal* erfolgen muss. Weiterhin sind die Eingänge jeweils mit einem Widerstand versehen, um den Stromfluss zu begrenzen. Die Schaltung für einen einzelnen Eingang schaut wie folgt aus.

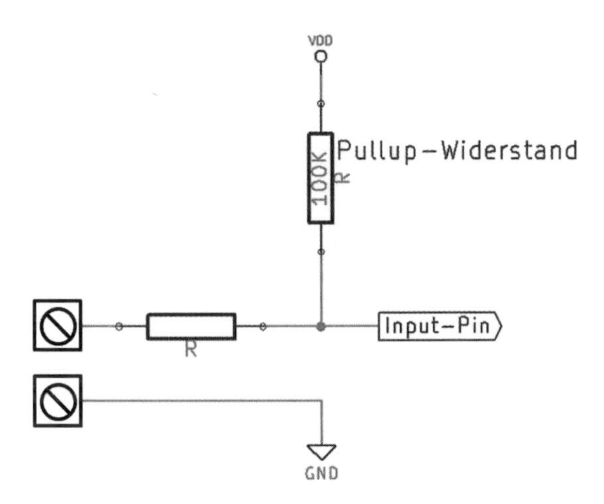

◀ Abbildung 12-5
Der interne Pullup-Widerstand eines einzelnen digitalen Eingangs

Die digitalen Ausgänge

Die *8* digitalen Ausgänge werden nicht direkt vom auf dem Board befindlichen *16-Bit I/O-Port Expander MCP 23S17* angesteuert, sondern über einen Baustein mit der Bezeichnung *ULN2803*. Es handelt sich dabei um ein *NPN Darlington-Array* mit offenem Kollektor, das aus *8 Darlington-Schaltungen* inklusive den notwendigen Basisvorwiderständen besteht. Zur Ansteuerung von Relais sind ebenfalls Freilaufdioden integriert. Er wird z.B. dazu verwendet, um größere Lasten bis ca. *500mA* über einen Mikrocontroller zu schalten. Wenn du z.B. eine Lampe mit *20V* betreiben möchtest, dann ist das ja so ohne weiteres über das Board nicht möglich, denn es stehen nur *5V* zur Verfügung. Jetzt kommt der *offene Kollektor* ins Spiel. Für die Gesamtverlustleistung des *ULN2803* wirf bitte einen Blick in das Datenblatt. Schaue dir die folgende Schaltung an und du wirst verstehen, was ich meine.

Abbildung 12-6 ▶ Ein einzelner Ausgang am ULN2803A

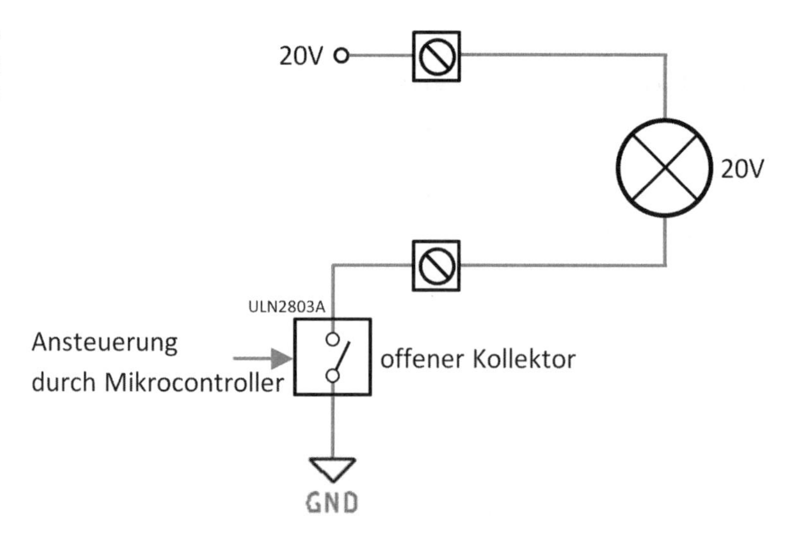

Die Ansteuerung durch das Board wirkt quasi wie ein Schalter, der das angeschlossene Bauteil nach Masse zieht.

Die Spannungsversorgung

Das *PiFace*-Board verfügt über *+5V* (VCC) an der Ausgangs-Anschlussleiste und *Masse* an der Eingangs-Anschlussleiste. Rechts neben *Relay 1* befindet sich ein *Jumper*, der standardmäßig dort platziert ist und die beiden Pins schließt. Wenn das der Fall ist, werden das *Raspberry Pi* und das *PiFace*-Board über dieselbe Spannungsversorgung betrieben. Also entweder vom einen oder vom anderen. Wird der *Jumper* entfernt, können beide separat versorgt werden.

Achtung

Wenn du das *PiFace*-Board auf das *Raspberry Pi* Board aufsteckst, dann mache das auf jeden Fall in einem Zustand, wo beide Boards *nicht* mit einer Spannungsquelle verbunden sind! Das ist eine Grundsatzregel, wenn es darum geht, mit elektronischen Komponenten zu arbeiten. Das *Verbinden* bzw. das *Entfernen* von stromführenden Komponenten sollte immer in einem spannungslosen Zustand erfolgen. Das gilt gleicherma-ßen für das Verkabeln von externen Bauteilen. Erst, wenn alles soweit fertig ist und nochmals überprüft wurde, sollte die Spannungsversorgung angelegt werden.

Die Programmierung

Nun wird es wieder einmal ernst und wir wollen uns der Programmierung des *PiFace*-Boards widmen. Das kann über die unterschiedlichsten Programmiersprachen wie *Python* und *C* erfolgen, so dass für den einen oder anderen möglicherweise etwas Bekanntes dabei ist. Aber auch für Neulinge, die noch niemals mit irgendeiner Programmiersprache gearbeitet haben, ist es sicherlich interessant zu sehen, wie einfach es ist, schnell zu brauchbaren Ergebnissen zu kommen. Ich hatte ja schon einige Sprachen wie z.B. *Python* oder *C/C++* angesprochen, die auch von diesem Board unterstützt werden. Natürlich ist es auch hier – wie auch schon beim *Gertboard* – wieder notwendig, eine entsprechende Bibliothek des Anbieters aus dem Internet herunterzuladen. Sie kapselt die komplette Funktionalität und bietet einfache Möglichkeiten, über *Interfaces*, also z.B. *Funktionen* oder *Methoden*, Einfluss auf das Verhalten des Boards zu nehmen. Du findest die Bibliothek bzw. die Installationsprozedur(en) unter der folgenden Internetadresse:

https://github.com/thomasmacpherson/piface

Falls du aber nicht die notwendigen Softwarepakete extra installieren möchtest, dann kannst du auch ein komplettes *SD-Karten Image* herunter laden. Du findest es im Download-Bereich:

http://pi.cs.man.ac.uk/download/

Wir nutzen Python

Damit du über *Python* das *PiFace*-Board ansteuern kannst, wird die *pifac*e-Bibliothek benötigt. Sie muss über die *import*-Anweisung eingebunden werden. Schauen wir uns einfach einmal das erste Programm an, das eine am *Pin 1* der digitalen Ausgänge angeschlossene LED blinken lassen soll. Das ist absolut nichts Dramatisches, doch so kannst du am besten einen Einstieg finden.

Die Ansteuerung eines digitalen Ausgangs

Der folgende Python-Code zeigt dir, wie du einen digitalen Ausgang ansteuerst.

Abbildung 12-7 ▶
Das Python-Programm, um eine am Ausgang 1 angeschlossene LED blinken zu lassen

```
 1  import time                  # Time-Bibliothek fuer sleep einbinden
 2  import piface.pfio as pfio  # PiFace-Bibliothek einbinden
 3  pfio.init()                  # PiFace initialisieren
 4
 5  # Endlosschleife
 6  while True:
 7      pfio.digital_write(1, 1) # Pin 1 auf HIGH-Pegel setzen
 8      time.sleep(1)            # 1 Sekunde Pause
 9      pfio.digital_write(1, 0) # Pin 1 auf LOW-Pegel setzen
10      time.sleep(1)            # 1 Sekunde warten
```

Schauen wir einmal, was hier passiert. In *Zeile 2* wird die *piface*-Bibliothek eingebunden und in der darauffolgenden über die *init*-Funktion das Board initialisiert. Von jetzt an können wir über geeignete Funktionen auf den Pegel der digitalen Ausgänge Einfluss nehmen. Der Name der *digital_write*-Funktion erinnert uns ein wenig an die aus dem *Arduino*-Umfeld. Ist halt sehr sprechend und wird immer wieder gerne genommen.

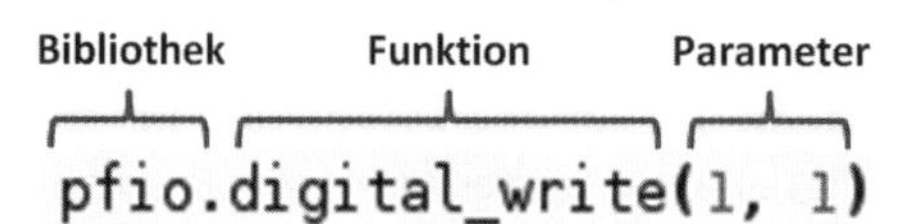

Abbildung 12-8 ▶
Eine LED wird über einen digitalen Ausgang angesteuert

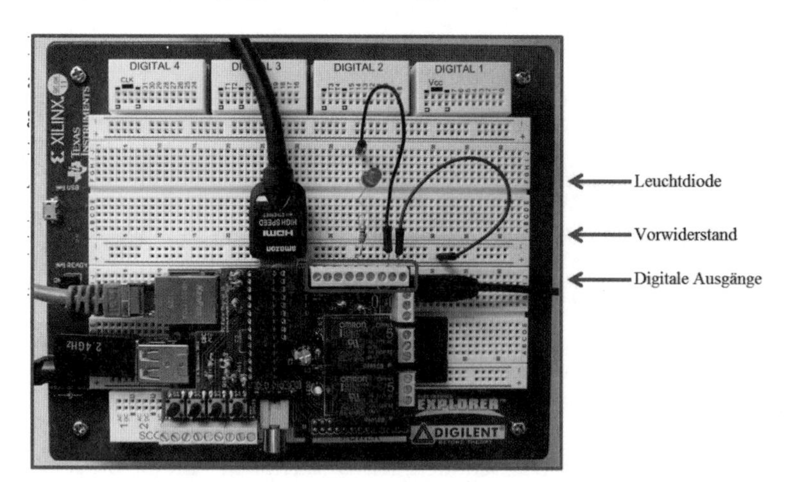

Der erste Wert der Parameter bezieht sich auf den Pin, der zweite auf den zu setzenden Pegel. Pin 1 wird also hiermit auf *HIGH*-Pegel gesetzt. Die *sleep*-Funktion ist dir ja schon geläufig und bedarf keiner weiteren Erklärung. Über die *while*-Endlosschleife wechselt der Ausgang von Pin 1 ständig zwischen den beiden Pegeln *HIGH* bzw. *LOW*. Werfen wir nun einen Blick auf die Schaltung auf dem Breadboard.

Achtung

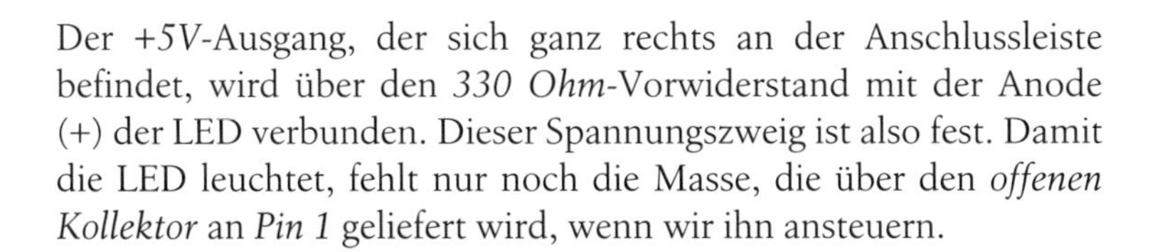

Auf dem PiFace-Board beginnt die Nummerierung der Eingangs- bzw. Ausgangs-Pins mit der Nummer 0. Das entspricht jedoch der Pin-Nummer 1 im Programmcode.

Der *+5V*-Ausgang, der sich ganz rechts an der Anschlussleiste befindet, wird über den *330 Ohm*-Vorwiderstand mit der Anode (+) der LED verbunden. Dieser Spannungszweig ist also fest. Damit die LED leuchtet, fehlt nur noch die Masse, die über den *offenen Kollektor* an *Pin 1* geliefert wird, wenn wir ihn ansteuern.

Die Abfrage eines digitalen Eingangs

Der umgekehrte Weg besteht nun darin, einen digitalen Eingang abzufragen. Dazu wird die auf der gegenüberliegenden Seite befindliche Anschlussleiste verwendet. Erinnere dich an die Tatsache, dass jeder digitale Eingang intern über einen *Pullup-Widerstand* mit *+5V* verbunden ist. Damit du einen Eingangsimpuls registrieren kannst, muss demnach ein *Masse-Signal* an einen der Eingänge geführt werden. Im folgenden Programmierbeispiel fragen wir den Status an *Pin 1* ab, welcher von mir extern beschaltet wurde. Du kannst aber zu Testzwecken auch den auf der Board befindlichen *Taster 1* verwenden. *Taster 1* bis *4* sind mit den entsprechenden Eingangs-Pins verbunden.

Der folgende Python-Code zeigt dir, wie du einen digitalen Eingang abfragst.

```
Source | Uml | PyDoc
1  import time                      # Time-Bibliothek fuer sleep einbinden
2  import piface.pfio as pfio # PiFace-Bibliothek einbinden
3  pfio.init()                      # PiFace initialisieren
4
5  # Endlosschleife
6  while True:
7      pin1 = pfio.digital_read(1) # Pegel von Pin 1 abfragen
8      if pin1 == 1:
9          print "Taster 1 wird gedrueckt!"
10     else:
11         print "Taster 1 wird nicht gedrueckt!"
12     time.sleep(1)                # 1 Sekunde Pause
```

◀ Abbildung 12-9
Das Python-Programm, um einen am Eingang 1 angeschlossenen Taster abzufragen

Schauen wir einmal, was hier passiert. In *Zeile 7* wird der Wert des digitalen Eingangs an *Pin 1* über die *digital_read*-Funktion gelesen und in der Variable *pin1* abgespeichert. Über die *if-else*-Anweisungen werden entsprechende Texte in der Konsole ausgegeben, die Aufschluss über den Taster-Status liefern.

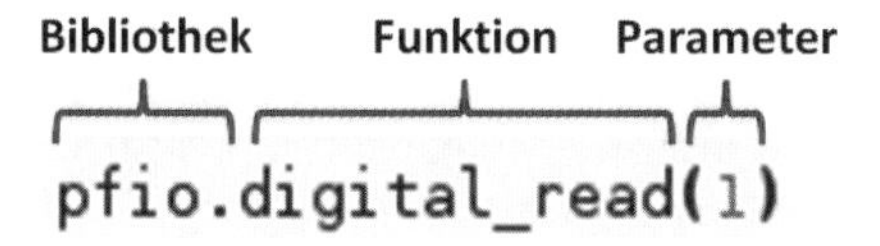

Die *digital_read*-Funktion erwartet lediglich einen einzigen Parameter, der die abzufragende Pin-Nummer angibt. Der Aufbau auf dem Breadboard ist vergleichsweise einfach.

Abbildung 12-10 ▶
Ein Taster wird über einen digitalen Eingang abgefragt

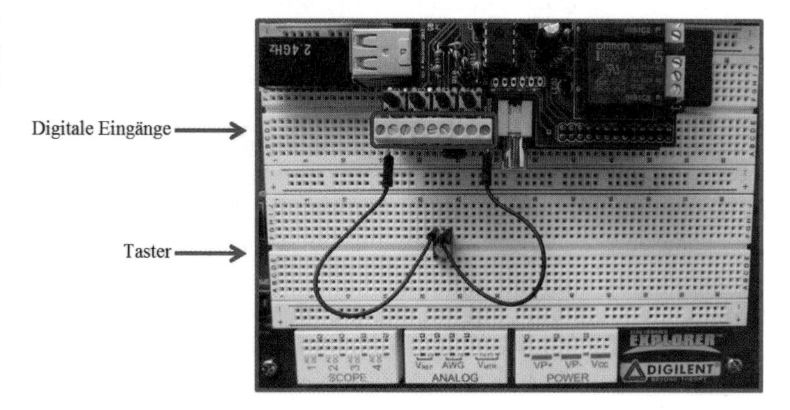

Mit der genannten Funktion kannst du immer nur den Status eines einzelnen Tasters abfragen. Es gibt jedoch eine weitere Funktion, mit der du alle Taster bzw. Eingänge abfragen kannst.

Abbildung 12-11 ▶
Das Python-Programm, um alle Eingänge auf einmal abzufragen

```
Source  Uml  PyDoc
1 import time                  # Time-Bibliothek fuer sleep einbinden
2 import piface.pfio as pfio # PiFace-Bibliothek einbinden
3 pfio.init()                  # PiFace initialisieren
4
5 # Endlosschleife
6 while True:
7     allinputs = pfio.read_input() # Pegel aller Eingaenge abfragen
8     print allinputs
9     time.sleep(1)                # 1 Sekunde Pause
```

In *Zeile 7* wird jetzt nicht ein einzelner Eingang über die Angabe des betreffenden Pins abgefragt. Die *read_input*-Methode besitzt keine Parameter und fragt somit den Status aller Pins auf einmal ab.

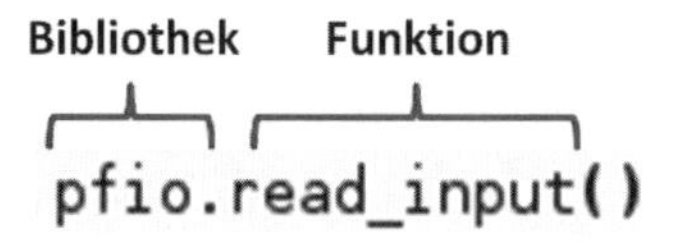

Aber wie soll das denn um Himmels Willen funktionieren? So wie ich das sehe, wird das Ergebnis des Funktionsaufrufs einer Variablen zugewiesen. Da kann doch immer nur eine einzige Pinnummer abgespeichert werden. Also *1*, *2*, *3* usw. Wie geht das?

Nun *RasPi*, du hast schon Recht mit der Annahme, dass in der Variablen immer nur ein Wert abgespeichert werden kann. Doch es wird nicht die eigentliche Pinnummer abgespeichert. Wir müssen uns die ganze Sache auf der *Bit-Ebene* anschauen, wo jedem einzelnen Bit ein bestimmter Eingang zugewiesen wurde.

Potenzen	2^7	2^6	2^5	2^4	2^3	2^2	2^1	2^0
Wertigkeit	128	64	32	16	8	**4**	2	1
Bitkombination	1	0	0	0	0	1	0	0
	Pin 8	Pin 7	Pin 6	Pin 5	Pin 4	Pin 3	Pin 2	Pin 1

◀ Abbildung 12-12
Jedes einzelne Bit steht für einen digitalen Eingang. Die Taste 3 wurde gedrückt.

Wenn du jetzt z.B. den *Taster 3* auf dem *PiFace*-Board drückst, dann liefert die Funktion den *Bit-Wert* dieser Stelle zurück, was in diesem Beispiel eine *4* ist. Das Interessante an dieser Art der Auswertung ist *die*, dass natürlich mit einer Abfrage sämtliche Eingänge berücksichtigt werden können. Schau her:

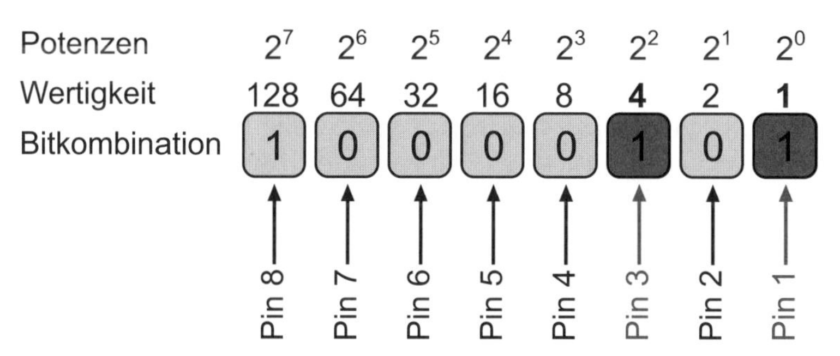

◀ Abbildung 12-13
Jedes einzelne Bit steht für einen digitalen Eingang. Die Tasten 1 und 3 wurden gedrückt.

Wenn du die Tasten *1* und *3* gleichzeitig drückst, dann wirst du sehen, dass dir das Ergebnis den Wert *5* zurückliefert. Das ist die Summe der Wertigkeiten an den beiden Bit-Positionen.

Der Emulator

Das *PiFace*-Board stellt dir zur Steuerung der Ausgänge und zur Statusanzeige der Eingänge ein grafisches *Frontend*, wie man eine grafische Oberfläche auch nennt, zur Verfügung.

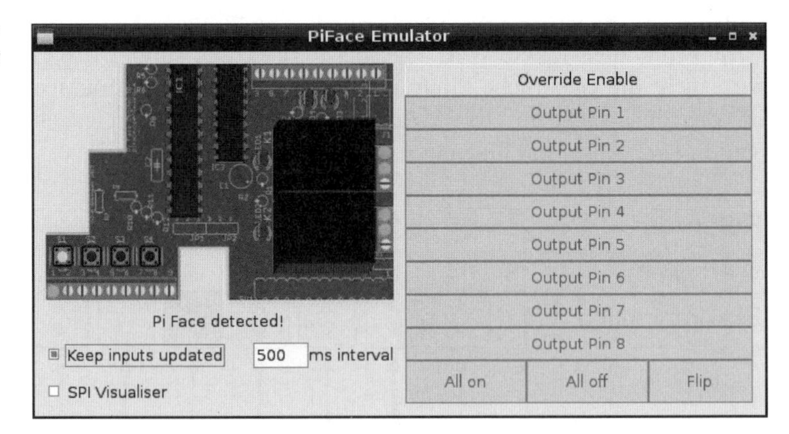

Abbildung 12-14 ▶ Der PiFace-Emulator

Auf der linken Seite ist das Board abgebildet und wenn wir, wie ich das in diesem Fall gemacht habe, die Checkbox *Keep inputs updated* ausgewählt haben, dann werden die digitalen Eingänge mit der angegebenen *Intervall-Zeit* (hier *500ms*) abgefragt und angezeigt. Ich habe den *Taster 1* gedrückt und das wird durch den kleinen blauen Kreis links unten visualisiert. Auf der rechten Seite befinden sich zahlreiche Schaltflächen, von denen bis auf die obere erste alle deaktiviert sind. Darüber kannst du die einzelnen digitalen Ausgänge manuell beeinflussen. Im Moment werden sie durch ein ggf. laufendes Programm gesteuert. Die Schaltfläche OVERRIDE ENABLE gibt dir jedoch die Möglichkeit, selbst in das Geschehen einzugreifen. Klickst du sie an, werden alle darunter liegenden Schaltflächen *anklickbar* und du kannst die Ausgänge einzeln aktivieren bzw. deaktivieren. Die in der letzten Reihe befindlichen Schaltflächen kannst du dazu nutzen, um alle Ausgänge derart zu beeinflussen, dass sie alle auf *HIGH*- bzw. *LOW*-Pegel gehen oder ihren gerade innehabenden Status wechseln.

Ein Codeeingabe-System

In diesem Abschnitt möchte ich dir zeigen, wie du mit Hilfe einer *Folientastatur* ein Codeeingabe-System bauen kannst. Folientastaturen gibt es in unterschiedlichen Ausführungen und Größen.

Abbildung 12-15
Folientastaturen

Du kannst sie wunderbar zur Codeeingabe einer Zugangskontrolle für Sicherheitsbereiche, wie z.B. dein Arbeitszimmer, verwenden. Coole Sache, die sicherlich was her macht! Die linke Folientastatur mit den *16 Tasten* wollen wir uns einmal genauer anschauen. Du findest einige Folientastaturen z.B. unter der folgenden Adresse im Bereich Zubehör:

www.komputer.de/

Im folgenden Projekt werden wir sie dafür nutzen, Tasteneingaben zu registrieren und eine entsprechende Meldung in einem *Terminal-Fenster* auszugeben.

Whow, wie soll *das* denn gehen? Soweit ich mich erinnere, haben wir es doch lediglich mit *8* digitalen Eingängen zu tun. Du willst mich wohl auf den Arm nehmen! *16* Taster abzufragen ist mit dem *PiFace*-Board nicht möglich.

Na wenn du das sagst, *RasPi*... Na aber mal im Ernst! Ich rede keinen Unsinn, denn das funktioniert wirklich. Wir wenden dafür eine besondere Technik an, denn die einzelnen Taster der Folientastatur sind in einer speziellen Anordnung verdrahtet. Schau einmal her:

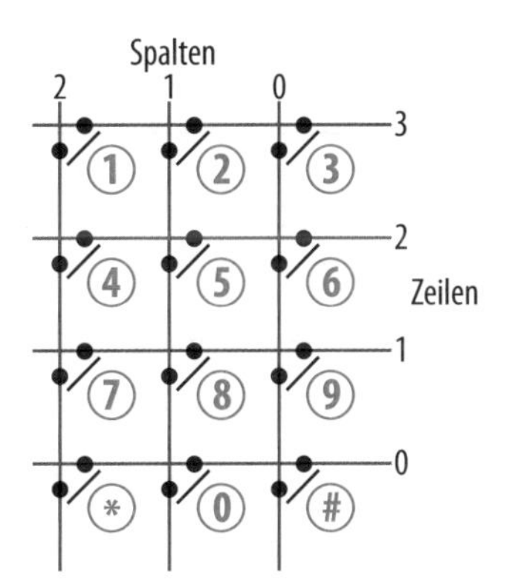

Abbildung 12-16
Die Verdrahtung der 12 Taster eines 4x3 KeyPads

Das Stichwort lautet *Multiplexing*. Es bedeutet, das bestimmte Signale zusammengefasst werden und über ein Übertragungsmedium geschickt werden, um den Aufwand an Leitungen zu minimieren und so den größten Nutzen daraus zu erzielen. Stelle dir einfach ein Drahtgitter mit *4x3* Drähten vor, die übereinander gelegt wurden, jedoch keine Berührungspunkte untereinander besitzen. Genau das zeigt dir diese Grafik. Du siehst die *4* blauen horizontalen Drähte, die in Zeilen mit den Bezeichnungen *0* bis *3* angeordnet sind. Darüber liegen in einem geringen Abstand die *3* roten vertikalen Drähte in Spalten mit den Bezeichnungen *0* bis *2*. An jedem Kreuzungspunkt befinden sich kleine Kontakte, die durch das Herunterdrücken des Tasters den jeweiligen Kreuzungspunkt elektrisch leitend verbinden, so dass die betreffende Zeile bzw. Spalte eine elektrische Strecke bilden. Am besten schaust du dir das auf der folgenden Grafik genauer an. Es wurde der Taster mit der Nummer *5* gedrückt.

Abbildung 12-17 ▶ Die Taste 5 wurde gedrückt (Die dicken Linien zeigen den Stromfluß)

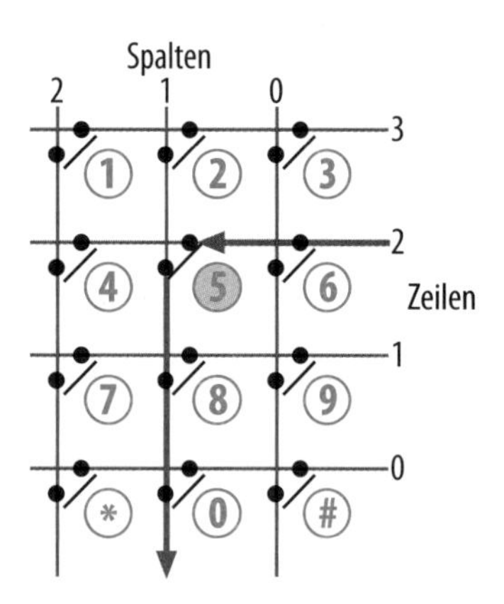

Der Strom kann demnach von Zeile *2* über den Kreuzungspunkt Nummer *5* nach Spalte *1* fließen und dort registriert werden.

Wenn aber an allen Zeilen gleichzeitig eine Spannung anliegt, dann könnte auch z.B. die darüber liegende Taste *2* gedrückt werden und ich würde an Spalte *1* etwas registrieren. Wie kann das unterschieden werden?

OK, *RasPi*! Ich sehe, dass du das Prinzip noch nicht ganz verstanden hast. Das ist natürlich kein Beinbruch. Hör zu. Etwas unscharf formuliert schicken wir nacheinander ein Signal durch die Zeilen *0* bis *3* und fragen dann ebenfalls nacheinander den Pegel an den Spalten von *0* bis *2* ab. Der Ablauf erfolgt dann wie folgt:

High-Pegel an Draht in Reihe 0

- Abfragen des Pegels an Spalte *0*
- Abfragen des Pegels an Spalte *1*
- Abfragen des Pegels an Spalte *2*

High-Pegel an Draht in Reihe 1

- Abfragen des Pegels an Spalte *0*
- Abfragen des Pegels an Spalte *1*
- Abfragen des Pegels an Spalte *2*

etc.

Diese Abfrage geschieht natürlich dermaßen schnell, dass es in einer einzigen Sekunde zu so vielen Durchläufen kommt, so dass kein einziger Tastendruck unter den Tisch fällt. Den Schaltungsaufbau auf meinem Breadboard siehst du auf dem folgenden Bild.

◀ **Abbildung 12-18**
Schaltungsaufbau für die Codeeingabe auf einer Folientastatur

Du kannst erkennen, dass ich sowohl die digitalen *Ein-* als auch *Ausgänge* bei der Verschaltung verwende. Zudem benötige ich noch *4 Widerstände*, die in der Funktion als *Pullup-Widerstände* arbeiten. Sie haben den Wert von *10 KOhm*. Das hat folgende Bewandtnis: Du erinnerst dich sicherlich, dass der offene Kollektor ein Masse-Signal an den betreffenden Ausgang legt. Wird ein Ausgang nicht angesteuert, wird über den Pullup-Widerstand gewährleistet, dass *+5V* zur Verfügung stehen. Die digitalen Eingänge werden mit einem Masse-Signal angesteuert, was wir natürlich an dieser Stelle sehr gut gebrauchen können. Das folgende Schaltbild zeigt dir im Detail, wie alles verdrahtet ist.

Abbildung 12-19 ▶
Schaltplan für die Codeeingabe auf einer Folientastatur (KeyPad)

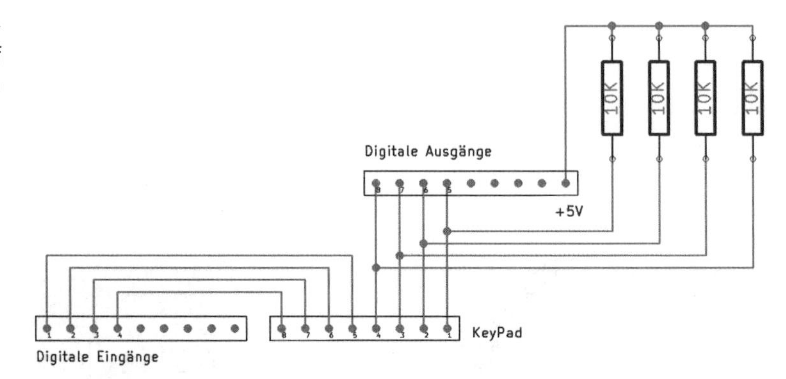

Die Anschlussbelegung für meine verwendete Folientastatur lautet wie folgt:

Pin 1: Spalte 4 (A, B, C, D)

Pin 2: Spalte 3 (3, 6, 9, #)

Pin 3: Spalte 2 (2, 5, 8, 0)

Pin 4: Spalte 1 (1, 4, 7, *)

Pin 5: Reihe 4 (*, 0, #, D)

Pin 6: Reihe 3 (7, 8, 9, C)

Pin 7: Reihe 2 (4, 5, 6, B)

Pin 8: Reihe 1 (1, 2, 3, A)

Wenn du alles verdrahtet hast, dann können wir uns den Python-Programmcode anschauen.

Source | Uml | PyDoc

```
import time                    # Time-Bibliothek fuer sleep einbinden
import piface.pfio as pfio     # PiFace-Bibliothek einbinden
pfio.init()                    # PiFace initialisieren

# Endlosschleife
while True:
    for c in [5, 6, 7, 8]:
        # print c
        # Spalten mit 0 aktivieren
        pfio.digital_write(c, 1)
        # Zeilen abfragen
        for r in [1, 2, 3, 4]:
            if pfio.digital_read(r) == 1:
                if r == 4 and c == 8:
                    print "1"
                if r == 4 and c == 7:
                    print "2"
                if r == 4 and c == 6:
                    print "3"
                if r == 3 and c == 8:
                    print "4"
                if r == 3 and c == 7:
                    print "5"
                if r == 3 and c == 6:
                    print "6"
                if r == 2 and c == 8:
                    print "7"
                if r == 2 and c == 7:
                    print "8"
                if r == 2 and c == 6:
                    print "9"
                if r == 1 and c == 8:
                    print "*"
                if r == 1 and c == 7:
                    print "0"
                if r == 1 and c == 6:
                    print "#"
        time.sleep(0.1)
        pfio.digital_write(c, 0)
```

◀ **Abbildung 12-20**
Der Python-Programmcode für die Codeeingabe auf einer Folientastatur

In *Zeile 38* steht der *sleep*-Befehl, der dafür sorgt, dass nach einem Tastendruck nicht sofort mehrere hintereinander registriert werden. Du kannst diesen Wert natürlich nach Belieben anpassen und mit ihm experimentieren, was für dich am besten passt. Dieses *Codeeingabe-System*-Beispiel soll deine Phantasie in Schwung bringen. Du wirst dich möglicherweise fragen, wie es damit wohl weitergeht und wie du ein Codeschloss bei entsprechender Nummerneingabe öffnen kannst. Nun, das ist deine Aufgabe. Versuche das Programm so zu modifizieren bzw. zu erweitern, dass die einzelnen Tastendrücke gespeichert werden und bei korrekter Eingabe von z.B. *4712* ein Relais auf dem *Piface*-Board schaltet. Darüber kannst du dann die unterschiedlichsten Funktionen auslösen. Es gibt keine Grenzen des Machbaren! Viele weitere Informationen findest du auf der folgenden Interseitseite:

http://pi.cs.man.ac.uk/interface.htm

Erweiterte Konfiguration für den Raspberry Pi

13

Du kannst deinen *Raspberry Pi* an den unterschiedlichsten Stellen konfigurieren, um so alles nach deinen Wünschen anzupassen. In diesem Kapitel möchte ich ein wenig auf die *Stellschrauben* eingehen, an denen du drehen kannst, damit du ein deinen Wünschen entsprechendes System erhältst. Die Themen in diesem Kapitel werden folgende sein:

- Du wirst sehen, dass es einen sehr einfach zu bedienenden textbasierten Editor gibt.
- Wie können wir einen weiteren User über *useradd* anlegen?
- Wie wird ein neues Passwort über *passwd* vergeben?
- Anpassungen für den Boot-Vorgang

Ein Editor auf Kommandozeilenebene

Du hast schon zwei unterschiedliche Editoren (*Geany* und *SPE*) kennengelernt, die aber beide in der grafischen Umgebung von *LXDE* laufen. Zum einfachen Editieren von Konfigurationsdateien kannst du dich eines Editors bedienen, der gerade bei Einsteigern sehr beliebt ist und bei dem nicht so kryptische Befehlseingaben erforderlich sind wie z.B. beim *vi*, der ebenfalls textbasiert arbeitet. Sein Name lautet *Nano* und ist schon auf der Debian-Distribution vorinstalliert.

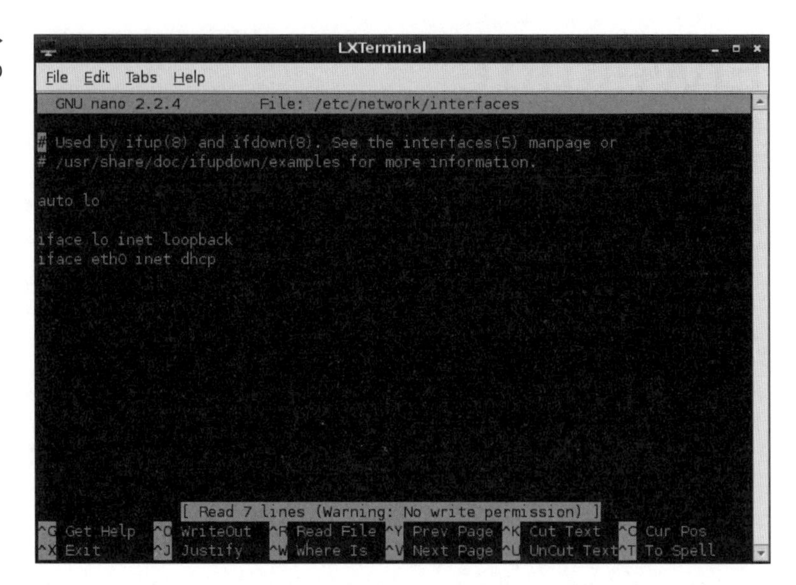

Abbildung 13-1 ▶
Der Texteditor Nano

Gib auf der Kommandozeile einfach nano ein und der Editor wird gestartet. Du kannst auch direkt eine Textdatei ggf. mit einer Pfadangabe anfügen, so dass sofort diese Datei geöffnet wird. Ich habe das in unserem Beispiel mit der Datei */etc/network/interfaces* versucht, was jedoch in diesem Fall zu einem Problem führte. Die Datei kann nicht editiert werden (*Warnung: no write permission*), da nur der *root*-User dazu ermächtigt ist. Um ein Editieren zu ermöglichen, müsste ich die folgende Zeile in ein *Terminal-Fenster* eingeben:

```
sudo nano /etc/network/interfaces
```

Konfigurationen

Kommen wir doch jetzt zu einigen Konfigurationsmöglichkeiten, auf die du aber im Normalfall nicht zurückgreifen musst. Was ist aber ein Normalfall? Nun, er liegt immer dann vor, wenn alles so funktioniert, wie es eigentlich vorgesehen ist. Die Liste der Möglichkeiten hinsichtlich der Konfiguration ist nahezu unbegrenzt, deshalb werde ich nur ein paar ausgewählte Themen ansprechen.

Erweiterte Netzwerkkonfiguration

Das Netzwerk deines *Raspberry Pi* in der hier verwendeten Linux-Distribution ist standardmäßig auf *DHCP* vorkonfiguriert. Das System versorgt sich also vollkommen selbstständig von einem *DHCP-Server*, also deinem Router, mit einer *IP-Adresse*, um im Netzwerk präsent zu sein. Was aber, wenn es keinen *DHCP*-Server gibt und du deinem System selbst eine – hoffentlich noch freie – *IP-Adresse* zuweisen musst? Dann ist *guter Rat* teuer und du kannst froh sein, wenn du weißt, wie es funktioniert. Was benötigt ein System eigentlich an Informationen, um einen Netzwerkadapter zu aktivieren? Das sind mindestens die folgenden Parameter:

- *IP-Adresse*
- *Netzmaske*
- *Gateway*

In der aktuellen Datei */etc/network/interfaces* finden sich mehrere Einträge, von denen zwei wie folgt lauten:

```
iface lo inet loopback
iface eth0 inet dhcp
```

Der erste Eintrag bezieht sich auf das sogenannte *Loopback-Interface (lo)*, das immer vorhanden ist und dazu verwendet wird, z.B. mit einem Server auf demselben Rechner zu kommunizieren. Die *IP-Adresse* lautet in der Regel *127.0.0.1*. Uns interessiert jedoch das Interface in der zweiten Zeile mit der Bezeichnung *eth0*. Wie du siehst, ist am Ende *dhcp* angefügt, was durch die schon bekannte Funktion bewirkt wird. Um nun aber keine *dynamische*, sondern eine *statische IP-Adresse* zu erhalten, müssen wir in zwei Schritten vorgehen. Erstelle zuvor bitte eine Sicherungskopie der vorhandenen Datei */etc/network/interfaces*. Verwende dazu das folgende Kommando:

```
sudo cp /etc/network/interfaces /etc/network/interfaces.org
```

Somit hast du den Originalzustand in der Datei */etc/network/interfaces.org* gesichert und kannst ggf. wieder darauf zurückgreifen. Doch nun zu den erforderlichen Schritten.

Schritt 1: Netzwerkadapter manuell konfigurieren

- den Eintrag von *dhcp* in *static* ändern
- unterhalb den neuen Eintrag *network* + *IP-Adresse* hinzufügen
- unterhalb den neuen Eintrag *netmask* + *Netzmaske* hinzufügen
- unterhalb den neuen Eintrag *gateway* + *IP-Adresse* hinzufügen

Die neu hinzugefügten Einträge sollten duch einen Tastendruck auf die *TAB-Taste* entsprechend eingerückt werden. Das Ganze sieht dann z.B. so wie bei mir hier aus:

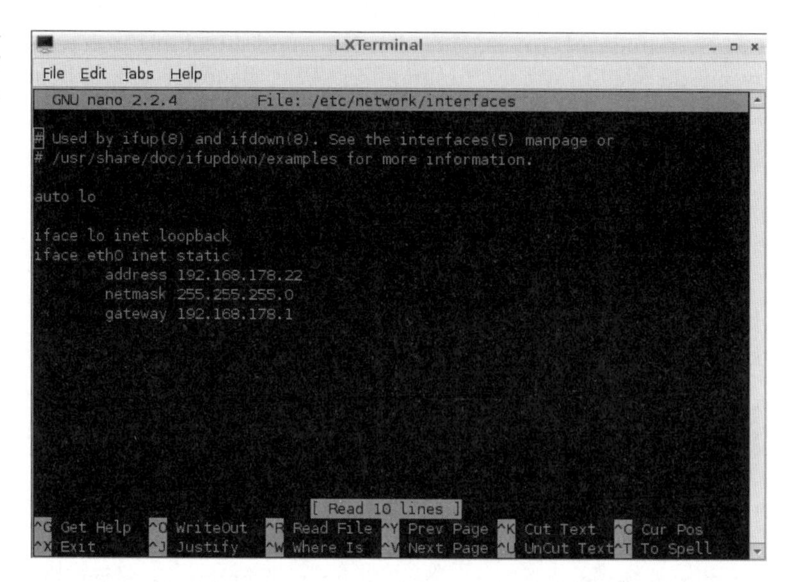

Abbildung 13-2 ▶ Der Inhalt der Datei /etc/network/interfaces

Vergewissere dich vorher, dass die von dir gewünschte *IP-Adresse* in dem Netzwerksegment noch frei bzw. verfügbar ist. Das kannst du mit ping <IP-Adresse> herausfinden. Es besteht natürlich die Gefahr, dass der Rechner mit der genannten *IP-Adresse* gerade ausgeschaltet ist und du deswegen die Nachricht bekommst, dass die *IP-Adresse* nicht zu erreichen ist. Das ist kein sicheres Zeichen für die Verfügbarkeit einer vermeintlich freien *IP-Adresse*. In solchen Fällen helfen Systemadministratoren weiter, die in der Regel über ihr Netzwerk Bescheid wissen. Wenn du dir sicher bist, dass alle Angaben korrekt sind, speicherst du die vorgenommenen Änderungen mit STRG-O (*WriteOut*) und anschließender Bestätigung mit der RETURN-Taste ab und verlässt den Editor mit STRG-X (*Exit*).

Schritt 2: Einen Nameserver manuell konfigurieren

Wenn wir alle lediglich mit *IP-Adressen* arbeiten würden, wäre der folgende Schritt nicht notwendig. Aber wer kann sich schon *die* IP-Adressen der Server merken, mit denen er täglich kommuniziert? Ich jedenfalls nicht. Kennst du die *IP-Adressen* der Seiten von *Google*, *facebook* oder *Twitter*? Ich nicht! Menschen fällt es wesentlich leichter, sich Namen zu merken. Aus diesem Grund wurden sogenannte *Domain-Name-Server*, kurz *DNS*, eingerichtet, die eine

Übersetzung von *Namen* in entsprechende *IP-Adressen* vornehmen. Natürlich muss unser System wissen, welchen *Nameserver* es aufzusuchen hat, wenn es um die Übersetzung von z.B. *www.google.de* geht. Diese Angaben werden in der Datei */etc/resolv.conf* abgelegt. Ich habe einfach einen weiteren *Nameserver* in meiner Datei hinzugefügt, was durchaus legitim ist. Es handelt sich dabei um den Nameserver von *Google*. Dieses Unternehmen betreibt einen eigenen Server.

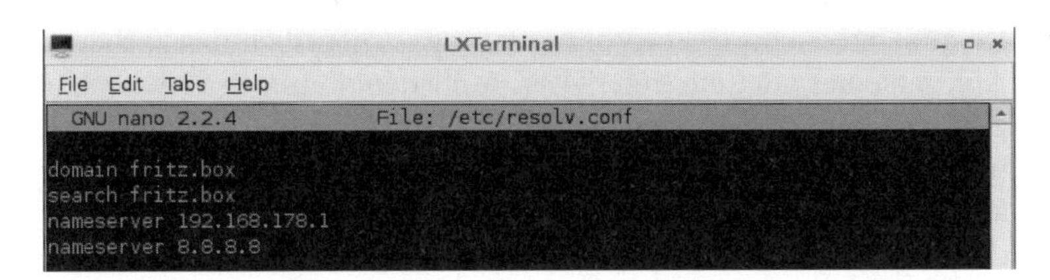

Abbildung 13-3
Der Inhalt der Datei /etc/resolv.conf

Wie du siehst, sind noch meine alten Einträge von der Fritzbox enthalten. Jetzt musst du das System mit den neuen Informationen vertraut machen, was *normalerweise* über die folgende Befehlszeile erfolgt:

```
sudo /etc/init.d/networking restart
```

Über die Eingabe

```
ifconfig
```

kannst du dich dann von den neuen Werten überzeugen. Ich sage *normalerweise*, denn bei *Debian Squeeze* klappt das nicht so richtig. Erst durch die Eingabe von

```
sudo ifdown eth0
sudo ifup eth0
```

wurden die Änderungen angenommen und die geänderte *IP-Adresse* dem Netzwerkadapter zugewiesen. Eine zweite Möglichkeit wäre ein *Reboot*, doch das ist in meinen Augen recht umständlich. Überprüfe anschließend, ob du z.B. über

```
ping 192.168.178.1
```

deinen Router (*ersetze die hier genannte IP-Adresse durch die deines Routers*) erreichen kannst. Um zu sehen, ob die Namensauflösung über den DNS-Server funktioniert, gibst du z.B. Folgendes ein:

```
ping -c 4 www.google.de
```

Dir sollte im Idealfall *4 packtes transmitted* zurückgeliefert werden und nicht etwa *unknown host www.google.de*.

Einen weiteren User anlegen

Du hast dich auf deinem *Raspberry Pi* immer mit dem User *pi* eingeloggt. Beim Linux-Betriebssystem handelt es sich aber um ein sogenanntes Multi-User-Betriebssystem, unter dem mehrere Benutzer arbeiten können. Es ist also möglich, sich mit unterschiedlichen Kennungen einzuloggen. Voraussetzung ist natürlich das vorherige Anlegen eines oder mehrerer User. Auf jedem Linux-Betriebssystem gibt es einen besonderen User mit dem Namen *root*, der über umfassende Rechte im System verfügt und quasi im *Gott-Mode* alles machen darf. Das birgt natürlich gewisse Gefahren in sich, denn ein falsches Kommando kann schnell das gesamte System in Schutt und Asch legen. Deswegen ist ein *normales* Arbeiten mit dem System unter *root* nicht ratsam, sondern sollte immer als ganz *normaler User* mit eingeschränkten Rechten erfolgen. Wenn administrative Tätigkeiten erforderlich sind, kann man sich immer noch temporär mit *Root*-Rechten versorgen und sie nach getaner Arbeit wieder abgeben. Du wirst dich also niemals direkt als *root* anmelden. Wie aber wird ein weiterer Benutzer angelegt? Das ist Thema dieses Abschnittes. Wenn du einen neuen Benutzer anlegen möchtest, lautet das entsprechende allgemeine Kommando wie folgt:

```
useradd -G {group(s)} username
```

Du siehst, dass es nicht ausreicht, einfach nur einen neuen Namen für ein Login zu vergeben, denn ein Benutzer muss bestimmte Rechte erhalten, um auf dem System arbeiten zu können. Wie werden diese Rechte verwaltet bzw. vergeben? Durch bestimmte *Gruppen*, denen zuvor Rechte zugewiesen wurden.

Woher weiß ich aber, welche Rechte mein neuer Benutzer erhalten muss?

Ok, *RasPi*, das ist eine berechtigte Frage. Schauen wir uns doch einfach einmal die Rechte des schon vorhandenen Benutzers *pi* an. Wie das geht? du gibst einfach in einem *Terminal-Fenster* das Kommando `groups pi` ein. Schau her:

Abbildung 13-4 ▶ Welche Gruppenzugehörigkeit hat der User pi?

Die Ausgabe besteht aus einer Liste *der* Gruppen, denen der Benutzer *pi* angehört. Das sind schon genügend Informationen, um einen neuen Benutzer auf der Rechtebasis von *pi* anzulegen. Eine Kleinigkeit fehlt jedoch noch. Nach dem erfolgreichen Einloggen über den Benutzer *pi* hast du dich direkt in seinem *Arbeits-* bzw. *Home-Verzeichnis* befunden, das unter */home/pi* zu finden ist. Ein neuer Benutzer sollte natürlich ebenfalls über ein eigenes *Home-Verzeichnis* verfügen, um dort die eigenen Dateien ablegen zu können. Aus diesem Grund müssen wir dem `useradd`-Kommando noch den Zusatz `-m` hinzufügen, so dass eine entsprechende Verzeichnisstruktur automatisch mit angelegt wird. Abschließend müssen wir natürlich noch ein *Passwort* für die Anmeldung vergeben. Das Ganze würde dann z.B. für den neuen Benutzer *superpi* wie folgt aussehen:

Schritt 1: Ein Terminal-Fenster öffnen

In einem *Terminal-Fenster* gibst du das folgende `useradd`-Kommando ein. Vergiss nicht, dass es sich um eine administrative Tätigkeit handelt und du den Zusatz `sudo` voranstellen musst:

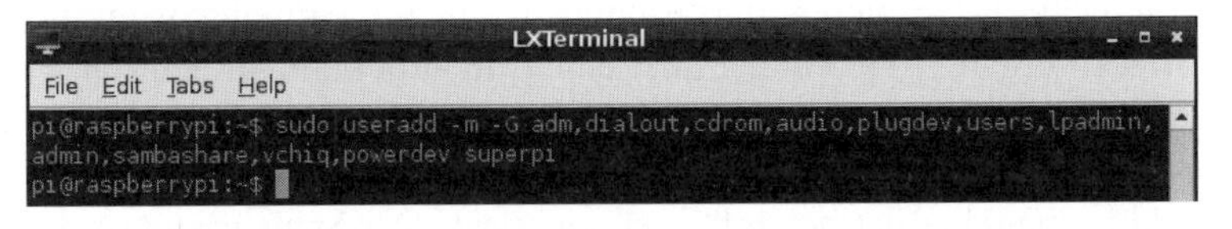

Abbildung 13-5
Einen neuen Benutzer über useradd anlegen

Wir wollen einmal kontrollieren, ob auch wirklich ein neues *Home-Verzeichnis* angelegt wurde.

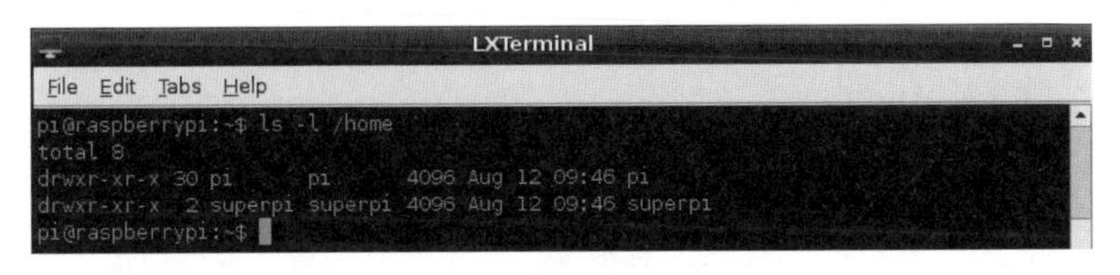

Abbildung 13-6
Das Home-Verzeichnis für superpi wurde angelegt.

Das sieht doch schon mal richtig gut aus!

Schritt 2: Ein Passwort für den neuen Benutzer vergeben

Über das `passwd`-Kommando kannst du einem Benutzer ein neues *Passwort* zuweisen. Gib das Kommando nach dem folgenden Schema ein:

```
sudo passwd <Benutzername>
```

Abbildung 13-7 ▶
Das Passwort für superpi wurde vergeben.

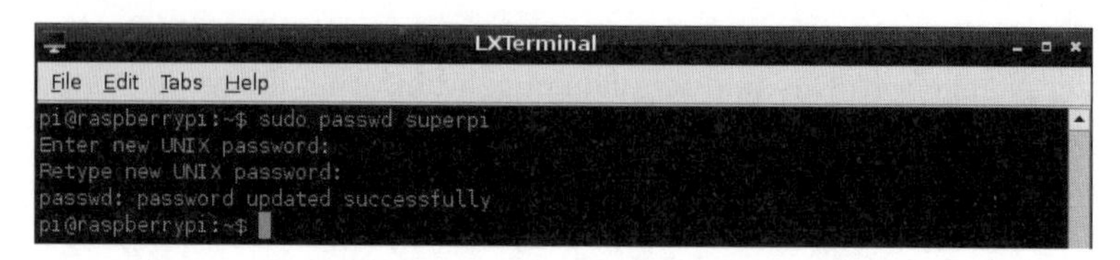

Du musst das *Passwort* zweimal eingeben. Dadurch soll verhindert werden, dass du dich ggf. vertippt hast und dann keiner mehr das korrekte Passwort kennt. Erst, wenn beide Eingaben identisch sind, wird die Passwortvergabe akzeptiert.

Grundeinstellungen des Raspberry Pi

Für den *Raspberry Pi* gibt es die Möglichkeit, bestimmte Parameter zu setzen, um sein *Verhalten* anzupassen. Wenn du morgens mit dem linken Fuß aufstehst, dann ist dein Verhalten gegenüber deinen Kollegen möglicherweise anders, als wenn du mit dem rechten aufgestanden wärst. Es handelt sich dabei um bestimmte Anfangsmomente, die den weiteren (Tages-)Ablauf beeinflussen. Wenn wir das Aufstehen mit dem *Booten* des *Raspberry Pi vergleichen*, dann geschieht das Einlesen der Anfangsparameter einmalig während dieses Vorgangs. Du kannst über eine Datei mit dem Namen *config.txt* bestimmte Anpassungen vornehmen. In einigen Distributionen existiert diese Datei nicht – du musst sie dann manuell anlegen – und in manchen ist der Inhalt einfach leer. Der Speicherort ist die Partition */boot*.

Display-Anpassungen

In Abhängigkeit vom verwendeten Display kann es u.U. zu einem der folgenden Probleme kommen:

- Du siehst überhaupt kein Bild.
- Das Bild ist an bestimmten Ecken abgeschnitten, so dass ein Teil der Anzeige fehlt.

Wenn du ein *TFT-Display* über den *HDMI-Anschluss verwendest*, sollte ein Informationsaustausch zwischen *Display* und *Raspberry Pi* stattfinden, der ein manuelles Eingreifen überflüssig macht. Doch wer kennt solche Situation nicht, in denen eigentlich alles so ist, wie es sein sollte und dennoch nichts funktioniert.

Achtung

Nimm nur dann bestimmte Anpassungen vor, wenn du dich wirklich mit Problemen konfrontiert siehst. Ein willkürliches Ausprobieren und Rumspielen ist an dieser Stelle nicht angebracht.

Boot-Anpassungen

Du kannst auch Einfluss auf den *Boot-Prozess* nehmen und bestimmen, was das Linux-Betriebssystem in seinen Speicher laden soll. Normalerweise musst du dich um solche Dinge nicht kümmern, denn das ist Spezialisten vorbehalten.

Übertaktungs-Anpassung

Die Möglichkeit einer Übertaktung ist bei fast allen Computersystemen ein heiß diskutiertes Thema. Ich rate dir aber diese hier nicht unbedingt in Betracht zu ziehen, denn es besteht ein nicht unerhebliches Risiko, deinen *Raspberry Pi* endgültig in die ewigen Jagdgründe zu schicken. Es ist dem Hersteller des Boards übrigens möglich, eine Übertaktung nachzuweisen, die zu der Zerstörung des Prozessors bzw. des Boards geführt hat. Sich dann auf eine andere Ursache herauszureden, zieht in diesem Fall nicht.

Die möglichen Anpassungen bezüglich der genannten Themenbereiche findest du auf der folgenden Internetseite:

http://elinux.org/RPi_config.txt

Achtung

Alle vorgenommenen Änderungen werden erst nach einem erneuten Bootvorgang übernommen. Wenn es nach Modifikationen zu unerwarteten Problemen kommt und du das System nicht mehr korrekt hochfahren kannst, lies die *SD-Karte* z.B. unter einem *Ubuntu-Hostsystem* ein und mache entweder die gemachten Anpassungen rückgängig oder lösche die Datei *config.txt* aus der */boot*-Partition. Danach musst du das System erneut *booten*.

Linux-Grundlagen

14

Da wir im Buch einige *Linux-Kommandos* bzw. *Programme* verwendet haben, möchte ich sie an dieser Stelle noch einmal zusammenfassen.

Linux-Kommandos und Programme

Die hier genannten *Linux-Kommandos* bzw. *Programme* werden nur in verkürzter Form vorgestellt. Es existieren in der Regel mehrere *Optionen* bzw. *Schalter*, um die Funktionalität zu beeinflussen. Aus Platzgründen kann ich nur die grundlegenden und im Buch verwendeten Funktionen ansprechen. Wenn du dich tiefer mit den zur Verfügung stehenden Linux-Kommandos auseinandersetzen möchtest, muss ich dich leider auf weiterführende Literatur verweisen. Eine sehr gute Übersicht über die Linux-Kommandozeile findest du im Buch *Linux – Kurz & Gut* aus dem *O'Reilly-Verlag*. Aber *hey*... du kannst über die folgende Syntax zu jedem Befehl eine entsprechende Hilfe abrufen. Das erfolgt mit dem Zusatz `--help` nach einem Kommando. Gib einmal die folgende Befehlszeile ein:

```
ls --help
```

Du bekommst alle notwendigen Informationen, wie du das `ls`-Kommando verwenden kannst.

Dateien und Verzeichnisse auflisten

Mit dem ls-Kommando (*list*) kannst du dir die Dateien bzw. Unterverzeichnisse im aktuellen Verzeichnis anzeigen lassen.

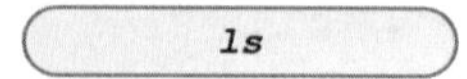

Über den Schalter -l (*long*) erhältst du detaillierte Informationen im Langformat.

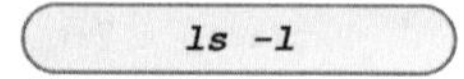

Über die zusätzliche Angabe eines Pfades kannst du dir auch den Inhalt eines anderen Verzeichnisses anzeigen lassen.

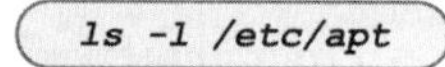

In welchem Verzeichnis befindest du dich?

Über das *pwd* (*print working directory*)-Kommando kannst du dir das Verzeichnis anzeigen lassen, in dem du dich gerade befindest.

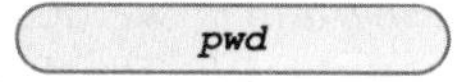

Ein Verzeichnis wechseln

Über das cd (*change directory*)-Kommando kannst du in ein anderes Verzeichnis wechseln. Es gibt dabei zwei unterschiedliche Ansätze:

- Die Angabe des absoluten Pfades
- Die Angabe des relative Pfades

Der absolute Pfad

Ein *absoluter Pfad* beginnt stets mit dem Root-Verzeichnis / und enthält den kompletten Pfad bis hin zum Zielverzeichnis.

```
cd /home/pi
```

Der relative Pfad

Ein *relativer Pfad* beginnt niemals mit der Angabe des Root-Verzeichnisses und basiert immer auf dem gerade aktuellen Verzeichnis, in dem du dich befindest.

```
cd programme
```

Unter Linux gibt es zwei besondere Verzeichnisse, die eine spezielle Bezeichnung aufweisen. Ein einzelner Punkt . steht für das aktuelle Verzeichnis und zwei aufeinander folgende Punkte .. repräsentieren das übergeordnete Verzeichnis. Um im Verzeichnisbaum eine Ebene nach oben zu navigieren, gibst du das folgende Kommando ein:

```
cd ..
```

Jeder Benutzer, der sich an einem Linux-System anmeldet, erhält in der Regel ein eigenes *HOME*-Verzeichnis, in dem seine eigenen Dateien gespeichert werden. Für den Benutzer *pi ist* es das Verzeichnis */home/pi*. Wenn du dich irgendwo außerhalb dieses Verzeichnisses befindest und schnellstmöglich in dein *HOME*-Verzeichnis wechseln möchtest, dann gib einfach das folgende Kommando ein:

```
cd
```

Anzeigen der Partitionen bzw. deren Größen

Kommen wir zum `df` (*disk free*)-Befehl, das dir die Größe, den belegten und den freien Speicherplatz der zur Verfügung stehenden bzw. eingehängten Partitionen anzeigt.

```
df
```

Eine nützliche Option ist die Verwendung des Schalters `-h`, der die Größen in verständlicher Form ausgibt. Der Zusatz *h* kommt von *Human Readable*. Dis Anzeige erfolgt dann z.B. in *MByte* oder *GByte*.

```
df -h
```

Den Inhalt einer Text-Datei anzeigen

Um dir den Inhalt einer Text-Datei anzeigen zu lassen, kannst du unterschiedliche Kommandos verwenden. Das `cat`-Kommando zeigt dir den Inhalt einer Text-Datei an und liefert alle Zeilen auf einmal an die Konsole zurück. Das hat natürlich den Nachteil, dass bei sehr vielen Zeilen der Inhalt auf die Schnelle nicht zu lesen ist.

```
cat /etc/passwd
```

Ein komfortableres Kommando ist hingegen `less`. Du kannst mit den *Cursor-Tasten* durch die Datei scrollen, mit der *Leertaste* einen seitenweisen Vorschub bewirken und mit der *Q-Taste* die Anzeige verlassen.

```
less /etc/passwd
```

Die letzten 10 Zeilen einer Datei ausgeben

Über das `tail`-Kommando kannst du dir die letzten *10 Zeilen* einer Datei ausgeben lassen. Was soll das bringen? Nun, wenn es sich um eine *Log-Datei* handelt, die kontinuierlich mit Statusinformationen versorgt wird, kann es schon wichtig sein, immer über die letzten angehängten Zeilen informiert zu werden. Es gibt da den sehr nützlichen Schalter `-f`, der die Datei geöffnet hält und immer die zuletzt angefügten Zeilen ausgibt. Wir haben das schon bei der Log-Datei */var/log/messages* gesehen.

```
tail -f /var/log/messages
```

Der Abbruch dieser Ausgabe erfolgt über STRG-C.

Eine Datei kopieren

Über das cp-Kommando (*Copy*) kannst du von einer vorhandenen Datei z.B. eine Sicherheitskopie erstellen. Natürlich eignet sich das Kommando auch zum Speichern einer Datei in einem anderen Verzeichnis. Du hast dieses Kommando schon im Kapitel zur manuellen Netzwerkkonfiguration kennengelernt. Dort haben wir eine Sicherheitskopie der Datei */etc/network/interfaces* erstellt.

```
cp <Quelle> <Ziel>
```

Es kann sein, dass du spezielle Rechte benötigst, um auf eine Datei zugreifen zu können. Stelle in diesem Fall dem cp-Kommando das sudo voran, dann sollte es funktionieren:

```
sudo cp /etc/network/interfaces /etc/network/interfaces.org
```

Eine Datei umbenennen

Um eine vorhandene Datei umzubenennen, wird ein Kommando verwendet, das auf den ersten Blick zu Missverständnissen führen kann. Es ist das mv-Kommando, wobei *mv* für *move* steht. Wir würden es im eigentlichen Sinne so verstehen, dass eine Datei von *Position A* nach *Position B* im Verzeichnisbaum verschoben wird. Sie wird also an Position *A* gelöscht und nach *Position B* kopiert. Kein Problem also. Was ist aber, wenn *Position A* gleich *Position B* ist, du also die Datei innerhalb eines Verzeichnisses verschiebst? Das geht eigentlich nicht und ist auch wenig sinnvoll. Doch wenn du der Datei dabei einen abweichenden Namen gibst, ergibt sich doch wieder ein Sinn. Die Datei wird unter dem ursprünglichen Namen gelöscht und mit einem neuen Namen wieder gespeichert. Genau das ist der Vorgang beim *Umbenennen*. Somit hat das *mv*-Kommando eigentlich zwei unterschiedliche Funktionen, nämlich *Umkopieren* und *Umbenennen*.

```
mv <Alte Datei> <Neue Datei>
```

Eine Datei anlegen

Um eine Datei neu anzulegen, kannst du natürlich einen der genannten Texteditoren verwenden. Die schnellste Möglichkeit ist aber die über das touch-Kommando:

```
touch <Dateiname>
```

Eine Datei löschen

Eine vorhandene Datei kann, sofern die entsprechenden Rechte vorliegen, auch gelöscht werden. Dieser Vorgang erfolgt über das rm-Kommando, wobei *rm* für *remove steht:*

```
rm <Dateiname>
```

Du musst bei diesem Kommando sehr aufpassen, wenn du sogenannte *Wildcards* verwendest. Wenn du z. B.

```
rm datei*
```

schreibst, werden, sofern du über die entsprechende Berechtigung verfügst, alle Dateien, die mit *datei* beginnen, aus dem Verzeichnis gelöscht. Das können z. B. folgende Dateien sein:

```
datei1
datei2
datei3
```

Durch eine kleine Unachtsamkeit kannst du damit großen Schaden anrichten und zahlreiche Dateien löschen, die du vielleicht noch benötigst oder die das System zum Arbeiten braucht.

Ein Verzeichnis anlegen

Natürlich lassen sich auch *Verzeichnisse* auf die gleiche Weise wie Dateien anlegen. Verwende dazu das *mkdir*-Kommando.

```
mkdir <Verzeichnisname>
```

Wenn du lediglich einen Namen als Argument verwendest, wird das neue Verzeichnis in *dem* Verzeichnis angelegt, in dem du dich gerade befindest. Du kannst aber auch eine zusätzlich Pfadangabe hinzufügen, um so dem System mitzuteilen, an welcher abweichenden Position im Dateisystem das neue Verzeichnis erstellt werden soll.

Ein Verzeichnis löschen

Das Löschen eines Verzeichnisses unterliegt einer bestimmten Auflage: Es muss *leer* sein. Es dürfen also keine Dateien bzw. weitere Verzeichnisse darin enthalten sein. Das ist sicherlich eine sinnvolle Sicherheitsmaßnahme, denn wenn ein Verzeichnis z. B. mehrere Dateien enthält, wären diese alle mit einem Schlag vernichtet. Verwende zum Löschen das `rmdir`-Kommando.

```
rmdir <Verzeichnisname>
```

Um ein Verzeichnis zu leeren, verwendest du die schon bekannten Kommandos, z.B *rm* bzw. *rmdir*.

Eine Datei suchen

Willst du eine Datei innerhalb einer Verzeichnisstruktur finden, so kannst du den Befehl *find* verwenden. Die Suche erfolgt rekursiv, was bedeutet, dass alle vorhandenen Unterverzeichnisse berücksichtigt werden.

```
find / -name <Dateiname>
```

Der / (*Slash*) gibt an, dass die Suche im *Root-Verzeichnis* beginnen soll. Passe ggf. den Pfad an, um die Suche einzuschränken.

Headless Raspberry Pi

Hoffentlich stört dich die Überschrift dieses Abschnittes nicht, denn wir wollen kopflos mit dem *Raspberry Pi* arbeiten. Was mag das wohl bedeuten? Nun, ganz einfach. Wenn sich dein *Raspberry Pi* in einem Netzwerk befindet, dann kannst du ihn auch darüber ansprechen. Was benötigen wir, um dieses Vorhaben in die Tat umzusetzen? Das Freeware-Tool *PuTTY* ist ein Programm für das Windows-Betriebssystem und stellt einen *Telnet-Client*, der das *SSH-Protokoll* unterstützt. *SSH* ist dabei sowohl eine Bezeichnung für das Netzwerkprotokoll, als auch für entsprechende Programme, die eine sogenannte *Secure-Shell* unterstützen. Es kann darüber eine sichere Netzwerkverbindung zu einem entfernten *Client* hergestellt werden. Auf dem Rechner, zu dem eine Verbindung aufgebaut werden soll, muss ein entsprechender Dienst laufen, um eine Anfrage zu bearbeiten. Unter *Debian Squeeze* ist dieser Dienst standardmäßig nicht aktiviert und muss somit über die folgende Zeile zur Verfügung gestellt werden:

```
pi@raspberrypi:~$ sudo /etc/init.d/ssh start
Starting OpenBSD Secure Shell server: sshd.
```

◀ **Abbildung 14-1**
Aktivierung des ssh-Dienstes auf dem Raspberry Pi

Jetzt kannst du über das Programm *PuTTY* eine Verbindung zu deinem *Raspberry Pi* aufnehmen. Starte *PuTTY* und gib die *IP-Adresse* des *Raspberry Pi* ein. Du weißt hoffentlich noch, wie du diese Adresse ermitteln kannst? Ich sage nur *ifconfig*!

Abbildung 14-2 ▶
PuTTY mit der IP-Adresse meines Raspberry Pi

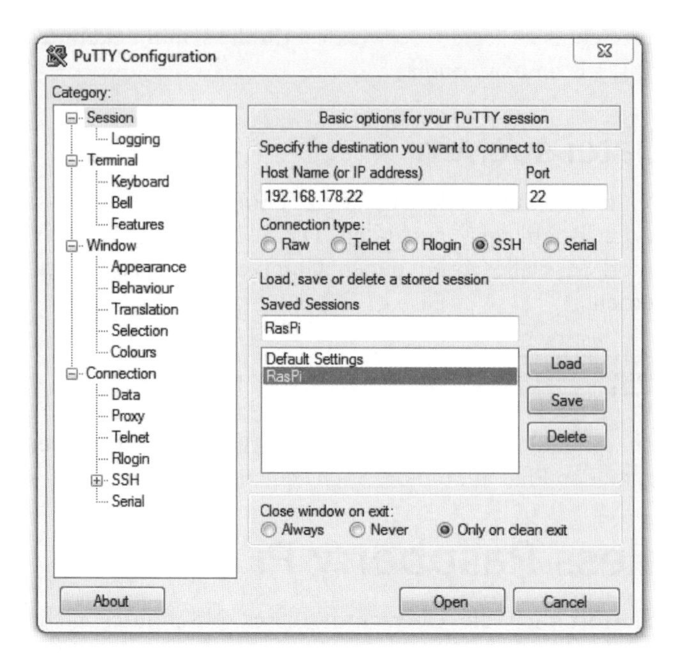

Die *IP-Adresse* meines *Raspberry Pi* lautet *192.168.178.22* und muss bei dir sicherlich angepasst werden. Nach einem Klick auf die *Open*-Schaltfläche wird eine Verbindung hergestellt und du musst dich – ganz so, als wenn du direkt vor deinem *Raspberry Pi* sitzen würdest – ganz normal anmelden.

Abbildung 14-3 ▶
Die Anmeldung an deinem Raspberry Pi

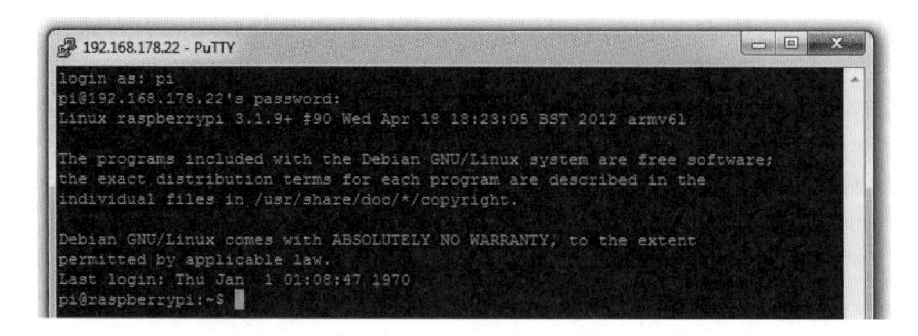

Das könnte wichtig für dich sein

Unter *Debian Wheezy* ist der *ssh-Dienst* standardmäßig schon aktiviert, so dass du das nicht händisch nachholen musst.

Wenn du es leid bist, immer nur innerhalb der Kommandozeile zu arbeiten, dann kannst du dir sogar den kompletten grafischen Desktop des *Raspberry Pi* herüber auf die Windows-Maschine holen. Dazu benötigst du nicht viel. *PuTTY* hast du schon installiert, so dass du nur noch einen X-Server auf deinem Windows-Rechner installieren musst. *Xming* ist ein recht schlanker Vertreter dieser Gattung, den ich für das folgende Beispiel benutze. Du findest ihn unter

http://sourceforge.net/projects/xming/

Nach der Installation musst du lediglich deinen *PuTTY* etwas anpassen. Folgende Einstellungen sind dafür notwendig:

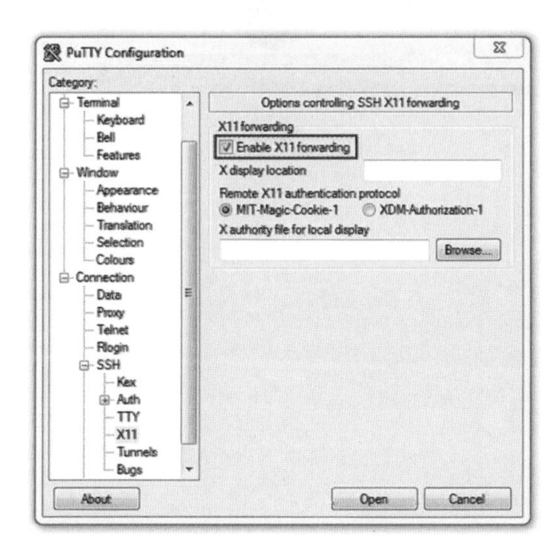

◀ **Abbildung 14-4**
Die erweiterte Konfiguration von PuTTY

Unter dem *Konfiguration-Menu* auf der linken Seite von *PuTTY* musst du den Punkt *Connection|SSH|X11* auswählen und *Enable X11 fowarding* aktivieren. Jetzt stelle ganz normal eine Verbindung zu deinem *Raspberry Pi* her, wie du es eben schon gemacht hast. Logge dich ein und gib danach den Befehl

```
startlxde
```

ein.

```
192.168.178.22 - PuTTY
login as: pi
pi@192.168.178.22's password:
Linux raspberrypi 3.1.9+ #90 Wed Apr 18 18:23:05 BST 2012 armv6l

The programs included with the Debian GNU/Linux system are free software;
the exact distribution terms for each program are described in the
individual files in /usr/share/doc/*/copyright.

Debian GNU/Linux comes with ABSOLUTELY NO WARRANTY, to the extent
permitted by applicable law.
Last login: Sun Sep  2 12:46:33 2012 from highli-pc.fritz.box
pi@raspberrypi:~$ startlxde
```

◀ **Abbildung 14-5**
Starten des X-Servers

Und schon hast du dir den *Desktop* des *Raspberry Pi* auf deinen Windows-Rechner geholt und kannst dort ganz normal arbeiten.

Abbildung 14-6 ▶
Der Raspberry Pi Desktop unter Windows

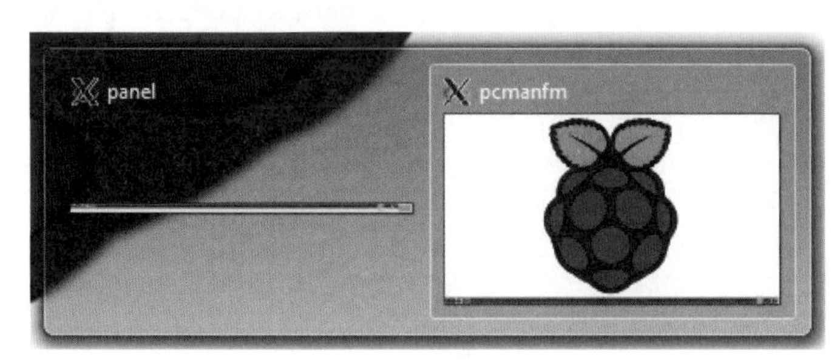

Coole Sache, was!?

Cases 15

Ganz zu Beginn des Buches habe ich ein paar Worte darüber verloren, dass es bestimmt cool wäre, ein schickes Gehäuse, also ein *Case* für den *Raspberry Pi,* zu haben. In diesem Kapitel möchte ich dir ein paar entsprechende Möglichkeiten vorstellen.

Selbst gemacht

Ich finde es immer gut, wenn man sich Gedanken über Dinge macht, die eigentlich keinen direkten Nutzen mehr haben. Bevor ich etwas wegschmeiße, muss schon einiges passieren – zum Leidwesen meiner Frau und in Anbetracht des nur begrenzt zur Verfügung stehenden Kellerplatzes. Es gibt doch so schöne alte Dinge und irgendwann einmal in nicht allzu ferner Zukunft braucht man sicher dies und das.

> Alter Messie!

Ein bisschen mehr *Respekt* bitte!

Das Lego-Case

Als ich vor kurzem im Keller war und nach – ich weiß nicht mehr was – gesucht habe, bin ich über ein paar Kisten *Lego* meiner Kinder gestoßen. Da ist mir die Idee gekommen, mir ein paar Steine auszuborgen, um damit ein *Case* für meinen *Raspberry Pi* zu bauen. Der Rasterabstand der Legosteine ist nahezu perfekt und nach ca.

einer Stunde hatte ich die passenden Steine bzw. Basisplatten zusammengesucht. Die folgenden Abbildungen vermitteln dir eine ungefähre Vorstellung vom Aufbau des *Cases*.

Abbildung 15-1 ▶
Das Lego-Case

Alle benötigten Anschlüsse, mit Ausnahme der *GPIO*-Stiftleiste, sind zugänglich. Es wäre aber kein großer Akt, auch diese zugänglich zu machen. Ein ganz klein wenig Arbeit musst du schon selbst erledigen.

Abbildung 15-2 ▶
Lego-Case mit Blick auf Netzwerk- und USB-Anschlüsse

In der folgenden Abbildung siehst du die komplette Verkabelung mit allen notwendigen Anschlüssen zum Betreiben des Boards.

◀ **Abbildung 15-3**
Lego-Case mit verkabeltem Board

Wie du siehst, ist das Ganze mit ein wenig Kreativität und Ignoranz gegenüber dem eigentlichen Zweck der Spielsachen der Kinder wunderbar zu realisieren. Ich bin mir sicher, dass du das sogar noch besser hinbekommst und ich denke, wir sollten einen Wettbewerb mit den verrücktesten Ideen für ein *Raspberry Pi-Case* eröffnen. Natürlich alles *selfmade* und nicht fix und fertig erworben!

Fertig gekauft

Natürlich gibt es die Gehäuse auch fertig zu kaufen und es spricht ja auch nichts dagegen.

Adafruit

Ich habe von *Adafruit Industries* (*http://adafruit.com/*) freundlicherweise das nachfolgende Case zur Verfügung gestellt bekommen. Es hat ein cooles Design, denn es ist vollkommen transparent und du kannst das komplette Board sehen. Auf diese Weise wirst du immer sofort bemerken, wenn eine Rauchwolke aufsteigt.

Abbildung 15-4 ▶
Das transparente Adafruit-Case

Hier ein Blick auf die Seite, an der sich der *Audio*- und der *RCA-Video*-Ausgang befinden. Auf der rechten Seite siehst du die *GPIO-Pins*.

Abbildung 15-5 ▶
Das Adafruit-Case

Alle Anschlüsse sind nach außen geführt und leicht zugänglich. Dort, wo sich die *GPIO-Pins* befinden, ist ein breiter Schlitz vorhanden, durch den ein Flachbahnkabel angeschlossen werden kann.

◀ **Abbildung 15-6**
Das Adafruit-Case mit angeschlossenen Kabeln

ModMyPi

Außerdem war ich von der Farbenvielfalt der von der Firma *ModMyPi* (*https://www.modmypi.com*) angebotenen Cases beeindruckt. Man hat mir seitens des Unternehmens gleich alle Cases in allen zur Verfügung stehenden Farben geschickt. Da ist sicherlich etwas für jeden dabei. An dieser Stelle auch einen herzlichen Dank dafür!

◀ **Abbildung 15-7**
Die farbenfrohen ModMyPi-Cases

Auf dem folgenden Foto siehst du ein Case in schickem Rot, in dem der Raspberry Pi steckt. Siehst auch richtig cool aus – nicht wahr!?

Abbildung 15-8 ▶
Der Raspberry Pi in schickem Rot

Weißt du, was dann wirklich abgefahren aussieht? Wenn du die Ober- bzw. Unterseite von verschiedenfarbigen Cases zusammenstellst.

Abbildung 15-9 ▶
Ein Mix aus Rot und Blau

Troubleshooting

16

Wenn du Probleme mit deinem *Raspberry Pi* hast, dann wirst du sicherlich früher oder später hier in diesem Kapitel landen und hoffen, ein paar nützliche Hinweise zu finden. Die Probleme können vielfältiger Natur sein und in der *Soft-* oder der *Hardware* begründet liegen.

Troubleshooting

Software

Falls du irgendein Problem mit irgendwelchen *Kommandos* bzw. *Befehlen* hast, dann ist ein Blick in die sogenannten *Man-Pages* sicherlich ratsam. Du muss lediglich folgende Syntax verwenden:

```
man <Kommando>
```

Ich habe das einmal für das `ls`-Kommando durchgeführt und mir wurde daraufhin folgende Seite angezeigt, die noch zahlreiche weitere Informationen beinhaltet. Du musst einfach mit den *Cursor-Tasten* nach unten bzw. wieder nach oben scrollen.

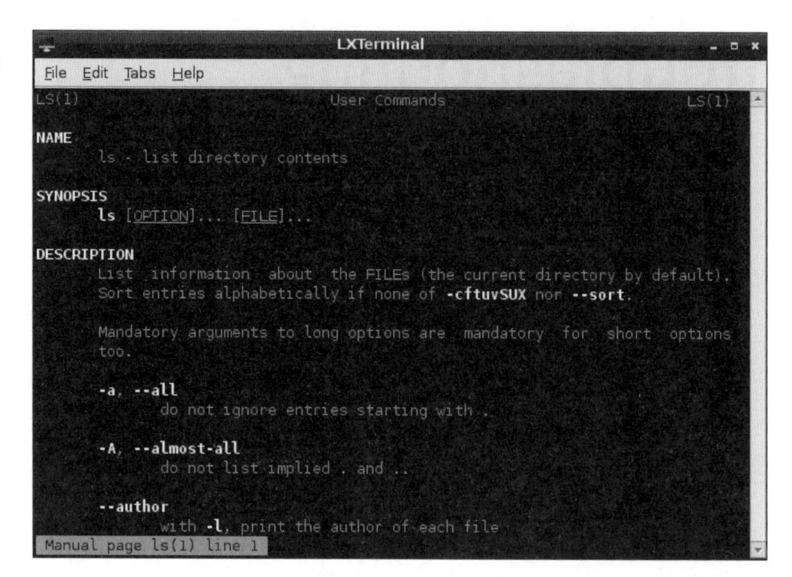

Abbildung 16-1 ▶
Man-page für das ls-Kommando

Wenn dir die notwendige Software zum Arbeiten mit dem *Raspberry Pi fehlt*, dann schlag noch einmal im Kapitel über die *Software-Installation* nach. Dort sind die Schritte beschrieben, die erforderlich sind, um z.B. ein fehlendes Softwarepaket nachzuinstallieren.

Hardware

Status-LEDs

Die rote PWR-LED leuchtet nicht

Die rote PWR-LED signalisiert dir, dass die Spannungsversorgung an das Board angeschlossen wurde. Falls sie nicht leuchtet, kann das mehrere Gründe haben und du solltest dir die folgenden Fragen stellen:

- Hast du das USB-Netzgerät wirklich mit dem Board verbunden? (Blöde Frage!)
- Ist der USB-Stecker ganz in die auf dem Board befindliche Buchse gesteckt?
- Steckt das Netzgerät wirklich in der Steckdose?
- Wenn du eine Mehrfachsteckdose mit Netzschalter verwendet, ist dieser Netzschalter angeschaltet und leuchtet vielleicht?

Es kann natürlich sein, dass das USB-Netzgerät selbst einen Defekt hat. Teste das Gerät z.B. an einem Mobiltelefon mit entsprechender Buche. Vergleiche aber auf jeden Fall die Spannungen des Netzgerätes und die des Mobiltelefons. Beide Spannungen müssen identisch sein. Andernfalls könnte dein Mobiltelefon Schaden nehmen.

Die rote PWR-LED blinkt

Wenn die rote OK-LED blinkt, kann das ggf. darauf hindeuten, dass die benötigte Versorgungsspannung von *5V* nicht stabil ist und schwankt. Versuche es mit einem anderen USB-Netzgerät.

Die rote PWR-LED leuchtet, die grüne OK-LED jedoch nicht

So, wie es sich darstellt, liegt zwar die erforderliche Betriebsspannung an deinem Board an, doch du hast möglicherweise ein Problem mit deiner *SD-Karte*. Auch wenn es so aussieht, als sei die *SD-Karte* eingefügt, solltest du trotzdem noch einmal überprüfen, ob sie auch korrekt sitzt. Trenne dazu vorher wieder die Spannungsversorgung vom Board. Ziehe die Karte noch einmal ganz heraus und stecke sie erneut in den Adapter und verbinde dann wieder die Spannungsversorgung mit deinem Board. Folgende Gründe können den Bootvorgang verhindern:

- Die Karte war nicht ganz bis zum Ende eingesteckt.
- Es hat Kontaktprobleme mit einem oder mehreren Verbindungen gegeben.
- Deine SD-Karte entspricht nicht den Spezifikationen für den Betrieb in deinem *Raspberry Pi*. Schaue einmal auf der folgenden Internetseite nach und vergewissere dich bezüglich der Kompatibilität deiner *SD-Karte*. (*http://www.elinux.org/RPi_VerifiedPeripherals#Problem_SD_Cards*)
- Wurde deine *SD-Karte* vom Betriebssystem, auf dem du das Image aufgespielt hast, korrekt erkannt? Bedenke, dass auf einem *Windows*-Betriebssystem lediglich die *fat32*-Partition angezeigt wird. Teste die Partitionen auf Vollständigkeit, und zwar am besten auf einem Rechner mit *Linux*-Betriebssystem, denn nur dort werden dir alle Partitionen – wenn vorhanden – angezeigt.

Wenn du mit der vorhandenen *SD-Karte* zu keinem positiven Ergebnis – sprich zu einem erfolgreichen Bootvorgang – kommst, dann probiere eine andere *SD-Karte* aus. (*http://www.elinux.org/RPi_VerifiedPeripherals#Working_SD_Cards*)

Die Tastatur

Bei mir sind zeitweise folgende Tastaturprobleme aufgetreten:

- Tastendrücke werden überhaupt nicht angezeigt bzw. verschluckt.
- Tastendrücke werden verspätet angezeigt.
- Ein einfacher Tastendruck wird mehrfach wiederholt.

All diese Symptome haben meistens einen Grund: Dem *Raspberry Pi* steht nicht genügend Strom zur Verfügung. Entweder ist dein USB-Netzgerät zu schwach dimensioniert oder deine verwendete Tastatur benötigt zum Arbeiten zu viel Strom. Ich rate zu folgenden Maßnahmen:

- Probiere es mit einer anderen Tastatur.
- Schalte einen aktiven USB-Hub zwischen der *Tastatur* bzw. *Maus* und dem *Raspberry Pi*
- Verwende ein anderes bzw. leistungsstärkeres USB-Netzgerät.

In vereinzelten Fällen ist es sogar zu kompletten Abstürzen des Systems gekommen, wovon ich aber zum Glück verschont blieb.

Das USB-Netzgerät

Ich möchte noch einmal erwähnen, dass der *Raspberry Pi* in Abhängigkeit vom Modell, A oder B, unterschiedliche Anforderungen an das Netzgerät stellt:

- *Modell A* benötigt 500mA.
- *Modell B* benötigt 700mA.

Ähnlich wie bei einigen Lebensmitteln, bei denen man nie sicher sein kann, ob auch das drin ist, was draufsteht, ist es bei den diversen Netzgeräten. Obwohl auf manchen z.B. *1000mA* ausgewiesen ist, kann es sein, dass sie bei annähernd *700mA* in die Knie gehen. Wenn man sich auf die Angaben mancher Hersteller verlässt, dann ist man verlassen und die Sucherei nach der Ursache beginnt unter falschen Voraussetzungen, so dass man eigentlich fast nie hinter die eigentlichen Probleme kommt. Man muss eben mit allem rechnen. Auch vermeintlich sichere Komponenten können unter gewissen Umständen in einen Grenzbereich geraten und ihre Funktion zeitweise einstellen. Da ist es natürlich fast unmöglich, einen passenden Tipp zu geben – außer diesem: Manchmal ist rumprobieren und austauschen die einzige praktikable Vorgehensweise. Das hört sich zwar nicht sehr professionell an, doch wir müssen uns den Tatsachen stellen. Mit einem *Raspberry Pi* würde ich deswegen nicht gerade zum Mond fliegen. Wenn du es aber genau wissen möchtest, kannst du die aktuell zur Verfügung stehende Spannung sogar messen. Zu diesem Zweck verfügt die Platine nämlich über zwei Testpunkte *TP1* und *TP2*.

◀ **Abbildung 16-2**
Die Testpunkte TP1 und TP2 für die Messung der Spannung

Zwischen diesen beiden Testpunkten *TP1* und *TP2* kannst du ein *Voltmeter* anschließen, wie du es in der nachfolgenden Abbildung sehen kannst.

◀ **Abbildung 16-3**
Anschluss des Voltmeters an die Testpunkte TP1 und TP2 zur Messung der Spannung

Verbinde dabei den Testpunkt *TP1* mit dem *Pluspol* und den *TP2* mit der *Masse* des Voltmeters. Ich habe hier bei mir eine Spannung von *5,16V* anliegen, was mehr als ausreichend ist. Der Arbeitsbereich liegt zwischen *4,8V* und *5V*. Alles, was sich unterhalb von *4,8V* bewegt, ist als kritisch einzustufen. Dein *Raspberry Pi* wird in diesem Fall nicht ausreichend mit Spannung versorgt.

Das Netzwerk

Ein vorhandenes und funktionierendes Netzwerk ist natürlich das *A* und *O*, wenn es darum geht, Software zu installieren bzw. eine Verbindung zu anderen Komponenten aufzunehmen. Ich hatte ja schon erwähnt, dass die Software des *Raspberry Pi* standardmäßig so konfiguriert ist, dass er sich über *DHCP* selbst eine freie *IP-Adresse* beim *Router* besorgt. Eine *IP-Adresse* wird verwendet, um z.B. einzelne Rechner netzwerktechnisch ansprechen zu können. Diese Adresse muss in dem jeweiligen Netzwerk eindeutig sein, damit ein Gerät adressierbar und somit erreichbar ist. Eine Grundvoraussetzung zur problemlosen Kommunikation ist natürlich der Anschluss über ein entsprechendes Netzwerkkabel. Schauen wir uns dazu noch einmal die zuständigen Status-LEDs an:

Abbildung 16-4 ▶
Status-LEDs für das Netzwerk

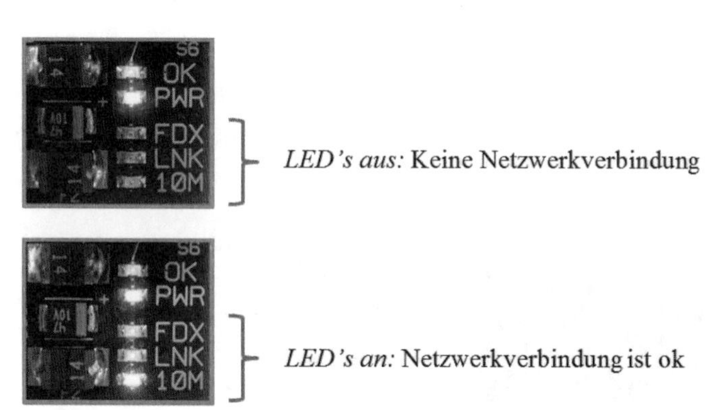

Damit eine Netzwerkverbindung zustande kommen kann, müssen die gezeigten Status-LEDs leuchten. Ich hatte die Bedeutung schon im *Hardware*-Kapitel angesprochen. Schaue dort ggf. noch einmal nach. Nun wollen wir aber einmal einen Blick in Richtung Software riskieren. Wie siehst es dort aus, wenn *keine* bzw. *eine* Netzwerkverbindung existiert. Es gibt ein Kommando unter *Linux*, dass dir viele Informationen über IP-Netzwerkschnittstellen liefert. Es lautet folgendermaßen:

```
ifconfig
```

Das ist die Abkürzung für *interface configurator*. Du kannst damit nicht nur Informationen abfragen, sondern auch die Schnittstellen konfigurieren. Ich habe das `ifconfig`-Kommando einmal über ein *Terminal-Fenster* abgesetzt, als ich noch keine Verbindung zum Netzwerk eingerichtet hatte. Die Ausgabe sah wie folgt aus:

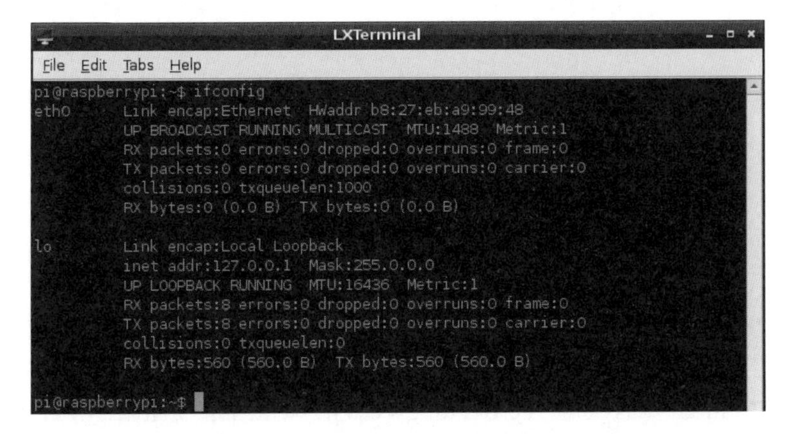

Abbildung 16-5
ifconfig-Ausgabe bei nicht vorhandener Netzwerkverbindung

Wir finden an keiner Stelle eine vom Router zugewiesene *IP-Adresse*. Verbinde ich nun das Netzwerkkabel mit meinem *Raspberry Pi* und führe `ifconfig` nach kurzer Zeit erneut aus, dann sieht die Sache schon anders – sprich besser – aus:

```
LXTerminal
File  Edit  Tabs  Help
pi@raspberrypi:~$ ifconfig
eth0      Link encap:Ethernet  HWaddr b8:27:eb:a9:99:48
          inet addr:192.168.178.22  Bcast:192.168.178.255  Mask:255.255.255.0
          UP BROADCAST RUNNING MULTICAST  MTU:1488  Metric:1
          RX packets:15 errors:0 dropped:0 overruns:0 frame:0
          TX packets:11 errors:0 dropped:0 overruns:0 carrier:0
          collisions:0 txqueuelen:1000
          RX bytes:1708 (1.6 KiB)  TX bytes:1266 (1.2 KiB)

lo        Link encap:Local Loopback
          inet addr:127.0.0.1  Mask:255.0.0.0
          UP LOOPBACK RUNNING  MTU:16436  Metric:1
          RX packets:8 errors:0 dropped:0 overruns:0 frame:0
          TX packets:8 errors:0 dropped:0 overruns:0 carrier:0
          collisions:0 txqueuelen:0
          RX bytes:560 (560.0 B)  TX bytes:560 (560.0 B)

pi@raspberrypi:~$
```

Abbildung 16-6
ifconfig-Ausgabe bei einer bestehenden Netzwerkverbindung

Ich habe den wichtigen Bereich rot umrandet. Unter *Linux* wird der erste Netzwerkadapter meistens mit der Bezeichnung *eth0* (Abkürzung für *Ethernet*) versehen. Wir erkennen, dass dem *Raspberry Pi* die IP-Adresse *192.168.178.22* mit der Netzwerkmaske *255.255.255.0* zugewiesen wurde. Möglicherweise fragst du dich, was denn eine *Netzwerkmaske* ist. Sie legt fest, welcher Teil der IP-Adresse der *Netzwerk-* und welcher der *Hostanteil* ist. Ein sehr wichtiges Kommando zur Diagnose bzw. Fehlersuche kann `ping` sein. Mit diesem Befehl kannst du versuchen, einen anderen Netzwerkteilnehmer anzusprechen. Ich habe das einmal bei meinen Router *versucht*, von dem ich weiß, dass er die IP-Adresse *192.168.178.1* besitzt:

Abbildung 16-7 ▶
Das erfolgreiche ping-Kommando

```
LXTerminal
File Edit Tabs Help
pi@raspberrypi:~$ ping 192.168.178.1
PING 192.168.178.1 (192.168.178.1) 56(84) bytes of data.
64 bytes from 192.168.178.1: icmp_req=1 ttl=64 time=0.768 ms
64 bytes from 192.168.178.1: icmp_req=2 ttl=64 time=0.748 ms
64 bytes from 192.168.178.1: icmp_req=3 ttl=64 time=0.831 ms
64 bytes from 192.168.178.1: icmp_req=4 ttl=64 time=0.769 ms
^C
--- 192.168.178.1 ping statistics ---
4 packets transmitted, 4 received, 0% packet loss, time 3003ms
rtt min/avg/max/mdev = 0.748/0.779/0.831/0.031 ms
pi@raspberrypi:~$
```

Dadurch, dass eine Verbindung besteht, wird mir angezeigt, wie lange ein abgesetztes Testpaket unterwegs ist, bis eine Antwort erfolgt (siehe `time`-Werte). Du musst das `ping`-Kommando mit STRG-C unterbrechen, da es sonst endlos ausgeführt würde. Wenn du nur eine bestimmte Anzahl von Paketen abschicken möchtest, verwende den Schalter `-c` (z.B. `ping -c 3 192.168.178.1`). Bei Netzwerkproblemen muss nun aber differenziert werden. Wenn du über kein Netzwerk verfügst oder versuchst, das *ping*-Kommando in ein unbekanntes bzw. nicht erreichbares Netzwerk abzusetzen, wird dir u.U. die folgende Meldung zurückgeliefert:

Abbildung 16-8 ▶
Das Netzwerk ist nicht zu erreichen.

```
LXTerminal
File Edit Tabs Help
pi@raspberrypi:~$ ping 192.168.178.1
PING 192.168.178.1 (192.168.178.1) 56(84) bytes of data.
ping: sendmsg: Network is unreachable
ping: sendmsg: Network is unreachable
ping: sendmsg: Network is unreachable
^C
--- 192.168.178.1 ping statistics ---
12 packets transmitted, 0 received, 100% packet loss, time 11072ms

pi@raspberrypi:~$
```

Die Meldung *Network is unreachable* sagt aus, dass das Netzwerk nicht erreichbar ist. Ist jedoch ein funktionierendes Netzwerk vorhanden und du konntest nur einen einzelnen Rechner oder Router nicht erreichen, dann erhältst du die folgende Meldung:

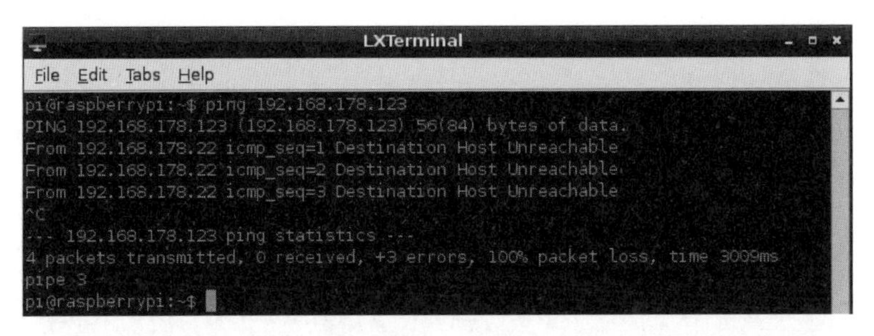

Abbildung 16-9
Das erfolglose ping-Kommando

Die Nachricht *Destination Host unreachable* besagt, dass der angesprochene Rechner im Moment nicht zu erreichen ist. Das kann natürlich mehrere Ursachen haben:

- Stimmt die IP-Adresse?
- Ist der angesprochene Rechner überhaupt eingeschaltet?
- Verfügt der angesprochene Rechner über eine Netzwerkanbindung?

Die Gründe können mannigfaltig sein und da ist manchmal schon ein wenig Detektivarbeit angesagt. Durch logisches Denken kommt man der Sache dann aber meistens doch auf die Spur.

Das könnte wichtig für dich sein

Wenn du nach dem Booten deines *Raspberry Pi bemerkst*, dass das Netzwerkkabel nicht korrekt verbunden ist, musst du nach der Verbindungsherstellung nicht erneut booten. Linux registriert die Verbindung und fordert bei eingestelltem *DHCP* automatisch eine *IP-Adresse* beim Router an.

Wenn du trotz vorhandenem und eingestecktem Netzwerkkabel Probleme mit der Verbindung hast, kann ggf. mit den folgenden Kommandos Abhilfe geschaffen werden:

```
sudo ifdown eth0
sudo ifup eth0
```

Es wird dadurch ein *Reset* des DHCP-Netzwerkes durchgeführt. Das erste Kommando `ifdown` deaktiviert den Netzwerkadapter *eth0*, wohingegen das zweite Kommando `ifup` eine nachfolgende Aktivierung herbeiführt. Schauen wir uns die Ausgabe von `ifup` einmal genauer an:

Abbildung 16-10 ▶
Das ifup-Kommando

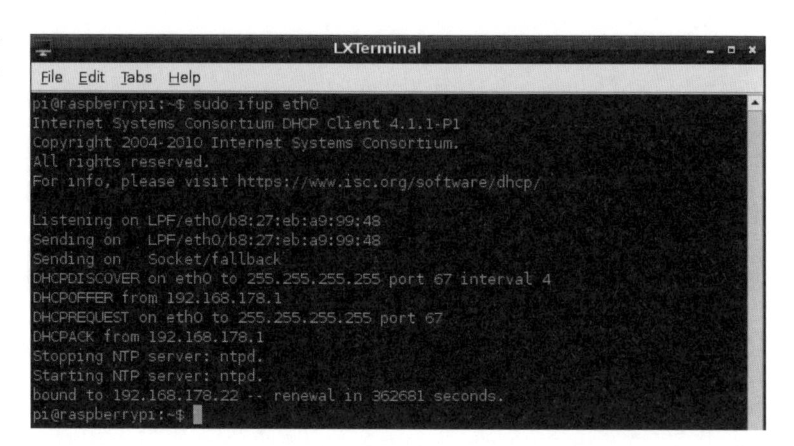

Du siehst in der Zeile `DHCPOFFER` eine Reaktion von meinem Router mit der *IP-Adresse* `192.168.178.1`. Er nimmt die Anfrage von `ifup` entgegen, um eine neue *IP-Adresse* zu vergeben. Das geschieht auch in der Zeile `bound to 192.168.178.22` bei der Vergabe dieser *IP-Adresse* an den angegebenen Netzwerkadapter `eth0`.

Interessante Links

17

Manchmal kann es recht mühsam sein, sich im Internet auf die Suche nach Dingen zu begeben, die gerade benötigt werden. Darum denke ich, dass es nicht schlecht ist, an dieser Stelle ein paar interessante Links zu präsentieren.

Wo finde ich was?

Natürlich kann man einfach in einer Suchmaschine, z. B. *Google*, die hoffentlich richtigen Suchbegriffe eingeben, doch ich habe mich dazu entschieden, hier ein paar weitere Hilfestellungen zu geben.

Raspberry Pi Blog

http://www.raspberrypi.org/

Wo erhalte ich diverse Betriebssystem-Images?

Die Hauptanlaufstelle für die Betriebssystem-Images für *Raspberry Pi* ist folgende Seite:

http://www.raspberrypi.org/downloads

Aber auch unter

http://elinux.org/RPi_Distributions

findest du sicherlich sehr interessante und nützliche Hinweise.

Wo finde ich hilfreiche Programme bzw. Tools?

Ich habe während des *SD-Karten-Setups* diverse Tools verwendet, die eine große Hilfe waren. Außerdem war die Installation eines *Linux*-Betriebssystems in einer virtuellen Umgebung unter *Windows* mit *VirtualBox* sehr nützlich.

USB-Image Tool

Das *USB-Image Tool* dient zum z.B. Erstellen eines Speicherabbildes aus einem Image. Zusätzlich kannst du auch Deine *SD-Karte*, die du mit weiterer Software versehen hast, darüber sichern und ein eigenes Image erstellen, um es ggf. später wieder zu verwenden, falls etwas mit dem Betriebssystem oder einigen Programmen schiefgelaufen ist. Auf diese Weise musst du die vorhandene Installation nicht wieder von Grund auf mit einem frischen und nackten Image neu aufsetzen. Du findest das Tool unter folgender Adresse:

http://www.alexpage.de/usb-image-tool/

Win32 Disk Imager

Mit dem *Win32 Disk Imager* kannst du ebenfalls eine Betriebssysteminstallation aus einem Image erstellen. Du findest ihn unter dieser Adresse:

http://www.raspberrypi.org/downloads

SDFormatter

Das *SDFormatter*-Tool ist dazu imstande, z.B. eine *SD-Karte* zu formatieren, um so einen definierten Ausgangszustand herzustellen. Anschließend kannst du dann ein frisches Image aufspielen. Es ist unter der folgenden Adresse zu finden:

https://www.sdcard.org/downloads/formatter_3/

VirtualBox

VirtualBox ist eine fantastische Möglichkeit, Betriebssysteme in einer *virtuellen Umgebung* laufen zu lassen. Du kannst dann – ohne dein eigentliches Betriebssystem zu gefährden – gefahrlos Dinge mit Deiner Software ausprobieren oder einfach parallel zu deinem Haupt-Betriebssystem weitere Betriebssysteme nutzen, ohne einen neuen physikalischen Rechner aufsetzen zu müssen. *VirtualBox* ist für diverse Plattformen wie *Windows*, *Linux*, *Mac OS X* und *Solaris* lauffähig.

Es ist unter

https://www.virtualbox.org/

zu finden.

Packprogram 7-Zip

Um unter *Windows* mit gepackten Dateien hantieren zu können, kannst du das Packprogramm *7-Zip* verwenden. Es steht kommerziellen Programmen in kaum etwas nach und ist einfach zu bedienen. Du findest es hier:

http://www.7-zip.de/

Wo finde ich nützliche Online-Hilfen?

Python

http://docs.python.org/tutorial/

Linux

http://www.oreilly.de/online-books/

Hardware

Natürlich kommst du ohne die entsprechende Hardware nicht aus und es ist sicherlich nützlich, zu wissen, wo du zumindest das *Raspberry Pi*-Board beziehen kannst.

Raspberry Pi-Board

http://www.vesalia.de/

http://de.rs-online.com/web/

http://www.element14.com/

SD-Karten

Da nicht jede *SD-Karte* für den *Raspberry Pi* geeignet ist, hier ein Link, unter dem eine Liste einiger erfolgreich getesteter Karten bereitgestellt wird:

http://raspberrycenter.de/handbuch/sd-karten-raspberry-pi

Falls es Probleme mit der einen oder anderen SD-Karte geben sollte, dann ist die folgende Seite sicherlich einen Blick wert:

http://raspberrycenter.de/handbuch/warum-funktioniert-meine-sd-karte-nicht-raspberry-pi

Das Gertboard

Das *Gertboard*, das zur Erweiterung deines *Raspberry Pi*-Boards über die *GPIO*-Schnittstelle dient, kannst du unter

http://www.element14.com/community/groups/raspberry-pi

beziehen. Dort findest du auch weitere Informationen, wie z.B. Folgende:

- Das *Assembly Manual*
- Das *User Manual*
- Test-Programme in der Programmiersprache *C* zur direkten Ansteuerung des Gertboards

Weitere nützliche Hilfen zu *GPIO* findest du hier:

http://elinux.org/RPi_Low-level_peripherals

Es sind Programmbeispiele für die folgenden Programmiersprachen vorhanden:

- C
- Python
- Java
- Shell-Skript
- Perl
- C#
- Ruby

Das PiFace-Board

Informationen zum PiFace-Board findest du unter:

http://pi.cs.man.ac.uk/interface.htm

WiFi-Adapter

Wenn du deinen *Raspberry Pi* nicht über ein Netzwerkkabel mit dem Internet verbinden möchtest, besteht auch eine drahtlose

Möglichkeit über *WLan*. Eine Liste der unterstützten *WLan-Adapter* findest du auf dieser Seite:

http://elinux.org/RPi_VerifiedPeripherals#USB_WiFi_Adapters

Cases

Adafruit (*http://adafruit.com/*)

ModMyPi (*https://www.modmypi.com*)

Das EEBoard

Das *EEBoard* der Firma *Digilent* bietet dem Bastler bzw. Frickler viele wunderbare Messgeräte vereint in einem einzigen Gerät. Wolltest du jedes Gerät einzeln erwerben, dann hättest du einiges zu tun. Folgende Geräte sind enthalten:

- ein 4-Kanal-Oszilloskop
- ein 2-Kanal-Waveform-Generator
- ein programmierbares Power-Supply
- ein 32-Kanal-Logic-Analyzer
- ein Digital Pattern Generator(digitaler Mustergenerator)
- zahlreiche statische I/O Features, wie *Schalter*, *LEDs*, *7-Segmentanzeigen* usw.

Weitere Informationen findest du hier:

http://www.digilentinc.com/

http://www.trenz-electronic.de/

Elektronische Bauteile

http://www.komputer.de/

https://www.pollin.de/

http://www.reichelt.de/

http://www.watterott.com/

Weiterführende Literatur

Natürlich kannst du dich in viele der in diesem Buch angesprochenen Themen tiefer einarbeiten. Der *O'Reilly-Verlag* hat zu jedem Thema das Passende *in petto*.

Linux

http://www.oreilly.de/topics/linux.html

Programmiersprachen

Python

http://www.oreilly.de/topics/python.html

C/C++

http://www.oreilly.de/topics/cplus.html

Mikrocontroller

Der Arduino

http://www.oreilly.de/catalog/elekarduinobasger/

http://www.erik-bartmann.de

Index

Symbole

Numerisch

A

B

C

D

E

F

G

H

V

W

Z

Arduino & DIY

Die elektronische Welt mit Arduino entdecken

Erik Bartmann
496 Seiten, 2011, 34,90 €
ISBN 978-3-89721-319-7

Nicht zu Unrecht hat das Open Source-Projekt Arduino in den vergangenen Jahren große Aufmerksamkeit erlangt und vielen Nicht-Programmieren den Einstieg in eine neue, faszinierende Welt ermöglicht. Mit dem Microcontroller Arduino können aufregende Dinge entwickelt werden: von der selbst programmierten Ampelsteuerung bis hin zum Roboter, der mit seiner Umwelt interagiert. Die einzige Voraussetzung, die man für dieses Buch mitbringen muss, ist Neugierde. Für den Rest sorgt Autor Erik Bartmann: Schritt für Schritt führt er den Leser in die Welt der Elektronik, Schaltpläne und Leuchtdioden ein. Alle im Buch vorgestellten Arduino-Projekte bauen didaktisch vom Einfachen zum Komplexen aufeinander auf. Elektronisches Grundwissen wird an den Stellen vermittelt, an denen es benötigt wird.

Arduino Kochbuch

Michael Margolis,
624 Seiten, 2012, 44,95 €
ISBN 978-3-86899-353-0

Der Autor nimmt Sie bei der Hand und entwickelt mit Ihnen unglaublich faszinierende Elektronikprojekte: von der einfachen Ampelschaltung bis hin zu komplexen Robotern, die mit ihrer Umwelt interagieren. Wie beiläufig vermittelt er Ihnen dabei das notwenige elektronische Grundwissen, das Sie benötigen, um selbst eindrucksvolle Arduino-Projekte zu bauen. Das Buch ist durchgängig vierfarbig mit zahlreichen Fotos und erläuternden Grafiken.

Processing

Eric Bartmann, 576 Seiten, 2010, in Farbe
34,90 €, ISBN 978-3-89721-997-7

Processing ist eine auf Grafik, Simulation und Animation spezialisierte objektorientierte Programmiersprache, die besonders für Menschen mit wenig Programmiererfahrung geeignet ist. Deshalb eignet sie sich vor allem für Künstler, Bastler und Programmiereinsteiger. *Processing* führt den Leser zügig in die Programmier-Essentials ein und geht dann unmittelbar zur Programmierung grafisch anspruchsvoller Anwendungen über. Spielerisch wird dem Leser die 2D- und 3D-Programmierung, Textrendering, die Bildbearbeitung und sogar die Videomanipulation nahe gebracht.

Making Things Talk – Die Welt hören, sehen, fühlen

Tom Igoe, 486 Seiten, 2012, 39,90 €
ISBN 978-3-86899-162-8

Making Things Talk – Die Welt sehen, hören, fühlen zeigt mit 33 leicht nachzubauenden Elektronikprojekten, wie Dinge untereinander, mit der Umwelt und mit Menschen kommunizieren können. Dieses Buch wurde in den USA in der 1. Auflage zu DEM Standardwerk über Physical Computing.

Making Things Move – Die Welt bewegen

Dustyn Roberts, 384 Seiten, 2011, 29,90 €
ISBN 978-3-86899-139-0

Dieses Buch richtet sich an alle, die keine formale Ingenieursausbildung besitzen, aber trotzdem Dinge bauen möchten, die sich bewegen. Dustyn Roberts widmet sich in *Making Things Move* einem breiten Themenspektrum, das vom Anschluss von Kupplungen oder Spindeln an Motoren bis zur Umwandlung von rotierender in lineare Bewegung reicht. Dazu nutzt die Autorin einfache Erklärungen,viele Fotos und Zeichnungen und bezieht sich stets auf faszinierende DIY-Projekte.

Make: Elektronik

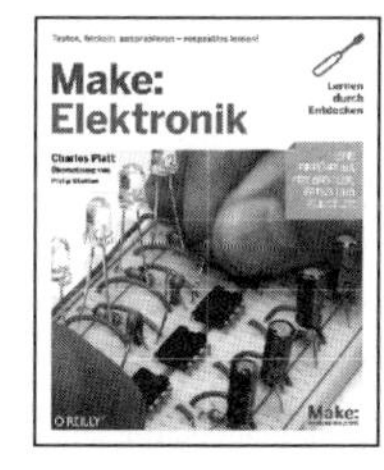

Charles Platt, 340 Seiten, 2010, 34,90 €
ISBN 978-3-89721-601-3

Ganz geschmeidig die Grundlagen der Elektronik lernen? Auch noch Spaß dabei haben? Und direkt richtige Elektronikprojekte realisieren? Das soll nicht gehen? Doch! *Make: Elektronik* startet mit den Basics und geht dann zügig über in komplexe DIY-Projekte. Die Projekte reichen von einer elektronischen Einbruchssicherung über einen Reaktionszeitmesser bis hin zum Bau eines Selbstlenkfahrzeugs, das seine Umgebung wahrnehmen und darauf reagieren kann. Detaillierte Schritt-für-Schritt-Bauanleitungen, über 500 farbige Fotos und Abbildungen und unzählige Themeninseln zu allen relevanten Elektronik-Grundlagenthemen machen *Make: Elektronik* zu einem Ausnahmebuch.

Geek-Alltag

Der Geek-Atlas

John Graham-Cumming, 592 Seiten, 2009
24,90 €, ISBN 978-3-89721-933-5

Der Geek-Atlas listet 128 Orte auf der gesamten Welt auf, wo Wissenschaft, Mathematik oder Technik erlebt werden kann. Jeder Ort wird in einem eigenen Kapitel beschrieben und darüber hinaus wird ein technisches oder wissenschaftliches Thema behandelt, das mit diesem Ort in Verbindung steht. Ob als informatives Reisebuch oder zur Inspiration für den nächsten oder übernächsten Urlaub: *Der Geek-Atlas* ist ein einzigartiges Buch, das in keinem Geek-Rucksack und bei keiner Urlaubsvorbereitung fehlen darf.

Dein Körper – Das Missing Manual

Matthew MacDonald
324 Seiten, 2010, 19,90 €
ISBN 978-3-89721-963-2

Wunderwerk Körper: Wir alle leben in unserem Körper, seit wir auf der Welt sind, und doch gibt er uns immer wieder Rätsel auf. Wer weiß schon, dass wir unsere äußere Hautschicht häufiger wechseln als Schlangen? Oder dass wir ohne bestimmte Arten von Bakterien anfälliger für verschiedene Krankheiten und Allergien wären? Auf Basis aktuellster wissenschaftlicher Erkenntnisse erklärt *Dein Körper* präzise und verständlich alle wichtigen Körperfunktionen, gibt praktische Tipps, wie wir unsere »Hardware« in Schuss halten, und räumt mit gängigen Vorurteilen auf (nein, wir verlieren nicht einen Großteil unserer Körperwärme über den Kopf ...). Vor allem aber ist es eine ausgesprochen unterhaltsame Lektüre.

Dein Gehirn – Das fehlende Handbuch

Matthew MacDonald, 288 Seiten, 2009
19,90 €, ISBN 978-3-89721-878-9

Mit immer ausgefuchsteren Methoden arbeitet die Wissenschaft daran, hinter die Geheimnisse unseres Gehirns zu kommen, aber für uns Normalsterbliche bleibt dieser feuchte Klumpen Zellmasse doch einfach ein Rätsel. Dieses eine Organ soll dafür zuständig sein, dass wir logische Probleme lösen können, Angst empfinden, Gesichter wiedererkennen, nachts träumen, uns die Schuhe zubinden können? Wie spannend die Funktionsweise unseres Gehirns ist, was Biologen, Mediziner und Psychologen inzwischen über unsere Denkprozesse, Gefühle und persönliche Entwicklung wissen, das alles vermittelt dieses Buch auf höchst unterhaltsame Weise.

Kochen für Geeks

Jeff Potter, 484 Seiten, 2011, 24,90 €
ISBN 978-3-86899-125-3

Nach dem Erfolg von *Das Kochbuch für Geeks* gibt's einen ordentlichen Nachschlag: Auch *Kochen für Geeks* ist mehr als ein normales Kochbuch, denn es bringt Innovation und Inspiration in die Küche. Warum backt etwas bei 175° anders als bei 190°? Und wie schnell ist eine Pizza fertig, wenn man den Ofen auf 540° überhitzt? Autor und Koch-Geek Jeff Potter gibt hierauf fundierte, aber gleichzeitig auch überraschende Antworten. Wer beim Kochen experimentieren und lernen möchte, der muss *Kochen für Geeks* lesen – ganz egal, ob man selbst ein Geek ist.

Hackerbrause – kurz & geek

Kathrin Ganz, Jens Ohlig, Sebastian Vollnhals
144 Seiten, 2011, 9,90 €
ISBN 978-3-86899-141-3

Wie kam Club-Mate, die bekannteste Hackerbrause, in die deutsche Hackerszene? Welchen Anteil hatten freie Getränkevertriebskollektive an der Verbreitung dieser Getränke? Und wer brachte das Getränk in die USA? Dies und noch vieles mehr wird in *Hackerbrause – kurz & geek* beschrieben. Die Geschichte der Hackerbrausen ist eine Geschichte der Hackerbewegung der letzten 15 Jahre.

Das Kochbuch für Geeks

Mela Eckenfels & Petra Hildebrandt
240 Seiten, 2007, 15,90 €, mit Referenzkarte
ISBN 978-3-89721-462-0

Geeks sind Nachtschattengewächse und ernähren sich bevorzugt von Junk Food – soweit das Klischee. Dass aber Kochen viel mit Programmieren gemein hat, dass sich der Build-Prozess einer individuellen Pizza-Lösung sehr wohl in den Geek-Alltag einbauen lässt und dass manche Rezepte einfach nur abgefahren, genial und ja ... geekig sind: Das zeigen zwei Geeketten in diesem Buch. Backen ohne Ofen, Rühreier ohne Pfanne und Rezepte für die LAN-Party sind nur ein Teil ihres Repertoires. Vom hilflosen Nerd über Mamas Liebling bis zum kulinarischen Geek finden hier alle passende Küchen-Hacks, die zum Nach-machen inspirieren.